O PODER DE CRER CORRETAMENTE

CB002615

JOSEPH PRINCE

O PODER DE CRER CORRETAMENTE

7 PRINCÍPIOS PARA SER LIVRE DO MEDO, DA CULPA E DOS VÍCIOS

1.ª Edição
Belo Horizonte

Diretor
Lester Bello

Autor
Joseph Prince

Título Original
The Power of Right Believing

Tradução
Claudio Chagas / Idiomas & Cia

Revisão
Ana Lacerda, Elizabeth Jany/
Daiane Rosa/Idiomas & Cia

Diagramação
Julio Fado

Design capa (adaptação)
Fernando Rezende

Impressão e acabamento
Promove Artes Gráficas

BELLO PUBLICAÇÕES

Rua Vera Lúcia Pereira, 122
Goiania - CEP 31.950-060
Belo Horizonte/MG - Brasil
contato@bellopublicacoes.com.br
www.bellopublicacoes.com.br

Copyright desta edição
© 2013 by Joseph Prince
FaithWords
Hachette Book Group
New York, NY

Copyright das ilustrações © 2013
por 22 Media Pte Ltd.

Publicado pela
Bello Comércio e Publicações Ltda-ME
com a devida autorização de
Hachette Book Group e todos
os direitos reservados.

Primeira edição — Abril de 2015
2ª. Reimpressão — Julho de 2016

Todos os direitos reservados. Nenhuma parte desta publicação poderá ser reproduzida, distribuída ou transmitida sob qualquer forma ou meio, ou armazenada em base de dados ou sistema de recuperação, sem a autorização prévia por escrito da editora.

Exceto em caso de indicação em contrário, todas as citações bíblicas foram extraídas da Bíblia Sagrada Almeida Revista e Atualizada, © 1994, Sociedade Bíblica do Brasil. Outras versões utilizadas: AMP (Amplified Bible, traduzida livremente), ACF (Almeida Corrigida Fiel, Sociedade Bíblia Trinitariana do Brasil) e NVI (Nova Versão Internacional, Editora Vida).

Prince, Joseph
P955 O poder de crer corretamente: 7 princípios para ser livre do medo, da culpa e dos vícios / Joseph Prince; tradução de Cláudio Chagas/Idiomas & Cia. - Belo Horizonte: Bello Publicações, 2016.
336p.
Título original: The power of right believing

ISBN: 978-85-8321-020-7
1. Orientação espiritual. 2. Palavra de Deus. 3. Fé cristã. 4. Amor de Deus. I. Título.

CDD: 248 CDU: 266

Elaborada por: Maria Aparecida Costa Duarte CRB/6-1047

Este livro é amorosamente dedicado à minha filha
e amiga Jessica Shayna Prince.

Muitas filhas têm procedido virtuosamente,
mas tu és, de todas, a mais excelente!

— Provérbios 31:29, ACF

SUMÁRIO

❖

PARTE 4

Vença a Batalha por Sua Mente

PARTE 5

Pare de Olhar para Si Mesmo

PARTE 6

Espere Confiantemente o Bem

PARTE 7

Encontre Descanso no Amor do Pai

INTRODUÇÃO

❖

Durante as últimas duas décadas, tive o privilégio de ministrar a pessoas preciosas de todas as classes sociais. Tive a honra de conhecer pessoas em minha congregação e em conferências no mundo todo e de ouvir suas histórias. Sou capaz de visualizar cada uma delas em minha mente ainda hoje, enquanto escrevo estas linhas.

Algumas delas transbordavam da felicidade plena que acompanhava sua libertação da condenação. Outras derramavam lágrimas de gratidão ao se lembrarem dos vícios que outrora as algemavam, prendendo-as à vergonha e à incapacidade de fazer algo de positivo com suas vidas. Das pessoas a quem não cheguei a conhecer pessoalmente, suas cartas e *e-mails* me contaram suas histórias. Histórias de libertação de uma vida de ansiedade e depressão. Histórias de resgate da prisão do medo. Histórias de libertação de hábitos destrutivos.

Estou profundamente comovido e honrado por Deus ter, de alguma maneira, usado minhas mensagens, livros e transmissões de televisão para ajudar essas pessoas incríveis a percorrerem seu caminho para a liberdade.

Mas nem todas as histórias que conheci tiveram um final feliz. Pelo menos, ainda não.

Como pastor, também encontrei muitos que estão lutando até hoje. Alguns estão amarrados por fortes inseguranças, presos por distúrbios alimentares ou tomados por temores constantes e ataques de pânico recorrentes. Outros estão cativos há anos por uma depressão crônica, lutando contra pensamentos suicidas que lhes roubam a capacidade de viver a cada dia. Há também aqueles que estão presos em um ciclo destrutivo de vício — alguns em álcool e outros em nicotina, drogas ou pornografia. E, infelizmente, alguns desses indivíduos ainda estão desesperadamente tentando conquistar sua saída da opressão de mais de um desses vícios.

Todos eles anseiam pela liberdade e já tentaram de tudo, incluindo tratamentos psicológicos e psiquiátricos. Tentaram vencer pela própria força de vontade com o máximo de suas forças, mas tudo que conseguiram foi verem-se ainda mais enredados em seus vícios e inseguranças do que estavam antes. Muitos esgotaram seus recursos financeiros consultando psiquiatra após psiquiatra, médico após médico, conselheiro após conselheiro, gastando milhões por mês em honorários de consultas. Tomaram todos os tipos de medicamentos antidepressivos e antipsicóticos, além de tentar soluções rápidas de todos os tipos imagináveis. E não estão melhores.

Ouvir histórias como essas sempre parte o meu coração e faz nascer em mim a seguinte pergunta: qual é a diferença entre as pessoas que tiveram sucesso e as que ainda estão presas e ligadas a emoções tóxicas e vícios?

Creio que a resposta é simples, mas poderosa: suas *crenças*.

Crer corretamente sempre nos leva a viver corretamente. Quando você crer corretamente, viverá corretamente.

As pessoas estão lutando para controlar seus comportamentos e ações porque não têm controle sobre suas emoções e seus sentimentos. Não têm controle sobre suas emoções e sentimentos porque não têm controle sobre seus pensamentos. E elas não têm controle sobre seus pensamentos porque não estão controlando aquilo em que acreditam.

Simplificando, se você crer errado, lutará contra pensamentos errados. Esses pensamentos errados produzirão emoções pouco saudáveis, que levarão a sentimentos tóxicos de culpa, vergonha, condenação e medo. E esses sentimentos errados acabarão por produzir ações, comportamentos e vícios errôneos e dolorosos.

Aquilo em que você crê é decisivo. E crer de forma equivocada é o gatilho que faz com que você tome um caminho de derrota. É o que o mantém preso e o faz afundar cada vez mais em um cativeiro paralisante.

A boa notícia é que existe uma saída desse ciclo de derrota.

O Poder de Crer Corretamente lhe ensinará as poderosas verdades da Palavra de Deus que lhe farão acreditar em Seu amor por você. Este livro lhe mostrará como Deus está a seu favor, e não contra você. Ele abrirá seus olhos para ver como Deus está do seu lado, torcendo pelo seu sucesso e impulsionando-o em direção à vitória com Seu amor e ternas misericórdias.

Neste livro você aprenderá o que Deus realmente vê quando olha para você como Seu filho amado, o que significa ser totalmente perdoado e como ter uma expectativa confiante no bem em relação ao seu futuro e destino em Cristo.

Você lerá muitos testemunhos surpreendentes de pessoas do mundo todo. Suas vidas foram tocadas e transformadas quando encontraram a pessoa de Jesus e permitiram que suas mentes fossem renovadas com as crenças corretas acerca de sua verdadeira identidade em Cristo.

Para acelerar a sua experiência de aprendizagem, resumi a essência do poder de crer corretamente em sete pontos essenciais simples, mas práticos, que você pode começar a aplicar todos os dias de sua vida. Esses pontos são princípios fundamentados na Bíblia, fáceis de aplicar e altamente eficientes, que ajustarão sua mente para desenvolver hábitos positivos e começar a crer corretamente. Os sete pontos essenciais são:

- Creia no Amor de Deus por Você
- Aprenda a Ver o que Deus Vê

- Receba o Perdão Completo de Deus
- Vença a Batalha por Sua Mente
- Pare de Olhar para Si Mesmo
- Espere Confiantemente o Bem
- Encontre Descanso no Amor do Pai

Meu amigo, se você estiver lutando contra alguns dos problemas que mencionei anteriormente, acredito com todo meu coração que quando reservar algum tempo para ler este livro, você encontrará inspiração, esperança e encorajamento para se libertar das garras paralisantes de tudo que o impede de avançar. Estou confiante de que você encontrará a liberdade e o poder para viver sua vida plenamente.

Deus deseja que você viva com alegria abundante, paz que excede todo entendimento e uma confiança inabalável no que Ele fez por você. É hora de deixar a vida de derrota e começar a viver uma vida cheia de vitória, segurança e sucesso. Pare de lidar apenas com os sintomas — culpas, medos e dependências. Vamos à raiz do problema! Se você puder mudar aquilo em que crê, poderá mudar a sua vida! Esse é o poder de crer corretamente.

PARTE UM

CREIA NO AMOR DE DEUS POR VOCÊ

CAPÍTULO 1

HÁ PODER NO QUE VOCÊ CRÊ

❖

Há poder no que você crê. Se você conseguir mudar aquilo em que crê, conseguirá mudar a sua vida! Conheci muitas pessoas preciosas que vivem lutando para controlar seus comportamentos e ações. Não importa o quanto tentem ou quanto esforço, tempo e recursos invistam na luta, como um boxeador abatido, elas acabam voltando para o seu canto do ringue com o corpo derrotado, a moral esmagada e a confiança abalada — presas mais uma vez pela culpa, pelo medo e pelos vícios que simplesmente se recusam a ir embora.

Então, soa o gongo para o próximo assalto. A luta continua e elas usam tudo o que têm contra o adversário. Esquerda, direita. Esquerda, direita. Parece que estão progredindo. Mas, então, o adversário começa a desferir golpes contra sua mente, e cada golpe vem carregado de um venenoso julgamento condenatório:

Quem você pensa que é? Já se esqueceu de todos os erros que cometeu?
As coisas nunca vão melhorar. Você deve apenas aceitar seu destino.
Não vai dar certo — você só vai fracassar de novo!
Ninguém o ama. Você está sozinho.

Vi essas táticas de engano serem utilizadas muitas vezes pelo adversário. Vi inúmeras pessoas tentarem sair da sombra de seu passado ou se libertarem de suas dependências e acabarem sucumbindo a essas mentiras sobre elas mesmas, sua identidade e seu destino.

Esse é o poder de crer *de forma errada.*

Crer equivocadamente coloca as pessoas em uma prisão. Embora não haja amarras físicas, crenças equivocadas são como um carcereiro que faz com que seus detentos se comportem como se estivessem encarcerados em uma penitenciária de segurança máxima. Eles marcham fatalmente para suas celas úmidas de vícios. Permitem-se ser levados a masmorras de comportamentos destrutivos. Eles se convenceram a nunca sonhar com um lugar melhor, crendo não ter escolha além de viver em desespero, frustração e derrota.

Por outro lado, o crer *corretamente* é uma luz que ilumina o caminho para a saída dessa prisão, rumo à liberdade.

❖ *Crer equivocadamente coloca as pessoas em uma prisão. Crer corretamente é uma luz que ilumina o caminho para a saída dessa prisão, rumo à liberdade.*

Deus Quer Iluminar Seu Caminho

Agora, antes que você o deixe de lado pensando que este é mais um livro que afirma que tudo se resolverá se você apenas conseguir pensar positivamente, espere. Isto não tem nada a ver com psicologia humana. Trata-se da crença correta que nasce de um relacionamento pessoal e íntimo com um Salvador amoroso, uma crença fundamentada na Sua Palavra que traz vida e iluminação. O salmista diz assim: "Lâmpada para os meus pés é a tua palavra e, luz para os meus caminhos" (Salmos 119:105). A tradução da Bíblia

A Mensagem diz: "Iluminado por tuas palavras, consigo enxergar o caminho; elas lançam um facho de luz sobre a estrada escura".

Meu amigo, Deus quer lançar um facho de luz sobre o seu caminho hoje. Seja contra o que for que você esteja lutando atualmente, independentemente de quão intransponíveis seus desafios pareçam ser, quando você começar a crer corretamente, as coisas começarão a cooperar para o seu bem!

As mudanças que você tem lutado há anos para conquistar podem acontecer em um instante sobrenatural. Sei disso porque aconselhei e orei por muitas pessoas que me contaram como seus anos de dependência de cigarros, álcool ou pornografia simplesmente desapareceram quando permitiram que Jesus entrasse naquelas áreas de suas vidas. Certa manhã, elas acordaram e o desejo daquelas coisas simplesmente não existia mais!

Se formos honestos, precisaremos admitir que todos nós temos algum grau de crenças equivocadas em nossas vidas. Se não acredita nisso, tudo que precisa fazer é perguntar-se: "Costumo me sentir ansioso, preocupado ou com medo de que o pior possa acontecer a mim ou aos meus entes queridos?" Meu amigo, essas emoções negativas e angustiantes são sinalizadores que indicam aquilo em que realmente cremos acerca de nós mesmos, nossas vidas e Deus.

Quando estamos com medo e preocupados o tempo todo, estamos vivendo como se não acreditássemos que temos um Pastor forte e capaz, que é compassivo para conosco, que só nos leva a bons lugares, que nos protege e cuida de nós com amor. Então, se estar preocupado ou sentir medo parece ser o seu modo padrão de comportamento, o que você precisa fazer é continuar a ouvir e aprender o quanto Deus o ama e quão precioso você é para Ele. Quanto mais fortemente você acreditar nisso — quanto mais essa verdade habitar o seu íntimo — mais ela transformará seus pensamentos e sentimentos, e menos você será vítima de emoções e comportamentos não saudáveis.

Em graus variados, todos nós temos em nossos corações crenças equivocadas que precisam ser expostas à verdade da Palavra de Deus. É por isso que precisamos do Salvador. Nossas crenças erradas só podem ser destruídas quando são expostas à Sua graça e à verdade da Sua Palavra.

Conhecendo a Verdade que o Liberta

A premissa básica deste livro se fundamenta em um conhecido versículo que diz: "E conhecereis a verdade, e a verdade vos libertará" (João 8:32). Esse é um versículo amplamente utilizado, até mesmo na literatura secular. Mas o que ele realmente significa? Qual é a verdade que o liberta?

É essencial entender que Jesus disse isso aos judeus de Sua época. Eles eram pessoas que cresciam estudando e aprendendo a Lei desde bem pequenos. Contudo, semelhantemente a nós hoje, essas pessoas ainda lutavam contra medos, ansiedades, doenças e todos os tipos de opressão, escravidão e vícios.

Então, qual é essa verdade de que Jesus estava falando, essa verdade que se seus ouvintes conhecessem, os libertaria de todas essas coisas destrutivas? Bem, é evidente que não pode ser a Lei, porque essas pessoas já a conheciam muito bem. Elas já observavam a Lei da melhor maneira que podiam, mas não conseguiam encontrar liberdade nela. Meu amigo, a liberdade só pode ser encontrada na graça de Deus. Quando você crer corretamente em Sua graça e em Seu amor por você, os grilhões de medo, da culpa e da dependência cairão.

Graça — O Antídoto para a Mente Envenenada

A graça é a verdade que Jesus veio ao mundo para nos dar. Sua Palavra proclama que "a graça e a verdade vieram por meio de Jesus Cristo" (ver João 1:17).

No original grego, "a graça e a verdade" são consideradas um único item porque o verbo seguinte, traduzido como "vieram" na versão NVI, é usado em singular no original. A graça e a verdade constituem uma e a mesma coisa. A graça é a verdade que tem o poder de libertá-lo do medo, da culpa e de todos os vícios: "E conhecereis a verdade, e a verdade vos libertará" (João 8:32).

É a verdade da graça, e não da Lei, que lhe traz a verdadeira liberdade. A verdade da Lei só o prende. De fato, a escravidão religiosa é uma das submissões mais devastadoras com a qual uma pessoa pode ser subjugada. A escravidão religiosa mantém uma pessoa em constante medo, culpa e ansiedade.

A boa notícia é que a graça veio para libertá-lo da maldição da Lei. A graça não é uma doutrina ou um assunto teológico. Quando Jesus fala sobre a graça, Ele está falando sobre si mesmo. A graça é uma pessoa. A graça é o próprio Jesus. "Porque a lei foi dada por intermédio de Moisés; a graça e a verdade vieram por meio de Jesus Cristo" (João 1:17). A verdade que tem o poder de escancarar as portas da sua prisão é a graça de Cristo. Sua graça é o antídoto para neutralizar todo veneno que esteja em sua mente! Quando você prova o amor de Jesus e desfruta Sua benignidade e misericórdia compassiva, toda crença errada começa a se dissolver ao entrar em contato com a glória do Seu amor.

> ❖ *Quando você prova o amor de Jesus e desfruta Sua benignidade e misericórdia compassiva, toda crença errada começa a se dissolver.*

Já vi isso acontecer repetidas vezes, em todo lugar onde proclama, sem desculpas, o Evangelho puro da graça e do incessante amor do nosso Senhor Jesus. Quando uma pessoa começa a corrigir sua crença de modo a receber com alegria o generoso, excessivo e superabundante amor de Deus, formas de pensar ou fortalezas destrutivas começam a ser aniquiladas. E, em um instante sobrenatural, ela experimenta a libertação de medos, cativeiros e hábitos destrutivos. Você é incapaz de processar a Sua graça de modo lógico em sua mente — ela precisa ser vivenciada em seu coração!

Meu amigo, sua liberdade está em crer corretamente no amor, na graça e no favor de Deus em sua vida. Quando você crer corretamente em Sua graça, começará a viver corretamente. Crer corretamente sempre resulta em viver corretamente.

A Graça de Deus Desenraiza Crenças Erradas

Conheci uma jovem em uma conferência na qual fui palestrante. Gostaria que você pudesse ter visto Kate com seus próprios olhos. Ela era uma jovem confiante e agradável, com um rosto radiante. Por isso, não pude acreditar quando ela me revelou que havia sido liberta de mais de quatro anos de dependência de álcool!

Ela fora uma executiva de sucesso, mas o estresse do trabalho e a tensão de manter seu sucesso e imagem a levaram a consumir pelo menos um litro de bebida alcoólica por dia, como uma válvula de escape. Em pouco tempo, acompanhar as elevadas exigências de sua carreira tornou-se uma luta constante. Juntamente com a pressão que ela mesma cobrava de si para manter intacta sua aparência de sucesso, essa luta a levou à depressão profunda.

Uma coisa levou a outra e, em pouco tempo, além de dependente de álcool, Kate se tornou dependente de um coquetel de fortes antidepressivos, tranquilizantes, betabloqueadores e remédios para dormir. Ela contou que tentou de tudo para vencer a luta contra o álcool. Consultou psiquiatras e psicólogos e até mesmo participou assiduamente de grupos de apoio para alcoólatras. Por meio desses intermináveis compromissos e reuniões, vivenciou o que ela chama de "alguns ataques de recuperação" que, quando muito, só duravam alguns dias.

Certo dia, o marido de Kate decidiu viajar com ela em um feriado. Isso a deixou mais ansiosa, porque ela não sabia como conseguiria saciar seu vício secreto enquanto viajava com o marido. A essa altura, ela já havia tentado repetidas vezes parar de beber e estava muito familiarizada com os sintomas da abstinência que sempre a derrotavam. Suas mãos tremiam tão vigorosamente que ela não conseguia sequer segurar uma colher para se alimentar. Sentia que perdia a consciência e suava frio sem parar e, constantemente, vomitava e era incapaz de manter qualquer alimento no estômago.

Todos esses sintomas desapareciam com um drinque ou dois, então ela saía escondida para comprar álcool quando, supostamente, deveria estar na academia. Kate ingeria bebidas de elevado teor alcoólico em segredo quando o marido estava no trabalho!

Para o restante do mundo, Kate aparentava ter tudo sob controle. Mas ela sabia. Ela sabia que estava presa ao alcoolismo e não havia saída desse círculo vicioso de derrota.

Então, após tentar repetidamente superar sua dependência, sem sucesso, Kate estava prestes a desistir. Mas Deus tinha outros planos. Ele a levou a um dos líderes de minha igreja, que lhe ensinou a mergulhar na Palavra e orar no Espírito. Enquanto ela ouvia minhas mensagens a respeito da graça de Deus, Ele começou a desenraizar as crenças erradas que haviam sido instaladas em sua mente e substituí-las por crenças corretas.

Quando chegou a hora de viajar para o feriado, embora cheia de receio e quase desistindo da viagem na última hora, ela decidiu que iria e pediu ao Senhor para ajudá-la a manter os olhos nele em vez de tentar superar os sintomas da abstinência. Kate estava determinada a aproveitar seu tempo com o marido e a dar graças a Jesus por cada bênção, independentemente de quão pequena.

Kate me contou que, durante toda a viagem, ela só ficou descansando, orando no Espírito e ouvindo continuamente minhas mensagens em seu *iPod*. Para seu espanto, ela não sofreu qualquer sintoma. E sabe o que mais? Já se passaram mais de dois anos desde aquela viagem, e ela nunca mais tomou uma gota de álcool. Aleluia!

Ela admitiu que, embora a ideia de tomar um drinque lhe ocorra de vez em quando, ela acredita que Deus lhe deu a força para resistir à tentação. E, por Sua graça, ela sabe que jamais se renderá à garrafa de novo!

Meu amigo, em um instante sobrenatural, quatro longos e traiçoeiros anos de dependência de álcool desapareceram para Kate. Ela não sabia disso na época, mas Deus estava libertando-a de sua dependência (e muito mais) ao enchê-la com o Espírito enquanto ela deixava de olhar para o seu problema e mantinha os olhos em Jesus. Ela também contou como descobrira que a resposta para seu problema com a bebida estava na Palavra de Deus todo esse tempo: "E não vos embriagueis com vinho, no qual há dissolução, mas enchei-vos do Espírito" (Efésios 5:18).

Aplaudo essa jovem por ter a coragem de compartilhar sua poderosa história comigo, e oro para que o testemunho dela incentive, inspire e dê esperança a você.

Um Encontro com Jesus Pode Libertá-lo Sobrenaturalmente

Você pode estar se perguntando: "Como pode ser isso? Como quatro anos de dependência de álcool simplesmente desaparecem assim? Como poderia um desejo tão poderoso simplesmente perder sua força em tão pouco tempo?"

A resposta é simples, mas poderosa.

Kate permitiu que o amor de Deus invadisse sua mente enquanto ouvia, em seu *iPod*, mensagens sobre a graça de Jesus e Seu amor. Quando você permite que o amor de Deus preencha totalmente sua mente, não importa quais crenças erradas, medos ou dependências estejam mantendo-o cativo. A graça de Deus começará a destruí-los.

Isso é o que acontece quando você tem um encontro com o seu amoroso Salvador. Todo aquele que encontra Jesus nunca sai desse encontro do mesmo modo. Ele veio para libertar os cativos.

Ouça o que Jesus diz: "O Espírito do Senhor está sobre mim, pelo que me ungiu para evangelizar os pobres; enviou-me para proclamar libertação aos cativos e restauração da vista aos cegos, para pôr em liberdade os oprimidos" (Lucas 4:18).

Meu amigo, quero lhe dizer que, seja qual for a sua opressão, Jesus veio para libertá-lo. Pode ser uma condição física debilitante ou, como Kate, que conheci na conferência, você pode estar enredado em uma dependência que o tem aprisionado durante anos.

❖ *Seja qual for a sua opressão, Jesus veio para libertá-lo.*

Seja qual for a sua condição ou há quanto tempo ela o tem mantido aprisionado — dois anos, dez anos, trinta anos — saiba disso: *Deus pode libertá-lo em um instante sobrenatural.* Aquele que criou o tempo não é limitado pelo tempo. Aquele que, em uma fração de segundo, transformou água no melhor vinho envelhecido pode superar os processos naturais e acelerar sua libertação de qualquer escravidão!

Sei de muitas pessoas que lutaram contra vícios durante décadas. Mas quando tiveram um encontro sobrenatural com Jesus, simplesmente acordaram certa manhã e se viram livres, sem nada daquela conhecida necessidade ou desejo de se envolver com seu comportamento negativo. Frank, que vive no estado de Maryland, escreveu-me contando como foi liberto da dependência de drogas. Haviam lhe dito que "uma vez dependente, sempre dependente", e ele havia acreditado.

Porém, quando, ao ouvir uma de minhas mensagens, ele finalmente conheceu a verdade sobre o amor e a graça de Jesus que transformam vidas, isso simplesmente destruiu as cadeias que o prendiam. Ele compartilhou: "Eu seria capaz de saltar até sair pelo telhado quando descobri que tudo que tinha de fazer era aceitar a obra consumada de Jesus e Sua graça! Após trinta anos de dependência de drogas, eu pensava não haver esperança para mim. Mas, louvado seja Jesus, agora estou livre das drogas e estou em uma boa igreja que prega a graça, juntamente com minha esposa, que também foi liberta da dependência de drogas".

Meu amigo, esse é o poder que há em crer corretamente!

A Verdade de Deus Desencadeia a Sua Libertação

No momento em que Kate e Frank começaram a ouvir e crer nas coisas certas acerca de Deus, isso desencadeou a sua libertação de modo acelerado. Conhecer a verdade foi um catalisador para a libertação. Compare isso com aqueles que se concentram em viver corretamente, mas não prestam atenção à importância de crer corretamente. Infelizmente, essas pessoas vivenciam apenas avanços transitórios na medida da persistência de sua força de vontade, autocontrole ou disciplina. Mas aqueles que focam e acreditam na verdade sobre Deus vivenciam, sem esforço, a liberdade duradoura. Certamente, Jesus não estava brincando ou exagerando quando disse que o conhecimento da verdade o liberta.

Jesus tem a verdade de que você precisa, pela qual você vem procurando. Ele é *o* caminho, *a* verdade e *a* vida (ver João 14:6). Por amor, Ele deu Sua vida voluntariamente na cruz para libertá-lo. É disto que este livro trata: transformar aquilo em que você crê por meio do poder do amor sacrificial de Jesus e Suas verdades eternas. Tentei tornar essas verdades tão acessíveis para você e fáceis de ver quanto possível. Oro para que, ao ler as palavras, textos bíblicos e histórias de pessoas reais que foram libertas por simplesmente crer nessas verdades sobre Deus e o que Ele diz a respeito delas, você encontre a graça de Deus como nunca antes. E estou confiante de que, ao meditar sobre essas verdades, você estará andando em liberdade mais cedo do que pensa. Sua libertação está ao alcance!

Com Deus, Sempre Há Esperança

Caro leitor, não sei qual é sua ferida hoje e não sei contra o que exatamente você está lutando. Só quero que saiba que Deus o ama. Não importa quantos erros você tenha cometido em sua vida, independentemente de quão sombrias, quão extremas e quão desesperadoras pareçam as circunstâncias, tenho uma mensagem para você: ainda não acabou. Não desista!

Talvez você esteja lutando contra alguns pensamentos sombrios agora. Talvez até mesmo pensamentos suicidas tenham passado por sua mente. Bem, posso dizer-lhe que não acabou. Há esperança. Há ajuda. Deus o ama muito. Ele quer lançar um raio de luz em seu caminho hoje, exatamente como fez com Kate, que estava escravizada pelo álcool havia anos. Os erros do seu passado não precisam determinar o seu futuro. Deus pode dar-lhe um novo começo, um novo ponto de partida, e fazer com que todas as coisas operem para o seu bem!

❖ *Os erros do seu passado não precisam determinar o seu futuro.*

Pastor Prince, você não entende. Como posso esperar que Deus me ajude, se não sou uma pessoa "religiosa"?

Então somos dois!

Não há sequer um osso religioso em meu corpo. Não estou aqui para falar com você sobre uma religião. Estou aqui para mostrar-lhe um Deus que é vivo, que se importa, que respira, que ama e que, em muitos aspectos, foi mal representado e mal compreendido. Há muitas crenças erradas acerca de quem Deus é.

Apresentando o Verdadeiro Deus

Quero que você coloque de lado o que quer que tenha acreditado acerca de Deus, o que quer que você tenha ouvido falar sobre Ele ou visto a respeito dele. Permita-me, por meio deste livro, apresentar a você o verdadeiro Jesus, pois é aí que tudo começa. Não o Jesus religioso sobre quem você pode ter ouvido enquanto crescia, mas o verdadeiro Jesus que andou pelas ruas empoeiradas de Jerusalém e sobre as águas turbulentas do mar da Galileia.

Era para Ele que os doentes, pobres, pecadores, maltrapilhos e marginalizados eram instintivamente atraídos e com quem eles se sentiam à vontade. Ele era Deus em carne e manifestava o amor tangível do Pai. Em Sua presença, os imperfeitos não sentiam medo dele nem achavam que Ele os julgaria ou condenaria. Algo muito diferente do que ensinaram a muitos de nós sobre Deus.

Jesus destinou Suas palavras mais duras apenas àqueles que eram perfeitos aos seus próprios olhos. Se você observar atentamente todos os relatos bíblicos de Jesus, Ele realmente não se dava muito bem com os religiosos de sua época, conhecidos como fariseus. Eles desfilavam pelas ruas com o nariz empinado e uma atitude de "sou mais santo do que você". Embora nunca o admitissem, eles eram extremamente arrogantes e cruelmente críticos.

Os fariseus eram críticos, censuradores, legalistas, pretensiosos, intolerantes e, acima de tudo, ignorantes. Faziam muita propaganda de piedade para com Deus. Contudo, quando estavam na presença do próprio Deus, estavam demasiadamente ocupados consigo mesmos para reconhecê-lo. Deus estava com eles em carne, mas eles não o adoraram. Em vez disso, eles o desprezaram e, em muitas ocasiões, até armaram complôs para matá-lo.

Infelizmente, seus "descendentes" ainda existem! Talvez você os tenha encontrado e sentido o calor de seu desprezo, condenação e julgamento.

Mas o Deus de quem eles falam não é o Deus que eu conheço pessoalmente. Você não tem de ser "religioso" para ter acesso ao Deus que eu conheço. De fato, quanto menos "religioso" você for, melhor. Então, estou lhe pedindo para jogar fora toda ideia, conceito e imagem que você possa ter de um Jesus "religioso". O verdadeiro Jesus não veio para trazer uma nova religião. Não veio para ser servido e visitado. Na verdade, Ele veio para servir, e servir foi o que Ele fez.

❖ *Você não tem de ser "religioso" para ter acesso a Deus.*

O verdadeiro Jesus criou o universo com um único comando e orquestrou as órbitas de cada planeta de modo que nenhuma delas colidisse. Ele tinha todo direito de exigir ser servido por aqueles que criara, mas foi Ele quem serviu. Ele se ajoelhou e, com as próprias mãos, lavou a sujeira e a imundície dos pés dos Seus discípulos. Mais tarde, aquelas mesmas mãos seriam perfuradas com cravos grossos na cruz; e Ele, com Seu próprio sangue, iria nos lavar da sujeira e da imundície de todos os nossos pecados levando-os sobre Seu próprio corpo. Algo muito distante daquele Deus que condena, critica e procura erros, como muitos o têm retratado!

Creia no Deus da Graça

Nos dias atuais, muitos acreditam em um Deus "religioso". Acreditam que Deus é contra eles quando ficam aquém do desejado, que

Ele fica irado com eles quando falham, que a comunhão com Ele é eliminada quando cometem erros. Acreditam que Deus está perpetuamente insatisfeito com eles, esperando impacientemente ter sua ira apaziguada com algum sacrifício. Imaginam um Deus que está constantemente julgando-os por suas fraquezas, balançando a cabeça em aborrecimento e decepção diante da mediocridade deles ou de suas intermináveis falhas. Essas pessoas acreditam que não são, e nunca serão, suficientemente boas para Deus.

Então, não é de admirar que, em vez de correr para a única solução verdadeira, elas corram na direção oposta quando estão sofrendo. Então, há uma grande decepção, uma poderosa crença errada em um Deus que tem aprisionado muitos em um círculo vicioso de condenação, culpa, medo, derrota e vício.

Meu amigo, o Deus que eu conheço é um Deus de infinita graça. Ele é repugnante para os "religiosos", mas cheio de graça e irresistível àqueles que estão sofrendo.

Não importa o que você esteja passando hoje, qualquer dependência ou vício que possa estar prendendo-o, o fato de crer corretamente pode libertá-lo, e o libertará. Comece acreditando nesta poderosa verdade:

> *Deus é um Deus de graça e perdão. Ele o ama muito e não usa os seus erros contra você.*

Comece a crer no amor de Deus por você e toda a sua vida será transformada. Crer corretamente sempre nos leva a viver corretamente. Se você pode mudar as suas crenças, pode mudar a sua vida!

> ❖ *Se você pode mudar as suas crenças, pode mudar a sua vida!*

CAPÍTULO 2

O DEUS QUE BUSCA OS REJEITADOS

❖

Ela esperou pacientemente até tudo se dissipar. Não queria esbarrar em uma das outras mulheres que haviam deixado dolorosamente claro que sua presença lhes era repugnante. Ela não aguentava mais as fofocas, os comentários maliciosos e os olhares de desaprovação. Várias semanas atrás, quando ela se aproximava do poço para tirar água, as outras mulheres, plenamente conscientes de que ela podia ouvi-las, começaram a alertar umas às outras a manterem seus maridos longe dela.

"Ela é uma sedutora!" Sussurrara uma delas em voz alta. "Você sabe que ela teve cinco maridos de outras aldeias?"

Outra mulher gritou: "E o homem com quem ela está vivendo agora nem sequer é seu marido".

Revelando mutuamente suas inseguranças, elas começaram a fazer todos os tipos de acusações infundadas a respeito dela.

"Ela é uma sem-vergonha!"

"Ela roubará o seu marido em um piscar de olhos."

"Não se deixe levar por seus olhos inocentes e seu sorriso encantador!"

Em pouco tempo, variações picantes de sua proeza de "roubar maridos" haviam se espalhado por toda a aldeia onde ela vivia como um enxame de gafanhotos, devorando todos os pedaços que ainda restavam de sua dignidade.

Ela se tornara, rapidamente, uma excluída em sua própria aldeia. Ninguém se atrevia a fazer amizade com ela. Desde que se mudou para lá, tentara de tudo para manter seu passado em segredo. Entretanto, quando a notícia se espalhou, ninguém se preocupou em ouvir o seu lado da história. Ela foi rotulada como a mulher do passado obscuro. O veredicto já fora dado: ela era uma destruidora de lares! O que mais havia para saber?

Semanas haviam se passado desde que ela falara com alguém. Histórias mirabolantes acerca do motivo de ela ter tido cinco maridos se espalharam como um vírus por toda a rede de fofocas da aldeia. Para isolar-se e evitar mais contato com as outras senhoras, ela desenvolveu um sistema. Sabendo que todas as mulheres iam ao poço reabastecer seu suprimento de água no frescor do início da manhã, ela só fazia sua visita diária ao poço quando o sol estava a pino. Ela preferiria suportar a punição do tórrido sol do meio-dia do que o calor do desprezo e da ridicularização por parte delas. Desde então, todos os dias ela chegava em silêncio ao poço, sem encontrar ninguém, e regressava pesarosa à inexistência após recolher o seu suprimento de água.

Naquele dia, sem que ela soubesse, enquanto esperava pacientemente que o sol atingisse o seu apogeu, o Sol da justiça já estava ao lado do poço esperando por ela.

Um Salvador Que Sai em Busca dos Imperfeitos

Você pode ler acerca dessa mulher no evangelho de João (ver João 4:1-42). Quando você ler na Bíblia a história dessa mulher ou qualquer outra história, convido-o a usar sua imaginação — não para mudar o significado dos relatos bíblicos, mas para extrair a essência dos detalhes e das riquezas que Deus tem ali para o seu benefício. Coloque-se na narrativa. Esses personagens não são parte de uma história de ficção. São pessoas reais, com desafios reais e um Salvador muito real!

Não há detalhes insignificantes na Bíblia. Ela nos diz especificamente que era aproximadamente meio-dia quando Jesus estava no poço esperando pela mulher. Também registra que Jesus estava viajando da Judeia para a Galileia e que "era-lhe *necessário* atravessar a província de Samaria" (João 4:4, grifo do autor). Outras versões da Bíblia dizem que "ele *precisava* passar por Samaria" ou que "*era-lhe imperativo* atravessar por Samaria".

Necessário. Precisava. Imperativo. Palavras que não falam apenas de necessidade, mas revelam uma firme determinação e até mesmo urgência!

Os discípulos de Jesus só podem ter ficado surpresos quando Ele disse que precisava passar por Samaria. Eles nunca haviam tomado aquele caminho antes para a Galileia. Era costume dos judeus daquela época evitar qualquer contato com os samaritanos, pois os consideravam espiritualmente inferiores. Os discípulos de Jesus não sabiam que Ele havia agendado deliberadamente um compromisso divino com a mulher no poço.

A partir do relato do capítulo 4 de João, sabemos que aquela mulher condenada ao ostracismo teve com Jesus, junto ao poço, uma conversa transformadora de vida. Mas não se engane — não foi ela quem procurou Jesus para falar com Ele. Foi o Salvador quem procurou aquela que os outros rejeitavam. Você sabe que Ele ainda faz isso hoje?

Você tem um passado do qual se envergonha? Está lutando para superar algo que você sabe que o está destruindo? Sente estar totalmente sozinho e que ninguém compreende a dor pela qual você está passando?

Quero que você saiba que Jesus não mudou. Como Ele foi para a mulher samaritana, o Salvador amoroso ainda é o seu socorro bem presente nas tribulações (ver Salmos 46:1). Ele conhece o sofrimento, a vergonha e as lutas pelas quais você está passando agora. E, mesmo que aquilo que você está passando seja uma consequência de más escolhas de vida e seus próprios erros, Ele não o abandona nem o desampara. Não, mil vezes não! Ao contrário, Jesus sai de Seu caminho, exatamente como fez com aquela mulher de Samaria, para ter um encontro pessoal com você, para restaurá-lo e resgatá-lo. O fato de você estar lendo isso agora é uma confirmação de que Jesus está alcançando-o com Seu amor, graça e perdão. Meu amigo, esse é Jesus!

 *Jesus está alcançando-o com Seu amor, graça e perdão.*

Ele Vai até Você em Meio à sua Tempestade

O amoroso Salvador vai até você no seu momento de necessidade. Quando Seus discípulos estavam no mar, pegos em uma tempestade turbulenta e agitados pelas ondas, quem foi até eles em seu momento mais sombrio? Foi o próprio Jesus. Ele foi em grande estilo, andando sobre as águas turbulentas.

O que isso lhe diz? Que Ele está acima das tempestades. Ele anda acima e é maior do que todas as adversidades e oposições que você possa estar enfrentando agora, e Ele vai até você para resgatá-lo!

Com as ondas agitadas sob Seus pés, as primeiras palavras de Jesus aos Seus discípulos foram: "Tende bom ânimo! Sou eu. Não temais" (Mateus 14:27).

Que conforto aquelas palavras devem ter trazido aos discípulos, que estavam exaustos e tremendo de medo. As tempestades são especialistas em fazer isso com você. Elas o oprimem e sufocam. Onda após onda, os implacáveis golpes tiram o seu equilíbrio até você não saber mais em que direção nadar; até sua última gota de energia ser usada e você se sentir muito fraco, abandonado e solitário.

Mas não se deixe levar por essas emoções e sentimentos negativos, meu amigo. Viva pela verdade da Palavra de Deus, que o encoraja: "Sede fortes e corajosos, não temais, nem vos atemorizeis diante deles, porque o Senhor, vosso Deus, é quem vai convosco; não vos deixará, nem vos desamparará" (Deuteronômio 31:6). Nosso Deus é um Deus pessoal e amoroso, que está com você em seu barco. Ele sabe quais tempestades estão à frente e como levá-lo à vitória o tempo todo. Ele não pode desapontá-lo!

> *Nosso Deus é um Deus pessoal e amoroso, que sabe quais tempestades estão à frente e como levá-lo à vitória o tempo todo.*

O Bom Pastor Vai à Sua Frente

Jenny, uma senhora de minha igreja, contou que foi passar um feriado jogando golfe com o marido em uma região montanhosa. Naquela manhã, quando estavam no primeiro buraco, havia uma leve névoa sobre o verde, bonito e sereno campo de golfe. Ela estivera meditando no Salmo 23, que afirma que o Senhor é o seu pastor, por isso se sentiu muito amada por Ele ao observar a pitoresca paisagem da região e respirar o fresco ar puro das montanhas. Ela se imaginou sendo conduzida pelo Bom Pastor, Jesus, que a faz repousar em pastos verdejantes e a leva para junto das águas de descanso.

Mesmo Jenny nunca tendo jogado naquele campo antes, acabou fazendo a sua melhor partida de golfe. Como aquilo aconteceu? Foi porque eles tinham um experiente carregador de tacos com eles, e ela tirara proveito de cada observação e conselho que ele lhe dera. Ela não jogava regularmente e estava um pouco ansiosa pelos desafios que se aproximavam, mas o carregador a encorajara com confiança, dizendo: "Não se preocupe, tenho trinta anos de experiência neste campo de golfe. Já percorri muitas vezes todo este campo e estou familiarizado com todos os perigos e armadilhas que estão à sua frente. Eu lhe mostrarei o que evitar e para onde mirar". E, apenas por obedecer à orientação dele, a sua bola de golfe pousou em todos os buracos e ela jogou a melhor partida de golfe de sua vida!

Meu amigo, você tem mais do que apenas um carregador experiente em sua vida. Você tem Aquele que criou o universo como pastor de sua vida! Esse pastor esteve no seu futuro. Ele conhece todos os perigos e armadilhas que estão à frente, e traçou para você um caminho que é cheio do Seu favor. E, ainda que você cometa um erro ou tome um rumo errado na vida, Ele ainda estará *com você* para *ajudá-lo* e *resgatá-lo*. Veja o que diz o salmista:

> *Ainda que eu ande pelo vale da sombra da morte, não temerei mal nenhum, porque tu estás comigo; o teu bordão e o teu cajado me consolam.*
>
> — Salmos 23:4

Uma Porta de Esperança em Seu Vale da Tribulação

Observe nesse versículo que não foi o bom pastor quem levou o salmista para o vale das tribulações. Como diz o salmista: "Ainda que *eu ande* pelo vale da sombra da morte...". Contudo, a Bíblia é muito clara ao afirmar que, mesmo que o seu problema seja devido à sua própria teimosia, Deus ainda está com você. Ele nunca o deixou e nunca o deixará. Ele nunca o abandonará. Você é precioso aos Seus olhos. Você consegue imaginar viver a vida com esse tipo de confiança, garantia e paz? Então, acredite, sem deixar espaço para dúvidas, que Deus *nunca* o abandonará nem o deixará em apuros!

De fato, a Bíblia diz que Deus transformará o Vale de Acor em uma porta de esperança para você (ver Oséias 2:15). Em hebraico, "Acor" significa "tribulação".[1] Então, mesmo que você se encontre no vale da tribulação, não ficará lá durante muito tempo. Você o atravessará e não permanecerá ou acampará ali. Deus está abrindo uma porta de esperança em sua vida hoje, para que você saia dessa escuridão para a Sua maravilhosa luz (ver 1 Pedro 2:9). As coisas irão melhorar. As mudanças pelas quais você vinha esperando estão vindo em sua direção. Passe pela porta da esperança e saia do seu vale da tribulação hoje. Jesus é a sua porta de esperança! Acredite no Seu amor por você e permita que Ele o conduza à liberdade.

❖ *Jesus é a sua porta de esperança! Acredite no Seu amor por você e permita que Ele o conduza à liberdade.*

Algumas pessoas pensam que, quando falham, Deus as abandona e só retorna quando elas se consertam. Pensam que precisam limpar suas vidas e superar todas as suas lutas por conta própria antes de poder chegar diante da presença de Deus. Bem, tenho uma pergunta simples sobre isso: você se limpa antes de tomar banho? Claro que não!

Deus quer que cheguemos diante dele exatamente como somos, com todas as nossas fraquezas, idiossincrasias, crenças erradas, problemas emocionais e todas as nossas escravidões, medos e vícios. *Ele* é o banho! Então, não tente limpar-se antes de ir até Ele. Na presença do Seu amor, alegria e graça você encontrará restauração, cura e perdão. Ele reconstruirá a sua vida e o transformará de dentro para fora. Neste exato momento, Ele está estendendo a você a Sua mão de graça, amor e socorro. Não há vergonha em ir a Jesus exatamente como você é. Aquele que o conhece perfeitamente o ama perfeitamente!

Para Conhecer a Verdade, Vá à Fonte

Mas, pastor Prince, Deus não está decepcionado e zangado comigo por todas as minhas falhas, erros e pecados? Estou envergonhado demais para ir até Ele. Sinto que eu deveria resolver toda essa confusão em minha vida antes de poder voltar à igreja, ler a Bíblia e orar.

Entendo como você se sente. E posso lhe dizer que você não é o único a se sentir assim. Muitos crentes que aconselhei pessoalmente se sentem exatamente da mesma maneira. Mas a maneira mais eficaz de abordar nossos problemas e crenças erradas é ir a Deus e descobrir a verdade que está na Sua Palavra. Para crermos corretamente, precisamos primeiro descobrir o que as "crenças corretas" são, com base no sólido fundamento da Palavra de Deus. Não podemos basear nossas crenças em sentimentos, circunstâncias, conjecturas humanas ou no que podemos ter ouvido alguém dizer acerca de Deus. Temos de ir à fonte!

Para crermos corretamente, precisamos primeiro descobrir o que as "crenças corretas" são, com base no sólido fundamento da Palavra de Deus.

Se você ouvir um boato de que alguém que conhece estava dizendo coisas horríveis e negativas a seu respeito, não acredite imediatamente. Primeiramente, vá à fonte. Pergunte a essa pessoa se foi isso o que ela realmente disse ou se foi isso o que ela realmente quis dizer. Muitas pessoas permitem que amizades e relacionamentos preciosos sejam rompidos porque acreditam em boatos. Tornam-se amargas, irritadas e decepcionadas, sem nunca verificar com a pessoa se ela realmente disse aquelas coisas desagradáveis.

Da mesma maneira, no mundo em que vivemos existem todos os tipos de crenças erradas acerca de Deus que são repetidas por aí: "Deus está com raiva de você". "Ele está decepcionado com você." "Deus está permitindo que todas essas coisas negativas aconteçam a você porque o está punindo por seus pecados passados."

Por favor, NÃO acredite em todas essas fofocas infundadas acerca de Deus! Tais impressões de Deus prejudicaram o relacionamento de muitas pessoas com Ele, e elas vivem com uma perspectiva distorcida de quem Deus realmente é. Em vez de receber Seu amor, graça e perdão, elas se tornam receosas, distantes e temerosas em relação a Ele. Em vez de permitir que Jesus entre em suas situações, passam a vida fugindo, evitando e escondendo-se dele. Vamos lá, vamos começar a honrar a Deus indo à fonte.

Então, o que a Bíblia, a própria Palavra de Deus, diz a respeito dele? Deixe-me citar um dos meus salmos preferidos de Davi:

> *O Senhor é misericordioso e compassivo; longânimo e assaz benigno... Não nos trata segundo os nossos pecados, nem nos retribui consoante as nossas iniquidades. Pois quanto o céu se alteia acima da terra, assim é grande a sua misericórdia para com os que o temem. Quanto dista o Oriente do Ocidente, assim afasta de nós as nossas transgressões.*
>
> — Salmos 103:8, 10-12

Esse não é um belo salmo? Não se confunda com a frase "para com os que o temem". Jesus definiu a palavra "temor" como "adoração" (ver Deuteronômio 6:13 e Mateus 4:10). Assim, a expressão "os que o temem" fala daqueles que reverenciam e honram a Deus em suas vidas. Não se trata da prática de ter medo ou receio de Deus. Todo o contexto dessa passagem trata de quem e o que Deus realmente é: clemente e misericordioso. E eu o encorajo enfaticamente a memorizar o versículo 10, se conseguir: "Não nos trata segundo os nossos pecados, nem nos retribui consoante as nossas iniquidades".

Deus tem Abundante Misericórdia Para Você

Voltemos à sua pergunta anterior: Deus está decepcionado e zangado com você por suas falhas, erros e pecados? Não! Leia novamente as passagens anteriores. O ponto aqui é que, como filho de Deus, todas as suas falhas, erros e pecados *já foram* julgados e punidos no corpo de Jesus na cruz! É por isso que Deus não está mais zangado com você por seus pecados e Ele não lida com você segundo os seus pecados. Não! Por causa da cruz, Deus trata você segundo a Sua abundante misericórdia e graça.

Apenas caso você não tenha percebido, o salmo enfatiza repetidamente que Deus é misericordioso. Ele nos diz que "o Senhor é misericordioso" e continua, quase imediatamente, dizendo mais uma vez que Ele é "assaz benigno". A versão King James da Bíblia em língua inglesa diz que Deus é "generoso em seu amor". Gosto da palavra "generoso". Ela fala de abundância, excesso e prodigalidade. Sua misericórdia para com você e para comigo é abundante. Ele tem abundante misericórdia para nós!

Meu amigo, Deus esgotou na cruz a Sua ira por todos os seus pecados. A cruz é um ato do Seu amor. Se alguma vez você duvidar ou questionar o amor de Deus por você, apenas olhe para a cruz. Se Deus quisesse lidar conosco e nos punir segundo os nossos pecados, não teria enviado Seu Filho para ser açoitado, espancado e crucificado, mas Ele o fez! Essa é a boa notícia do Evangelho da graça. Deus enviou Seu único, amado e precioso Filho para nos redimir da pena e punição pelo pecado.

Agora, você é capaz de imaginar quão longe o oriente está do ocidente? Você não pode pensar apenas em termos dos limites geográficos da Terra. Deus é o Criador do universo. Então, deixe-me perguntar-lhe de novo: quão longe o oriente está do ocidente? Você está entendendo? A mente humana é incapaz de sondar a distância entre o oriente e o ocidente. Há fronteiras no cosmos e galáxias além da nossa que nossos telescópios mais avançados não conseguem visualizar. Deus pensa em termos de infinito, de modo que nossas mentes finitas não conseguem alcançar. E esse Deus do universo infinito declara, no salmo, que "quanto dista o Oriente do Ocidente, assim [Ele] afasta de nós as nossas transgressões"!

Vamos refletir juntos. Como Deus pode ainda estar julgando e punindo as suas transgressões se Ele mesmo as removeu? Consigo ouvir as cadeias de suas crenças erradas em Deus caindo no chão enquanto você lê isto! Isso é o que eu chamo de poder de crer corretamente. Você começa a crer corretamente quando começa a crer em Seu amor por você. A verdade é que não poderemos ir adiante se você não começar, primeiramente, a crer que Deus é por você e não contra você. O primeiro ponto para crer corretamente deve ser estabelecido na Sua graça, ancorado no Seu amor e seguro na Sua misericórdia para com você.

Você começa a crer corretamente quando começa a crer em Seu amor por você.

De Constrangido a Consciente do Salvador

Voltemos à história da mulher de Samaria, a quem Jesus foi deliberadamente encontrar. Essa mulher tinha um passado do qual sentia muita vergonha, e por esse motivo ia tirar água ao meio-dia. Ela não queria encontrar ninguém. O que ela não sabia era que Jesus estava lá e queria *encontrá-la*. Ele não viera de tão longe para constranger, julgar ou zombar dela. Leia você mesmo o relato no capítulo 4 de João. Jesus a atraiu com Seu amor, graça e compaixão. Ela nunca se sentiu exposta ou pouco à vontade em Sua presença.

Quando ela disse não ter marido, Jesus não a expôs nem a humilhou. Em vez disso, sabendo que ela estava constrangida e insegura acerca de seu passado, Ele a elogiou duas vezes, dizendo: "*Bem disseste*, não tenho marido; porque cinco maridos já tiveste, e esse que agora tens não é teu marido; *isto disseste com verdade*" (João 4:17-18, grifo do autor). Ele inseriu o que já sabia a respeito dela entre dois elogios! Jesus deve ter falado com ela com tanta compaixão e amor em Seus olhos, e sem julgamento ou sarcasmo em Sua voz, que aquela mulher abaixou a guarda e se abriu com Ele.

Quando deixou a Sua presença, aquela mulher constrangida que outrora temera conhecer pessoas estava tão ocupada com o amor e aceitação de Jesus, que se tornou uma evangelista de Jesus e da Sua graça. Ela voltou à aldeia e testemunhou sobre Jesus (para as mesmas pessoas das quais teve pavor anteriormente), e a Bíblia registra que "muitos samaritanos daquela cidade creram nele, em virtude do testemunho da mulher, que anunciara: Ele me disse tudo quanto tenho feito" (João 4:39).

Da mesma maneira, meu amigo, Jesus não quer envergonhá-lo hoje. Ele está aqui para encontrá-lo exatamente onde você está. Ele sabe tudo o que você já fez e o ama com um amor eterno. Permita que o Seu amor o mude e o transforme de dentro para fora, exatamente como fez à mulher do poço.

Talvez, como a samaritana, você saiba o que é buscar amor em todos os lugares errados. Hoje, Jesus lhe oferece uma verdadeira intimidade que satisfaz plenamente toda necessidade dolorosa. Ele lhe oferece um profundo senso de descanso que só pode ser encontrado em Seu amor perfeito e incondicional. Talvez você tenha tido um passado que o aprisionou em vergonha e aversão a si mesmo. Talvez você tenha permitido que as coisas que você fez o convencessem de que você nunca terá a aceitação ou o amor de Deus. Se você sempre só conheceu ou ouviu falar de um Deus duro e crítico, um Deus que guarda contra você todas as más ações que você já cometeu, então eu o desafio a encontrar o verdadeiro Salvador que já o perdoou e o convida a descobrir, experimentar e vivenciar o Seu amor infalível.

Não importa a profundidade da perdição em que sua vida possa ter caído. Se você quiser abrir seu coração para Jesus e permitir que o Seu amor o cure, Ele poderá mudar a trajetória de sua vida e lhe dar um novo começo e um futuro gratificante. Tudo pode mudar para melhor quando você começa a crer corretamente em Seu amor por você e aprende a confiar nele!

❖ *Tudo pode mudar para melhor quando você começa a crer corretamente em Seu amor por você e aprende a confiar nele!*

Deus se Agrada Quando você Recorre ao Seu Amor

Você sabia que Jesus sente grande alegria quando você recorre ao Seu amor? Veja como terminou o encontro da mulher samaritana com Jesus. Quando os discípulos deixaram Jesus junto ao poço para irem comprar comida, Ele estava esgotado e cansado da viagem. Ao voltarem, ficaram surpresos ao encontrá-lo refrescado e ficaram imaginando se alguém trouxera algo para Ele comer. Jesus respondeu-lhes dizendo: "Uma comida tenho para comer, que vós não conheceis" (João 4:32).

A que comida Jesus se referia aqui? Ele não havia comido ou bebido nada. Tudo que Ele havia feito foi ministrar à mulher de Samaria. Em outras palavras, Jesus encontrou nutrição, força e alegria ao ministrar Seu amor a ela. Você sabe, quando você retira algo dos homens, eles se tornam esgotados e fracos. Mas, com Jesus, ocorre o oposto. Quando você retira dele, Ele é fortalecido, revigorado e rejuvenescido! Jesus quer que saibamos que Ele sente grande alegria e prazer quando recorremos ao Seu amor por nós.

Quando a mulher samaritana perguntou a Jesus por que Ele (um judeu) pediria a ela (uma samaritana) um copo de água, eis o que Ele lhe disse: "Se conheceras o dom de Deus e quem é o que te pede: dá-me de beber, tu lhe pedirias, e ele te daria água viva... Quem beber desta água tornará a ter sede; aquele, porém, que beber da água que eu lhe der nunca mais terá sede; pelo contrário, a água que eu lhe der será nele uma fonte a jorrar para a vida eterna" (João 4:10, 13-14).

Jesus está lhe dizendo a mesma coisa hoje: *se você conhecesse* quem é aquele que vem a você em seus momentos mais sombrios e fracos. *Se você conhecesse* esse dom de Deus que nunca o deixará nem o desamparará, que vai à sua frente e vem a você no meio de suas tempestades. *Se você conhecesse* Aquele que estende a mão a você, mesmo quando você falha, e que não guarda contra você seus erros do passado ou suas falhas presentes.

Amado, se você conhecer esse presente de Deus, que lhe oferece a água viva do Seu eterno amor incondicional, e beber desse amor, nunca mais terá sede. Você não terá de buscar amor ou aceitação em todos os lugares errados, nem ter seu coração partido e temeroso quanto ao futuro ou ver sua vida fora dos trilhos. Você pode acordar com uma nova esperança de coisas boas todos os dias. Jesus estava, essencialmente, convidando a mulher a pedir-lhe a água viva do Seu amor. Você fará isso hoje? Sua vida nunca mais será a mesma quando você experimentar pessoalmente o Seu amor!

Sua vida nunca mais será a mesma quando você experimentar pessoalmente o Seu amor!

CAPÍTULO 3

"JESUS ME AMA! DISSO EU SEI"

Ouvi uma história acerca de um pastor de Oregon que foi designado para dar aconselhamento em um sanatório do estado. Sua primeira missão foi ir a uma cela acolchoada que abrigava pacientes com problemas mentais, quase despidos. O fedor de excrementos humanos enchia a sala. Ele não conseguia sequer conversar com os presos, muito menos aconselhá-los — as únicas respostas que recebeu foram gemidos, lamentos e risadas demoníacas.

Então, o Espírito Santo o fez sentar-se no meio da sala e, durante uma hora inteira, cantar o famoso corinho infantil que diz: "Jesus me ama! Disso eu sei, porque a Bíblia assim me diz. Os pequeninos a Ele pertencem; eles são fracos, mas Ele é forte". Nada aconteceu no fim daquele primeiro dia, mas ele persistiu. Durante semanas, ele se sentava e cantava a mesma melodia, com cada vez mais convicção: "Sim, Jesus me ama! Sim, Jesus me ama! Sim, Jesus me ama! A Bíblia me diz assim".

Com o passar dos dias, um a um, os pacientes começaram a cantar com ele. Surpreendentemente, ao final do primeiro mês, trinta e seis dos pacientes gravemente enfermos foram transferidos da enfermaria de alta dependência para uma enfermaria de cuidados próprios. Um ano depois, apenas dois ainda não tinham recebido alta do sanatório.[1]

Estas simples palavras: "Jesus me ama! Disso eu sei", foram escritas pela primeira vez em um poema de Anna Bartlett Warner, escritora norte-americana nascida em 1827 em Long Island, Nova Iorque. Em 1862, o compositor de hinos William Batchelder Bradbury fez uma melodia para a letra, com a qual estamos familiarizados hoje, e acrescentou o refrão: "Sim, Jesus me ama!" A popularidade do hino se espalhou rapidamente pelo país e por todos os continentes do mundo. Ele foi traduzido para muitos idiomas e, rapidamente, tornou-se um dos hinos mais conhecidos e amados de todos os tempos.

A grande popularidade do hino se deve à sua sucinta elegância ao revelar o coração de Jesus. Ele nos convida a reconhecer que, independentemente dos desafios, fracassos e erros que possamos enfrentar, *o amor de Jesus permanece constante.*

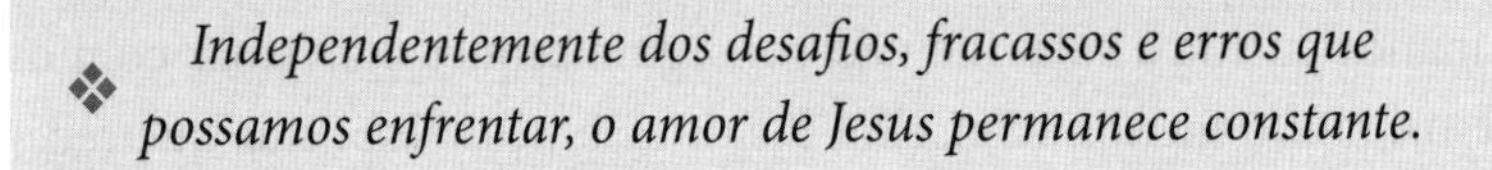
Independentemente dos desafios, fracassos e erros que possamos enfrentar, o amor de Jesus permanece constante.

"Jesus me ama! Disso eu sei."

Como?

"Porque a Bíblia assim me diz."

Tão simples, mas tão poderoso.

Quer sintamos ou não, o amor constante de Jesus por nós descansa na verdade e no princípio da Sua Palavra imutável. Ele proclama que o Seu amor por você e por mim é fundamentado totalmente e completamente nele, em Suas promessas, Seu trabalho e Sua graça.

O Amor de Deus por Você é Incondicional

Você crê que Deus o ama hoje? Independentemente de quantos erros você cometeu em sua vida, estou aqui para lhe dizer, sem sombra de dúvida, que Deus o ama. Ele o ama com um amor eterno. Agora mesmo, não importam os desafios que você esteja enfrentando, quero encorajá-lo a ver a si mesmo caminhando sob um céu aberto, cercado pelo favor imerecido de Deus. Espere coisas boas em seu futuro. Acredite em Seu amor por você. Creia, de todo o seu coração, que você é a menina de Seus olhos e o prazer do Seu coração. Creia que você é altamente favorecido, grandemente abençoado e profundamente amado!

O amor de Deus por você é incondicional. Ele é um amor muito puro, imaculado e maravilhoso. Não tem nada a ver com o seu desempenho, mas tudo a ver com quem você é aos olhos de Deus: Seu amado. A ênfase da antiga aliança da Lei tratava do seu amor por Deus, ao passo que a ênfase da nova aliança da graça trata do amor de Deus por você. O resumo da Lei sob a antiga aliança é: "Amarás, pois, o SENHOR, teu Deus, de todo o teu coração, de toda a tua alma e de toda a tua força" (Deuteronômio 6:5; ver também Mateus 22:37, 40).

Sejamos honestos aqui. Você já conheceu alguém que consiga amar a Deus dessa maneira? É claro que não. Mesmo Davi, que a Bíblia descreve como um homem segundo o coração de Deus, não amou a Deus com todo o seu coração, toda a sua alma, toda a sua mente e toda a sua força. Essa é uma impossibilidade humana. A Lei foi concebida para nos mostrar que somos incapazes de amar a Deus perfeitamente.

Sabendo que o homem não seria capaz de cumprir o Seu mandamento de amá-lo de todo o seu coração, toda a sua alma, toda a sua mente e toda a sua força, você sabe o que Deus fez? Ele demonstrou como somente *Ele* poderia nos amar de todo o Seu coração, toda a Sua alma, toda a Sua mente e toda a Sua força quando enviou Seu Filho amado, Jesus Cristo, para nos redimir de todos os nossos pecados com o Seu próprio sangue. É por isso que a nova aliança trata do amor de Deus por você e não do seu amor por Ele! Sob a graça, Deus não quer que você concentre seus pensamentos em: "Eu realmente amo a Deus?" Esse não é o foco da nova aliança. Sob a graça, Deus quer que você se concentre em *Seu* amor por você. Portanto, as perguntas que você deve se fazer são:

> *"Eu sei o quanto Deus me ama hoje?"*
> *"Eu realmente creio que Deus me ama neste exato momento?"*

Você precisa se lembrar do amor de Deus especialmente quando acaba de falhar. Você crê que Ele o ama quando acabou de cometer um erro? É aí que as coisas se complicam! É após ter falhado que a sua crença no amor de Deus por você é testada. Você realmente acredita que o Seu amor por você é real e verdadeiramente incondicional? Ou o amor incondicional de Deus se tornou meramente uma banalidade que já não é mais algo real para você? Eu vejo isso acontecer o tempo todo. Ouço as pessoas dizerem: "O amor de Deus é incondicional!" Mas, no momento em que falham, de repente o amor que elas haviam dito ser incondicional se torna dependente do comportamento delas.

Muitos acreditam que Deus os ama quando fazem a coisa certa, mas deixa de amá-los no momento em que fazem algo errado. Quebrarei em pedacinhos essa crença errada com a verdade da Palavra de Deus!

Embora nosso amor por Deus possa enfrentar oscilações, Seu amor por nós sempre permanece constante. Seu amor por nós se baseia em quem Ele é, não no que fazemos. Amo o quão confiante e enfático o apóstolo Paulo é quando diz: "Porque eu estou bem certo de que nem a morte, nem a vida, nem os anjos, nem os principados, nem as coisas do presente, nem do porvir, nem os poderes, nem a altura, nem a profundidade, nem qualquer outra criatura poderá separar-nos do amor de Deus, que está em Cristo Jesus, nosso Senhor" (Romanos 8:38-39). Na Nova Versão Internacional, ele diz: "Pois estou convencido...".

> *Embora nosso amor por Deus possa enfrentar oscilações,*
> ❖ *Seu amor por nós sempre permanece constante. Seu amor por nós se baseia em quem Ele é, não no que fazemos.*

Você está *persuadido* e *convencido*, assim como o apóstolo Paulo, de que, como filho de Deus, nada, nem mesmo seus pecados, falhas e erros, jamais poderá separá-lo do amor de Deus? Não se deixe levar pelo que você sente, pensa ou foi ensinado. A Palavra de Deus declara, em termos inequívocos, que nada pode separá-lo do Seu amor. Nada significa *nada*! O amor dele por você não depende do seu desempenho perfeito. Ele o ama, mesmo nas suas falhas. É por isso que se chama graça! A graça é o favor imerecido e inconquistável de Deus. Se você puder merecer a graça de Deus, ela deixa de ser graça.

Poder para Superar toda Falha

A verdade é que, se você for capaz de receber o Seu amor de novo sempre que falhar, terá o poder de superar essa falha em sua vida. Imaginemos uma situação em que você acaba de perder a paciência com sua esposa por causa de uma situação familiar. Em sua frustração e raiva, talvez você tenha dito algumas coisas cruéis que sabe que não deveria ter dito, dando início a uma discussão acalorada de palavras duras e grosseiras. A guerra fria irrompe na casa e seus filhos correm para se esconder. Agora, você está se sentindo terrivelmente culpado pelo que começou e sua consciência o condena:

Como você pode falar assim com a sua esposa?
Que tipo de crente é você?
Que terrível exemplo você está dando aos seus filhos!

Quanto mais se afunda na culpa, pior você se sente e fica cada vez mais irritado com sua esposa, pesando: *É tudo culpa dela eu me sentir tão mal e culpado agora!* Por causa *dela*, você acredita estar, agora, separado do amor de Deus. Você pensa, de forma totalmente errada, que Ele está irado com você porque você estava irado com sua esposa. Por quê? Porque, embora você possa *saber* em sua mente acerca do Seu amor incondicional, realmente não *crê*, em seu coração, que o Seu amor por você é verdadeiramente incondicional.

Meu amigo, se você pudesse ver a verdade de que, mesmo em sua ira, Deus ainda o ama perfeitamente. Ah, se você pudesse ver que o sangue do seu Filho já lavou aquele pecado de sua vida! Se você pudesse compreender o fato de que, mesmo em toda a sua maldade, Ele ainda o vê como justo aos Seus olhos e o chama de Seu amado. A verdade é que, se você realmente soubesse o quão gratuitamente você foi perdoado e o quão incondicionalmente você é amado, seria muito difícil você ficar irado com sua esposa e ir até o final da guerra fria. De fato, o oposto aconteceria.

Quando você se alimentar do lindo o amor do Senhor e de Seu generoso perdão, mesmo quando se sentir muito desmerecedor, acabará fazendo o que for preciso para se reconciliar com sua esposa. Não só isso, mas o que quer que o tenha aborrecido inicialmente também se torna infinitamente pequeno quando você permite que seu coração seja acolhido pela grandeza do Seu amor. Não admira a Palavra de Deus dizer: "Maridos, amai vossa mulher, *como também Cristo amou a igreja e a si mesmo se entregou por ela*" (Efésios 5:25, grifo do autor). Você não tem qualquer poder para amar sua esposa se não experimentou, primeiramente, o amor incondicional de Cristo em sua própria vida!

Da mesma maneira, a Bíblia exorta as mulheres: "Sejam submissas ao seu próprio marido, *como ao Senhor*" (Efésios 5:22, grifo do autor). Você não ama a praticidade da Bíblia? Podemos muito facilmente ficar incomodados com a menor das coisas que surgem nas minúcias da vida doméstica cotidiana. E é só quando cremos e nos submetemos ao amor de Deus que deixamos Seu amor dissolver nossas infrutíferas frustrações acerca das batalhas que realmente não valem a pena ser travadas, e encontramos a força para amar, nos submeter e viver em paz com nossos cônjuges.

Você consegue ver? Nossos problemas emocionais são como uma gota d'água no vasto oceano azul ou como um pequeno grão de areia em um imenso deserto quando contrastado com o amor de Deus. O Seu amor consome toda sua raiva, frustrações, decepções e dor. O Seu perdão encobre todos os seus pecados, falhas e erros. A Sua graça lhe dá vitória e poder para vencer todo pecado, escravidão e dependência ou vício. É por isso que ter uma crença correta no amor incondicional de Deus por você é tão vital para o seu relacionamento com Ele.

> ❖ *O Seu amor consome toda sua raiva, frustrações, decepções e dor. O Seu perdão encobre todos os seus pecados, falhas e erros.*

Perdoado, Total e Irrevogavelmente

Amado, você está total e irrevogavelmente perdoado. Devido ao Seu amor por você, Jesus já levou o castigo pelos seus pecados. É por isso que você pode receber o amor renovado de Deus mesmo quando você falha e toda vez que você falha. Ele o perdoou. É hora de você também se perdoar! Nem por um momento pense que Ele quer que você permaneça na culpa quando falha. A verdade é que, *quanto mais culpado você se sente, mais está condenado a perpetuar aquele pecado.* Infelizmente, existem pessoas religiosas que acreditam que, quando as pessoas falham ou caem em pecado, é preciso fazê-las sentirem-se muito mal quanto a si mesmas e esmagá-las com culpa e condenação até que se arrependam de seus erros.

Mas esse ensinamento é equivocado. Na realidade, quanto mais as pessoas permanecerem na culpa e na condenação, mais continuarão em seus pecados! Você não tem de ensinar as pessoas a se sentirem culpadas e condenadas. A consciência delas as condena sempre que falham. Mas aqui está a boa notícia: Deus providenciou uma resposta para a consciência que, persistentemente, exige pagamento de todas as nossas transgressões. Ele enviou Seu Filho para nos resgatar com Seu próprio corpo e sangue.

❖ *Você pode receber o amor renovado de Deus mesmo quando falha e toda vez que você falha.*

Hoje, quando a sua consciência condená-lo e clamar por justiça quando você falhar, veja-se limpo, lavado e justificado pelo sangue de Jesus. Coloque sua fé em ação para ver a si mesmo como justo aos olhos de Deus devido ao precioso sangue de Jesus Cristo. A consciência, que exige punição toda vez que você falha, foi, na verdade, silenciada pelo sangue do Cordeiro de Deus, que foi punido e julgado em seu lugar. Toda vez que a sua consciência condená-lo, puxe e mostre a ela o recibo do seu pagamento: a cruz de Jesus! Continue a ver os seus pecados lavados pelo Seu precioso sangue. A culpa e a condenação terminam onde o sangue de Jesus foi derramado.

Então, quando você falhar, não fique chafurdando na culpa e na condenação. Isso só o levará a um poço escorregadio de derrota, depressão e destruição. Jesus não morreu na cruz para aumentar a culpa do culpado. Ele não morreu na cruz para dar mais doenças ao doente. Ele não morreu na cruz para que o condenado fosse mais condenado. Absolutamente não! Jesus não se sacrificou na cruz para justificar os perfeitos e piedosos.

Deus Justifica os Ímpios

A Palavra de Deus nos exorta claramente a abandonarmos nossos esforços próprios para sermos justificados e a crermos naquele "que justifica o ímpio" (Romanos 4:5). Tenha certeza de que você entendeu isso corretamente. Quem Deus justifica?

Deus morreu para justificar os piedosos ou os ímpios? Meu amigo, Ele veio para justificar os *ímpios* — os que falharam, deixaram a desejar, cometeram erros e pecaram. Você falhou? Cometeu erros? Deixou a desejar? Ótimo, porque isso significa que você se *qualifica para ser justificado por Cristo*! Essa verdade não transmite muita esperança e fé ao seu coração?

A culpa e a condenação terminam onde o sangue de Jesus foi derramado.

Seja incentivado a saber isto hoje: os seus fracassos o qualificam para receber o amor, o perdão e a justificação de Jesus. Jesus não veio para salvar os perfeitos (aos seus próprios olhos); Ele veio para salvar e redimir os imperfeitos e ímpios. E, quando você simplesmente crê que Jesus justifica os ímpios, a sua fé "lhe é atribuída como justiça" (Romanos 4:5). Isso significa que, no momento em que você crê corretamente, Jesus o justifica com o Seu sangue. Como esse alicerce é seguro em comparação com a sua justificação depender do seu procedimento correto! Que Salvador nós temos em Cristo!

Amado, lembre-se disto na próxima vez em que você falhar: Jesus não morreu para tornar mais culpado o culpado. Ele morreu para libertar os culpados do tormento da culpa, para curar os doentes e para justificar eternamente os que foram condenados. Ora, esse é o Evangelho. E não sejamos retóricos nem envergonhados em relação ao Evangelho, porque ele é o poder de Deus para a salvação de todo aquele que crê (ver Romanos 1:16)!

> ❖ *Jesus morreu para libertar os culpados do tormento da culpa, para curar os doentes e para justificar eternamente os que foram condenados. Esse é o Evangelho.*

Jesus Ama o Pecador

Você acredita em um Deus que justifica o ímpio? Você tem ouvido o verdadeiro Evangelho da Sua maravilhosa graça? Ou você tem alimentado a sua mente com conjecturas humanas fundamentadas em tradições e ideias de homens acerca de Deus que não provêm da Sua Palavra? Verifique os evangelhos. Os coletores de impostos corruptos, as prostitutas, os pescadores desbocados, os coxos, os cegos e os doentes que encontraram o amor de Jesus foram todos perdoados, transformados, libertos e curados. Ele nunca fez um sequer deles se sentir mais culpado, mais envergonhado e mais condenado do que Ele sabia que já se sentiam.

Há na Bíblia um relato de uma mulher descrita como "pecadora" (Lucas 7:37). Muitos acreditam que ela era uma prostituta. Quando ela foi até Jesus, que estava fazendo uma refeição na casa de Simão, o fariseu, Jesus permitiu que ela se aproximasse dele e o adorasse com um vaso de alabastro contendo unguento. O Salvador amoroso sabia quem ela era, mas não a enxotou, humilhou ou condenou por seus pecados. Ele também não lhe disse friamente para endireitar sua vida antes de se atrever a entrar novamente em Sua santa presença.

O Jesus da Bíblia teve compaixão dela e sabia o quão culpada e profundamente condenada ela já se sentia. Ao aproximar-se de Jesus, ela se quebrantou em Sua presença e começou a chorar. Amorosamente, lavou os pés de Jesus com suas lágrimas e os enxugou com seus cabelos. Ela beijou Seus pés reverentemente e os ungiu com o óleo precioso que ela trouxera. Diz-se que esse unguento teria custado o salário de um ano inteiro, mas, sem hesitação, ela o derramou nos pés de Jesus e o adorou.

Ao ver isso, o fariseu se encheu de indignação. Ele disse a si mesmo: "Se Jesus fosse realmente um profeta, Ele saberia que essa mulher é uma grande pecadora. Como Ele pôde deixar que ela se aproximasse dele e tocasse os Seus pés?" (ver Lucas 7:39). O fariseu estava revoltado com o que estava testemunhando em sua própria sala de jantar. (Infelizmente, os cristãos legalistas de hoje são muito parecidos com esse fariseu.)

Enquanto Jesus acolhia a pecadora e lhe permitia adorar e tocar Seus pés, aquele fariseu religioso não teve um pingo sequer de compaixão por aquela mulher que chorava incessantemente, totalmente dominada pelo amor e perdão de Jesus por ela. Sua vergonha e suas lágrimas não significavam nada para ele. No que lhe dizia respeito, ela merecia ser condenada. E, se ele tivesse tido escolha, ela não teria sido autorizada a entrar em sua casa.

A partir desse relato bíblico, você pode ver que Jesus é a própria antítese de qualquer pessoa ou coisa religiosa. Seu coração transbordava de amor e compaixão por aqueles que falharam. Isso não era segredo. Todas as pessoas que conheceram e ouviram Jesus sabiam de Seu amor. Essa notícia se espalhou de Jerusalém até a Galileia, e foi por isso que os pecadores o procuraram em vez de evitá-lo e fugir dele.

❖ *Os crentes que foram comprados com o sangue de Jesus Cristo devem ser ousados, confiantes e corajosos para falar com Deus sobre suas falhas.*

Não é triste haver, nos dias atuais, crentes que falharam e estão fugindo e se escondendo de Deus, enquanto os pecadores do tempo de Jesus tiveram a confiança para procurá-lo a fim de encontrar perdão, restauração, cura e libertação? Você não acha que há algo errado aqui? Os crentes que foram comprados com o sangue de Jesus Cristo devem ser, mais do que todas as pessoas, ousados, confiantes e corajosos para falar com Deus sobre suas falhas e ser lembrados de que ainda são justos em Cristo, mesmo quando falharam.

Você Foi Muito Perdoado

Continuemos com a história (ver Lucas 7:40-46). Percebendo os pensamentos do fariseu Simão, Jesus lhe perguntou: "Certo credor tinha dois devedores: um lhe devia quinhentos denários, e o outro, cinquenta. Não tendo nenhum dos dois com que pagar, perdoou-lhes a ambos. Qual deles, portanto, o amará mais?"

Incrédulo com a simplicidade da pergunta, Simão respondeu: "Suponho que aquele a quem ele mais perdoou".

Então, Jesus disse: "Julgaste bem... Entrei em tua casa, e não me deste água para os pés; esta, porém, regou os meus pés com lágrimas e os enxugou com os seus cabelos. Não me deste ósculo; ela, entretanto, desde que entrei não cessa de me beijar os pés. Não me ungiste a cabeça com óleo, mas esta, com bálsamo, ungiu os meus pés".

Agora, preste muita atenção ao que Jesus disse em seguida: "Por isso, te digo: perdoados lhe são os seus muitos pecados, porque ela muito amou; mas aquele a quem pouco se perdoa, pouco ama" (Lucas 7:47). O que Jesus estava dizendo é que aqueles que sabem e creem no quanto Deus verdadeiramente os perdoou e os ama acabarão amando muito a Deus. Simplificando, quem foi muito perdoado ama muito. Quem foi pouco perdoado ama pouco. É por isso que a ênfase da nova aliança não é o seu amor por Deus; é o amor de Deus por você. Se você souber o quão abundantemente Deus o ama e o perdoou por todos os seus pecados, acabará amando a Deus — aquele que é muito perdoado ama muito!

> ❖ *Se você souber o quão abundantemente Deus o ama e o perdoou por todos os seus pecados, acabará amando a Deus — aquele que é muito perdoado ama muito!*

Você entende o que estou dizendo? O seu amor por Deus na nova aliança nasce de um relacionamento genuíno e autêntico com Ele. Não é uma exposição rastejante nascida de medo de punição nem de obrigação religiosa. Sob a graça, somos capazes de amar a Deus porque Ele nos amou primeiro. É por isso que as pessoas que vivem da graça se tornam as pessoas mais santas que você jamais encontrará. Elas não são santas porque temem punição ou por seu compromisso com duas placas frias de pedra. A santidade delas flui de seu relacionamento amoroso com Jesus! Elas mesmas experimentaram Seu amor incondicional de uma maneira íntima e pessoal. O amor as transforma. Elas só querem viver de maneira a glorificar e honrar o nome de Jesus. O que a Lei não poderia fazer para transformar o povo de Deus de dentro para fora, Deus o fez enviando Seu próprio Filho, Jesus Cristo!

Amigo, todos nós fomos muito perdoados. O problema é que muitos não sabem e não *creem* nisso. Desista de seus próprios esforços para ser justo. Desista de tentar superar suas próprias falhas, erros, vícios e cativeiros. Seja como a mulher com o vaso de alabastro com unguento precioso. Quando você falhar, não fuja nem se esconda. Coloque-se na Sua amorosa presença. Jesus já sabe da culpa e da condenação que estão lhe atormentando. Vá com ousadia e confiança, como aquela mulher foi. Sinta-se livre para chorar em Sua doce presença e simplesmente adorá-lo. Despeje diante dele tudo o que está em seu coração. Não se preocupe, Ele não amontoará mais culpa, vergonha, julgamento e condenação em cima de você. Ele lhe mostrará as mãos perfuradas pelos cravos e o lembrará da cruz. Ele lhe dirá: "Seus pecados já estão perdoados. Eu já paguei o preço por seus pecados no Calvário. Descanse em meu perdão e amor por você".

Recebi uma carta de um homem, a quem chamarei apenas de Patrick, que lutou contra vícios sexuais durante mais de dez anos. Ele sabia que era errado, mas não conseguia se libertar desses vícios, independentemente do quanto tentasse. Sua consciência o atormentava com lembretes de seus pecados toda vez que ele tentava ler a Palavra. Isso alimentou sua crença de que ele não era suficientemente bom para Deus e que Deus não queria nada com ele por causa de seus vícios.

Esse homem viveu nessa cadeia de autotortura dia após dia. Então, certo dia, ele leu um de meus livros: *Destinados a Reinar*. Ao ler o livro, ele descobriu e passou a crer na obra consumada de Jesus na cruz. Ele disse: "Eu apenas decidi descansar na obra consumada de Jesus, em Seu perdão, vitória, graça e amor, e agora *a pornografia e a masturbação não têm poder ou domínio algum sobre mim*. Isso é verdadeiramente tremendo, especialmente porque durante mais de dez anos eu havia tentado conseguir a vitória, e bastou conhecer a verdade e descansar na obra consumada de Jesus. Toda a glória seja dada a Deus!"

Não sei contra qual culpa você pode estar lutando hoje, mas Deus sabe. Você não precisa mais viver sob os ditames de sua consciência, que o condena sempre que você erra o alvo. Veja o sangue de Jesus purificando o seu coração e seja livre da prisão da culpa para experimentar a vitória, como aconteceu com esse precioso irmão.

Entregue-se ao Amor de Deus

Meu caro leitor, o amor de Deus não é um conceito teológico. O amor é uma emoção. Deus nos criou à Sua imagem com emoções, e uma das melhores maneiras de experimentar o Seu amor é simplesmente entregar-se a Ele e adorá-lo. A Bíblia nos diz que "os que prestam culto, tendo sido purificados uma vez por todas, não mais teriam consciência de pecados" (Hebreus 10:2). Quando você não mais carrega um sentimento de condenação, quando você crê que o Seu sangue limpou os seus pecados, você se torna um adorador extasiado com o Seu amor.

Eu o encorajo a encher seu coração com salmos, hinos e cânticos espirituais, que são cheios do amor e da graça de Deus. Quando o seu coração estiver cheio de Jesus, crenças erradas começarão a ser substituídas por crenças corretas. Vícios destrutivos serão substituídos por novos hábitos positivos. Medo, vergonha e culpa começarão a dissolver-se no calor do Seu perfeito amor por você. O amor de Deus não é um exercício intelectual. Ele precisa ser experimentado.

O salmista exclama: "Oh! Provai e vede que o SENHOR é bom; bem-aventurado o homem que nele se refugia" (Salmos 34:8). Você confia no Seu amor por você? Deus quer que você tenha não apenas conhecimento mental do Seu amor, mas também que você mesmo creia e prove dele. Ele não pode apenas permanecer em sua mente ou no reino cerebral da lógica; tem de ser vivenciado em seu coração.

Não importa quantos erros você cometeu, Ele não desistiu de você!

Hoje, creia com todo o seu coração que Deus o ama. Ele é por você. Não importa quantos erros você cometeu, Ele não desistiu de você! O primeiro ponto para crer corretamente é crer em Seu amor incondicional por você. Lance todas as suas falhas aos Seus pés. Sinta-se livre para chorar em Sua amorosa presença. Comece a ver seus medos, culpas, distúrbios e disfunções desaparecerem enquanto você se entrega ao Seu amor e o adora com estas simples palavras:

Jesus me ama! Disso eu sei,
Porque a Bíblia assim me diz.
Os pequeninos a Ele pertencem;
Eles são fracos, mas Ele é forte.

Sim, Jesus me ama!
Sim, Jesus me ama!
Sim, Jesus me ama!
A Bíblia assim me diz.

PARTE DOIS

APRENDA A VER O QUE DEUS VÊ

CAPÍTULO 4

ASSISTA AOS FILMES MENTAIS CORRETOS

❖

Ainda me lembro do que aconteceu quando visitei uma senhora de minha congregação no hospital. Heather sofrera um acidente vascular cerebral que deixara o lado esquerdo de seu corpo totalmente paralisado. Quando orei por ela, ela levantou a mão direita em um gesto de oração. Espantosamente, a mão esquerda fez o mesmo, ainda que lentamente, mas isso era algo que ela estivera incapaz de fazer após o AVC. Pela graça de Deus, ela estava começando a experimentar a cura em seu corpo, com as sensações começando a voltar ao seu braço esquerdo.

Após alguns instantes, porém, deitada na enfermaria de cuidados intensivos, entubada e ligada a um equipamento médico que emitia um bipe incessante, seu braço esquerdo começou a tremer de tensão.

"Não precisa orar por um grande avanço", encorajei Heather. Sorrindo para ela, apontei para um dos meus pastores, que estava comigo, e disse: "Deixe a oração conosco".

Então, batendo meu dedo indicador na lateral da minha cabeça, eu lhe disse: "Mas tenha cuidado com os seus filmes mentais. Tenha certeza de estar assistindo aos filmes certos em sua mente".

O que eu quis dizer com isso? Estava lhe dizendo para ver o que Deus vê e ignorar todos os *sons, aromas e visões que seus sentidos naturais estavam captando no ambiente hospitalar.* Eu a estava incentivando a preencher sua mente com imagens mentais de si mesma saudável, forte e desfrutando do amor de sua família em casa. Não queria que ela ficasse vendo em sua mente todas as piores hipóteses.

Então, eu lhe disse: "É preciso um pensamento para curar um pensamento".

Aquela foi uma palavra que eu recebera para ela em meu espírito. Por algum motivo, senti como se o inimigo tivesse conseguido plantar em sua mente um pensamento ou uma imagem mental errada, que tinha de ser removida e substituída pelos pensamentos, imagens e crenças corretos baseados na imutável Palavra de Deus. Pouco tempo depois de nossa visita, Heather recebeu alta do hospital e seu estado melhorou.

Aprenda a Ver como Deus Vê

Aprender a ver o que Deus vê é um poderoso ponto-chave para crer corretamente. Isso envolve substituir as suas crenças erradas por crenças corretas baseadas na Palavra de Deus. Quando viu o homem com a mão atrofiada, Jesus não viu apenas a mão atrofiada — Ele viu que havia graça mais do que suficiente para que aquela mão ficasse totalmente curada. Jesus disse ao homem: "Estende a mão". O homem fez o que Ele disse, e sua mão foi totalmente curada e restaurada como a outra mão (ver Marcos 3:1-5).

Aprender a ver o que Deus vê envolve substituir as suas crenças erradas por crenças corretas baseadas na Palavra de Deus.

Agora, você não diz "estende a mão" a alguém cuja mão é obviamente murcha e deficiente, a menos que a veja de modo diferente. Jesus vê de modo diferente de você e de mim. É por isso que precisamos voltar à Palavra de Deus e aprender a ver o que Ele vê. Quando Jesus vê uma doença, uma deficiência ou alguém aprisionado em medo, culpa, vício e pecado, Ele não vê apenas o problema. Ele vê cura, graça e poder de Deus superabundando naquela área de fraqueza.

Você também pode mudar aquilo em que crê, vendo além do que os seus olhos naturais veem. Esforce-se para ver o que Deus vê. Em sua área de deficiência, luta ou desafio, veja a Sua graça superabundante envolvendo a sua situação atual. Jesus diz a você hoje: "A minha graça te basta, porque o poder se aperfeiçoa na fraqueza" (2 Coríntios 12:9). Entregue todas as suas fraquezas, falhas e erros ao Senhor Jesus e veja-o transformar as suas fraquezas em força.

❖ *Em sua área de deficiência, luta ou desafio, veja a Sua graça superabundante envolvendo a sua situação atual.*

Aquilo em que você acredita é poderoso; então, você vai seguir o que você vê ou o que Deus vê? Você pode não ser capaz de impedir pensamentos negativos de passarem por sua mente ou emoções pouco saudáveis, como o medo, de apertarem seu coração, mas, definitivamente, pode ancorar seus pensamentos e emoções na inabalável Palavra de Deus. Você pode, sem dúvidas, certificar-se de que crê corretamente no que Deus diz sobre você em Sua Palavra, que contém as Suas preciosas promessas para você. Quanto mais aprender e crer corretamente em Seu amor e no que a Sua Palavra diz sobre sua situação e sua vida, mais os seus pensamentos se alinharão com os pensamentos de Deus acerca de você. Você começará a desenvolver pensamentos de paz e não de mal, pensamentos de esperança e de um futuro brilhante (ver Jeremias 29:11).

O apóstolo Paulo diz: "E não vos conformeis com este século, mas transformai-vos pela renovação da vossa mente" (Romanos

12:2). Deus não quer que pensemos como o mundo pensa ou que vejamos como o mundo vê, e sejamos aprisionados por todos os tipos de medos, preocupações e hábitos pouco saudáveis. Ele quer que renovemos as nossas mentes. Como? Crendo e meditando sobre as reais verdades encontradas somente na Sua Palavra, a fim de que possamos experimentar transformação e integridade em todos os aspectos de nossas vidas.

A palavra "renovação" é a palavra grega *anakainosis*, definida pelo Thayer's Greek Lexicon como "uma reforma, renovação, mudança completa para melhor".[1] Gosto da palavra "reforma". Nossas mentes certamente precisam ser completamente reformadas pela Palavra de Cristo!

Quem é o Seu Decorador de Interiores?

Se você vai *reformar* e *renovar* sua mente, quem vai contratar como seu decorador de interiores? Não deixe que seus jornais da manhã, amigos negativos ou canais de mídia social sejam o seu decorador de interiores. Não se conforme com este mundo!

Muitos de nós ficamos enredados nas informações, ideias e pensamentos deste mundo. Vivemos em uma era em que temos ao nosso alcance o acesso a enormes quantidades de informação e conhecimento. Você precisa saber algo num piscar de olhos? Basta pesquisar no *Google* em seu *smartphone*. Contudo, esse acúmulo em massa de conhecimentos não nos tornou mais livres ou mais felizes. As pessoas estão mais conectadas do que nunca, mas nunca se sentiram mais sozinhas, isoladas e excluídas.

Tenha também o cuidado de não deixar que o diabo seja o decorador de interiores da sua mente. Você pode simplesmente imaginá-lo escolhendo as cortinas mais funestas, os estofados mais austeros e o mobiliário mais medonho para adornar os diferentes cômodos da sua mente. Os tons de suas paredes e tetos seriam selecionados a partir da paleta de cores favorita do diabo, que varia do cinza sombrio até o preto depressivo. A missão dele é manter os seus pensamentos sombrios, pessimistas e derrotados. Se você estiver derrotado em sua mente, ele já ganhou a batalha.

Não Fique Enrolado no Medo

Certo dia, quando estava fazendo compras de supermercado com minha esposa, um homem veio até mim e se apresentou. Ele contou que ouvia minhas mensagens havia muitos anos e frequentava a nossa igreja regularmente. Derek era um empresário bem-sucedido. O negócio estava agitado: portas de oportunidades estavam se abrindo e todos os seus números de vendas apresentavam crescimento.

Mas nem sempre foi assim.

No início, a tensão de fazer um novo negócio dar certo o consumia. Derek compartilhou que, naquele tempo, seguindo sua rotina diária, certa manhã pegou o jornal e leu um artigo sobre como alguém de seu sexo e idade morreu repentinamente de ataque cardíaco. Ele não conseguia explicar, mas, a partir do momento em que leu a notícia, foi como se o ar de sua sala começasse a ficar rarefeito, e ele começou a ter dificuldades respiratórias. O medo começou a se enrolar em torno de seu coração como uma cobra enorme.

A constrição é um método bem documentado, utilizado por várias espécies de serpentes para matar gradualmente suas presas. Uma pesquisa interessante foi feita sobre como algumas serpentes constritoras matam suas presas. Contrariamente à opinião popular, a cobra não esmaga e quebra os ossos da vítima para matá-la. Em vez disso, uma serpente constritora, como uma jiboia ou uma píton, mata suas presas por asfixia. Ela utiliza a força dinâmica de seu bote para se enrolar em torno do corpo dela. Então, ela aperta continuamente (cada vez que a presa respira) até sua vítima não conseguir mais respirar.[2]

Todavia, ao estudar por que algumas presas têm uma morte mais rápida do que a provocada por asfixia, alguns pesquisadores levantaram a hipótese de que a pressão da constrição na cavidade do corpo da presa provoca um aumento da pressão superior a que o coração consegue suportar, resultando em parada cardíaca. Embora a pesquisa dessa teoria ainda esteja em curso, está cientificamente provado que certas cobras são capazes de exercer uma pressão suficiente para que isso seja plausível. Por exemplo, uma anaconda verde tem uma força de constrição de 6 kg/cm^2, o que, na prática, equivale a uma força total de 4.000 kg![3]

De que maneira tudo isso é relevante para o nosso estudo acerca do poder de crer corretamente?

Como você pode ver, o nosso adversário é uma velha serpente astuta. Seria prudente compreendermos sua estratégia contra nós, a fim de que, como diz a Bíblia, "Satanás não alcance vantagem sobre nós, pois não lhe ignoramos os desígnios" (2 Coríntios 2:11). Os métodos dele não mudaram e, embora ele não tenha qualquer poder real porque Cristo já o desarmou na cruz (ver Colossenses 2:15), ele sabe que pode usar pensamentos negativos para incitar medo em nossos corações.

Firme Seu Coração no Amor de Deus

A Palavra de Deus também faz uma correlação direta entre o medo e as doenças do coração. Ao descrever os eventos do fim dos tempos, Jesus disse que o medo fará os corações dos homens falharem. Todavia, Ele encoraja os crentes: "Não vos assusteis; pois é necessário que primeiro aconteçam estas coisas" (Lucas 21:9), afirmando Seu firme controle sobre tudo que acontecerá no futuro. Ao nos garantir que não há necessidade de termos medo, Ele acrescenta: "Erguei a vossa cabeça; porque a vossa redenção se aproxima" (Lucas 21:28).

Somente uma revelação do Seu perfeito amor pode lançar fora todo o medo.

Deus quer que nossos corações estejam em paz, descansados. A Sua Palavra nos diz: "Um coração tranquilo leva a um corpo saudável" (Provérbios 14:30). A paz vem quando nossos corações e mentes estão ancorados no Seu *amor* e não no medo. E somente uma revelação do Seu perfeito amor pode lançar fora todo o medo. Utilizarei muitos versículos bíblicos ao longo deste livro, mas o encorajo fortemente a memorizar o versículo abaixo. Ele será uma fonte de grande conforto espiritual, físico e mental para você, pelo resto de sua vida:

> *No amor não existe medo; antes, o perfeito amor lança fora o medo. Ora, o medo produz tormento; logo, aquele que teme não é aperfeiçoado no amor. Nós amamos porque Ele nos amou primeiro.*
>
> —1 João 4:18-19

Perceba como a Palavra de Deus declara, em termos inequívocos, que o medo envolve tormento.

Meu amigo, Deus não é o seu algoz — o diabo é. Deus não é o autor do medo — o inimigo é. Medo e segurança não podem coexistir. Você consegue realmente amar alguém de quem tem medo? É claro que não. O medo sempre leva à insegurança. Assim, Deus não quer ser temido por você. De fato, Jesus definiu para nós o temor de Deus como a *adoração* a Deus — não o medo que carrega a ideia de ser punido por um Deus irado. (Falo mais sobre a definição de Jesus para o temor do Senhor no capítulo 15.) A verdade é que Deus quer que você receba Seu perfeito amor, completa aceitação e abundante graça. Se você tiver recebido qualquer ensinamento que contradiga isso, lembre-se de que *não há medo no amor*. E Deus *é* amor (1 João 4:8,16). O medo é a estratégia do inimigo, não de Deus. O diabo usa o medo para atormentá-lo e manipular seus pensamentos, como fez com o homem que conheci.

> ❖ *O medo é a estratégia do inimigo, não de Deus.*

Como o Medo Entra

Derek estivera lendo inocentemente o jornal da manhã e, do nada, o medo o atingiu como uma píton predadora e exerceu seu domínio sobre o coração dele.

Tudo começou com uma falta de ar e, depois, o pobre homem começou a experimentar todo tipo de imaginação maligna. Aos olhos de sua mente, Derek se via entrando em seu armazém sozinho para pegar um pouco do estoque (algo que estava acostumado a fazer), mas tinha imagens mentais de si mesmo ficando gravemente ferido no caminho, sem que alguém soubesse que ele precisava de cuidados médicos.

Dia após dia, Derek sentia a pressão constritora do medo aumentar o aperto em seu coração. Ele se tornou obcecado pela maneira como se feriria e morreria, até ficar com medo de ir a qualquer lugar sozinho.

É desnecessário dizer que ele entrou em um poço sem fim à medida que sua opressão mental piorava. Imagens de si mesmo se ferindo se repetiam incessantemente em sua mente como um filme de terror em perpétua câmera lenta, levando-o a sofrer grandes ataques de ansiedade debilitantes.

Com suas dificuldades respiratórias aumentando, Derek se internou em um hospital, convencido de estar gravemente enfermo. Mas, após numerosos exames, o médico lhe disse: "Você não tem problema cardíaco. Você tem um problema de ansiedade. Por favor, ceda seu leito para alguém com um problema cardíaco real". Antes um indivíduo forte e saudável, agora Derek se dobrara e desmoronara sob a pressão da constrição da serpente.

Acenda a Luz das Palavras de Deus

Felizmente, um voluntário que serve como condutor aos domingos em nossa igreja convidou Derek a participar de uma de nossas reuniões de grupo. Derek compartilhou comigo que o líder do grupo o encorajou a mergulhar na Palavra de Deus a cada manhã e orar no Espírito durante trinta minutos todos os dias, enquanto dirigia para ir ao trabalho.

"Eu ouvia as mensagens repetidamente em meu carro", disse Derek ao relatar seu testemunho. "Em uma de suas mensagens, você disse para me concentrar na Palavra de Deus e não nos meus problemas. E foi exatamente isso o que fiz! Comecei afastando-me daqueles pensamentos sombrios e permitindo que a luz das palavras de Jesus entrasse em minha situação."

Meu amigo, você acredita que os pensamentos de Deus são maiores do que os pensamentos do diabo? Você sabe que Sua luz é maior do que qualquer escuridão? Imagine entrar em um quarto escuro como breu. Quando você aciona o interruptor de luz, a escuridão consome a luz ou a luz afasta a escuridão?

A descoberta desse precioso irmão começou quando ele acendeu a luz da Palavra de Deus e permitiu que ela brilhasse sobre ele e sua situação. Ele percebeu que estava com medo de ficar sozinho devido à sua crença irracional de que, por algum motivo, iria se ferir e morrer. E ele começou a perceber que aquilo era uma evidente mentira do abismo do inferno. Ele compartilhou que um de seus versículos favoritos, que lhe deu coragem e conforto durante aquela época tenebrosa, foi o Senhor lhe dizendo: "De maneira alguma te deixarei, nunca jamais te abandonarei" (Hebreus 13:5). Ele dizia esse versículo sempre que sentia medo e, em seguida, dizia a si mesmo: "O Senhor é o meu auxílio, não temerei" (Hebreus 13:6).

Equipado com a Palavra de Deus, Derek começou a assistir em sua mente aos filmes mentais corretos. Toda vez que os ataques de ansiedade vinham e toda vez que imaginações malignas começavam a se repetir em sua mente, ele se agarrava a essas passagens como uma arma contra a investida do ataque da serpente. Mais e mais, ele proclamava: "De maneira alguma te deixarei, nunca jamais te abandonarei. O Senhor é o meu auxílio, não temerei".

Quanto mais ele dizia aquilo, mais o aperto da serpente começava a afrouxar e enfraquecer. Ele descobriu que conseguia respirar livremente de novo e não mais sentia seu coração apertado. Fortalecido pela Palavra, começou a ver o Senhor sempre com ele. Ele começou a se ver cheio de saúde e protegido de males durante o seu trabalho. Derek ficou totalmente curado e liberto de todos os seus medos quando começou a substituir os filmes mentais errados, que ele vinha assistindo em sua mente, pelos filmes corretos.

A quais filmes mentais você está assistindo em sua mente hoje? São pensamentos de derrota e desespero ou pensamentos de vitória e favor? Fé é simplesmente dizer o que Deus diz sobre você e ver o que Deus vê em você e em sua situação.

Substitua os Pensamentos Negativos pelos Pensamentos de Deus

Você se lembra do que compartilhei anteriormente de como é preciso um pensamento para curar um pensamento? Diferentemente do mundo, que o ensina a esvaziar a mente para alcançar a paz, o caminho de Deus é encher sua mente com pensamentos renovadores, poderosos e redentores.

É necessária uma crença correta para substituir uma crença errada. Você necessita da verdade de Deus para substituir as mentiras do inimigo que o mantiveram em cativeiro.

O apóstolo Paulo nos diz: "Tudo o que é verdadeiro, tudo o que é respeitável, tudo o que é justo, tudo o que é puro, tudo o que é amável, tudo o que é de boa fama, se alguma virtude há e se algum louvor existe, seja isso o que ocupe o vosso pensamento" (Filipenses 4:8). Portanto, não basta tentar apagar maus pensamentos com a sua força de vontade. É necessário um pensamento para substituir um pensamento. É necessária uma crença correta para substituir uma crença errada. Você necessita da verdade de Deus para substituir as mentiras do inimigo que o mantiveram em cativeiro.

Meu amigo, se um pensamento errado, ruim ou negativo está alojado em sua mente hoje e você não consegue se livrar dele, pare de tentar! Talvez você esteja em um leito hospitalar e não consiga deixar de pensar na pior hipótese. Você está tentando suprimi-la, mas não está funcionando. Bem, pare! Pare de tentar apagá-la da sua mente. Isso simplesmente não funcionará. O que você precisa fazer é substituir esse pensamento destrutivo por um pensamento que vem de Deus. Essa é a única maneira de lidar com um pensamento errado e começar o processo de cura. Comece a meditar sobre verdades como: "Certamente, Jesus tomou sobre si as minhas enfermidades e as minhas dores levou sobre si. O castigo que resulta na minha integridade recaiu sobre ele, e pelas suas pisaduras eu sou sarado. Com longa vida Ele me satisfará" (ver Isaías 53:4-5 e Salmos 91:16). Assista a filmes mentais de você mesmo bem e recebendo alta do hospital, divertindo-se com seus filhos ou viajando para aproveitar um bom feriado!

Mantenha seus Pensamentos em Jesus

Você precisa da verdade da Palavra de Deus para desenraizar qualquer crença errada. Mergulhe em Sua Palavra e entre em Seus pensamentos. Se você notar que sua mente está sendo levada para pensamentos ansiosos acerca das menores coisas, memorize e cite este versículo: "Tu, SENHOR, conservarás em perfeita paz aquele cujo propósito é firme; porque ele confia em ti" (Isaías 26:3).

Você precisa da verdade da Palavra de Deus para desenraizar qualquer crença errada.

Sempre que me sinto estressado ou preocupado com alguma coisa, eu me afasto da agitação da vida e simplesmente medito nas promessas de Deus. Às vezes, gosto de dirigir até um parque tranquilo enquanto um suave louvor toca em meu carro, então declaro a Palavra de Deus e me alimento dela, permitindo que ela encha o meu espírito: "A Palavra de Deus declara: 'Manterás em paz aquele cuja mente está firmada em ti'". E digo ao Senhor: "Sim, Deus, O Senhor me manterá em perfeita paz. A paz perfeita vem de Ti. Só preciso descansar em Tua graça e manter minha mente em Ti. Não preciso pensar sobre o que fazer com esse desafio. Porque confio em Ti e mantenho minha mente fixa em Ti, Tu me levarás e me guiarás. Minha confiança não está em minha própria força, mas em Ti e somente em Ti, Jesus".

O que estou fazendo aqui? Em vez de permitir que o estresse e a preocupação me dominem, treino meu coração para ver como Deus vê os meus desafios. Quanto maior Deus se torna em meu coração, menores os meus desafios se tornam. De fato, muitas vezes, quando apenas relaxo e mantenho minha mente no Senhor, Sua paz e sabedoria começam a fluir em mim, e o desafio que antes me preocupava tanto se torna pequeno e insignificante na presença do Deus Todo-poderoso.

Você está diante de uma circunstância intransponível hoje? Veja o que Deus vê e deixe a Sua paz expulsar a sua ansiedade. Deixe a Sua sabedoria direcionar os seus pensamentos.

Qual é o Solo do Seu Coração?

O ponto essencial para ver o que Deus vê é basear suas crenças na Sua Palavra certa e inabalável. Infelizmente, nem todos creem no que a Palavra de Deus diz sobre eles. Jesus compartilha isso na parábola da semente e do semeador (ver Mateus 13:3-9,18-23).

O ponto essencial para ver o que Deus vê é basear suas crenças na Sua Palavra certa e inabalável.

Nessa parábola, um semeador lança sementes que caem em quatro tipos de solo. O semeador aqui é uma imagem de alguém compartilhando a Palavra de Deus. O solo é uma imagem de como o ouvinte recebe a Palavra. Nessa parábola, você perceberá que o semeador não controla o tipo de solo onde caem as sementes da verdade de Deus. Você e eu temos de decidir por nós mesmos como nossos corações recebem a Palavra de Deus. Queremos ver o que Deus vê ou escolhemos ver as coisas à nossa maneira?

A parábola começa com a semente da Palavra de Deus caindo à beira do caminho. Isso significa que, mesmo antes de a Palavra conseguir se aprofundar no coração do ouvinte, ela é roubada pelo inimigo por meio de sua própria dúvida e descrença. Por exemplo, você pode estar lendo este livro agora e pensando: "Deus nunca poderá me amar. Cometi muitos erros vergonhosos. Nunca serei capaz de abandonar meus vícios. Esta é a minha vida e nada pode mudar isso". Se você pensa assim, só quero encorajá-lo a ser aberto e receptivo à graça superabundante de Deus ao se debruçar sobre o que está escrito neste livro. Abra o seu coração e deixe o Seu amor preencher e curar você. Deixe-o restaurar a sua fé. Deus nunca o ferirá. Ele nunca forçará a entrada em sua vida. Você tem uma escolha: deixar as Suas palavras de vida entrarem em seu coração, criarem raízes e estabelecerem você na Sua graça ou permitir que Suas palavras caiam à beira do caminho.

Continue Ouvindo Sobre a Bondade de Deus

Em seguida, a parábola passa a falar do solo pedregoso. Isso fala de pessoas que ouvem a Palavra de Deus e a recebem com entusiasmo, pensando: "Uau, Deus me perdoa e me aceita por quem eu sou. Isso é legal!" Todavia, elas não têm o alicerce da graça para reter a Palavra em seus corações. No momento em que sua consciência as condena com culpa, elas se esquecem de tudo que aprenderam sobre o amor incondicional de Deus por elas e, rapidamente, caem de volta na derrota e na condenação.

É por isso que é tão vital manter-se ouvindo mensagens que falam do que Jesus fez por você na cruz e encher seu coração com as verdades da Sua nova aliança. "Habite, ricamente, em vós a palavra de Cristo; instruí-vos e aconselhai-vos mutuamente em toda a sabedoria, louvando a Deus, com salmos, e hinos, e cânticos espirituais, com gratidão, em vosso coração" (Colossenses 3:16).

Quando você permitir que as palavras de Jesus habitem abundantemente em você com toda a sabedoria, as sementes de Sua verdade, amor e perdão germinarão e criarão raízes em seu coração. Então, quando a adversidade surgir, a sua crença em Deus não será facilmente arrancada e roubada pelo inimigo. Quando a voz de condenação vier, o seu coração estará enriquecido com a verdade de

Deus, guarnecido por Sua graça e armado com o sangue eterno de Jesus. Você será um crente contra quem nenhuma "arma forjada... prosperará; toda língua que ousar contra ti em juízo, tu a condenarás" (Isaías 54:17). Culpa e condenação não serão capazes de penetrar em seu coração quando você estiver ciente de sua identidade de justo em Cristo. Quando as mentiras do inimigo a seu respeito são expostas à luz da verdade de Deus, elas se tornam obsoletas e já não podem atormentar a sua mente.

Culpa e condenação não serão capazes de penetrar em seu coração quando você estiver ciente de sua identidade de justo em Cristo.

Priorize a Palavra Mais do que Conquistas Materiais

O terreno seguinte, com espinheiros, fala de pessoas que ouvem a Palavra de Deus, mas, em vez de crerem nela, seus corações são consumidos pelos cuidados deste mundo. Para elas, as verdades de Deus não são práticas. São apenas bobagens espirituais, e elas estão mais interessadas em como ganhar mais dinheiro e em outras conquistas materiais transitórias. Como resultado, levam uma vida extremamente estressante, preocupando-se com dinheiro e nunca vendo bons frutos se manifestarem em suas vidas.

Você sabia que no mundo há muitas pessoas que têm muito dinheiro, mas na realidade são pobres no que se refere a possuir o que realmente importa? Gosto de dizer isso deste modo: há um grande número de pessoas "pobres" com muito dinheiro. Com dinheiro, você pode comprar pílulas para dormir, mas não pode comprar um sono tranquilo. Você não pode comprar paz para a sua mente, perdão para o seu coração e saúde para o seu corpo. Não faça dos prazeres deste mundo e da aquisição de mais dinheiro os seus únicos objetivos na vida, para acabar vivendo em constante estresse, medo e ansiedade. A Bíblia pergunta: "Que aproveita ao homem ganhar o mundo inteiro e perder a sua alma?" (Marcos 8:36). Jesus o ama e, se você deixar, Ele pode remover todo espinho de ansiedade de seu coração. Descanse em Jesus, o seu provedor. Ele é o pastor de sua alma e nele não há falta (ver Salmos 23:1).

Escolha ser o Solo Bom

O solo final da parábola é aquele do qual este livro trata. Esse solo fala de pessoas que acreditam no poder de crer corretamente, pessoas cujos corações são abertos, receptivos e prontos para receber tudo que Deus tem para elas. Fala de pessoas prontas para permitir que a Palavra de Deus crie raízes em suas vidas.

Ao ler este livro, quero encorajá-lo a se ver como uma terra boa e fértil. Não deixe a preciosa Palavra de Deus cair à beira do caminho devido à incredulidade. Não seja o solo pedregoso, facilmente abalado no momento em que surge uma oposição. Também não permita que as Suas promessas a respeito de sua vida sejam sufocadas pelos cuidados deste mundo. Seja um solo bom — um coração receptivo ancorado na graça de Deus. Ao se alimentar da Sua Palavra e ver o que Ele vê, você certamente verá o crescimento se manifestar a trinta, sessenta e cem por um em todas as áreas de sua vida!

CAPÍTULO 5

VEJA-SE COMO DEUS O VÊ

❖

Minha equipe recebeu um *e-mail* muito encorajador de Ron, um de nossos principais parceiros de ministério. Ron contou que tinha um amigo querido chamado Tyler, seu colega de escola, com quem fez a melhor das amizades. Tyler era de uma boa família cristã, ótimo esportista e estava vivendo o "sonho americano".

Após a faculdade, porém, Tyler começou a sair com a turma errada no trabalho e desenvolveu um grave problema de drogas e bebida, o que, por sua vez, levou a uma série de erros devastadores. Dentro de um período de vinte e quatro meses, Tyler perdeu tudo que ele amava na vida. Envergonhado e infeliz, Tyler saiu da igreja e quase desistiu da vida, de Deus e da graça. Mas Deus, em Sua graça, ainda estava estendendo Sua mão a Tyler (por intermédio de Ron), como Ron contou em seu *e-mail*:

> *Certa noite, enquanto corria em um parque e ouvia uma mensagem do Pastor Prince, senti Deus me conduzindo a enviar uma mensagem de texto a Tyler. Senti que Deus queria que eu perguntasse a ele: "O que Deus vê quando olha para você?" Então, embora estivesse correndo, enviei-lhe uma mensagem exatamente com essas palavras. Após um longo tempo, recebi sua resposta:*

Tyler: "Você está falando sério?"
Ron: "Sim".
Tyler: "Bem... Tenho certeza de que não é algo bom".
Ron: "Jesus".
Tyler: "O que você quer dizer?"
Ron: "Quero dizer que, quando Deus olha para você, Ele vê Jesus!"
Trinta minutos depois, recebi esta mensagem:
Tyler: "Obrigado, cara, você não sabe o quanto eu precisava ouvir isso!"

Abençoaria o seu coração saber que o texto que Ron enviou a Tyler é exatamente a mensagem que Deus quer que você receba hoje? Creio que, como Tyler, milhares e milhares de crentes passam pela vida acreditando que o amor de Deus por eles depende de suas ações. Muitíssimos acreditam honestamente que Deus se envergonha deles devido aos seus erros e fracassos. Ou eles não ouviram, ou esqueceram que Jesus não só pagou pelos nossos pecados, mas também tomou sobre si toda a nossa vergonha. Em algum lugar ao longo do caminho, perdemos de vista como a graça de Deus é superabundante (Romanos 5:20). Nós subestimamos a medida de Sua graça!

 *Jesus não só pagou pelos nossos pecados, mas também tomou sobre si toda a nossa vergonha.*

Em Que Você Realmente Crê?

Meu amigo Ron estava ouvindo uma das minhas mensagens a respeito da nossa identidade de justos em Cristo, quando se sentiu levado pelo Senhor a enviar aquela instigante pergunta a seu amigo Tyler: "O que Deus vê quando olha para você?" Creio que essa é uma grande pergunta e, se você tivesse de respondê-la honestamente hoje, ela revelaria aquilo em que você realmente crê, em seu coração, acerca de Deus.

Quando as coisas vão bem, a maioria das pessoas acredita que Deus está satisfeito com seu comportamento e conduta. Entretanto, elas acreditam que tudo muda quando falham e cometem erros. Pode ser perder a calma no trânsito, visitar um *site* que não deveriam ou dizer palavras ofensivas a alguém que amam. Naquele momento de fracasso, acreditam que, quando Deus olha para elas, Ele não vê nada de bom. Acreditam que Ele está irritado e decepcionado com elas e quer puni-las por suas falhas.

Que esperança existe na crença de que quando você age bem, é abençoado, mas, quando falha, é amaldiçoado? Era exatamente assim que a antiga aliança da Lei funcionava. A antiga aliança era um sistema imperfeito. Observe como, no livro de Hebreus, o próprio Deus encontrou falha nessa aliança e procurou substituí-la: "Porque, se aquela primeira aliança tivesse sido sem defeito, de maneira alguma estaria sendo buscado lugar para uma segunda... Eis aí vêm dias, diz o Senhor, e firmarei nova aliança" (Hebreus 8:7-8).

Já Ouviu Falar da Nova Aliança da Graça?

Meu amigo, estou aqui para anunciar a você que Deus já fez uma nova aliança. A nova aliança que Ele instituiu é a aliança da graça, da qual eu e você começamos a desfrutar hoje. É uma aliança na qual Ele declara: "Pois, para com as suas iniquidades, usarei de misericórdia e dos seus pecados jamais me lembrarei" (Hebreus 8:12). Aleluia!

Deus pode ser misericordioso para com toda a sua injustiça e não mais se lembrar de seus pecados porque o pagamento por eles já foi feito em sua totalidade no corpo de Jesus na cruz. Portanto, quando Deus olha para você hoje, Ele não o julga, avalia e mede segundo as suas imperfeições. Ele o vê no Amado — Ele vê você em Cristo e vê o sangue que foi derramado por você pelo Seu Filho amado.

Quando Deus olha para você hoje, Ele vê Jesus. Devido a isso, Seus pensamentos a seu respeito são pensamentos de benignidade, perdão, bênçãos e favor. Jesus pagou um preço extremamente elevado na cruz para que você possa viver a vida totalmente aceito e incondicionalmente amado por Deus. Saber disso e crer nisso fará toda a diferença na maneira como você vive a sua vida, independentemente do que o afronta.

Mas, pastor Prince, eu não mereço esse amor de Deus!

Você está absolutamente certo! Se nos basearmos no que merecemos hoje, todos nós (eu também) merecemos ser punidos por nossos pecados. Você sabia que a punição pelo pecado não é simplesmente um tapinha na mão? E não é algo que possamos amenizar: o salário do pecado é a morte (ver Romanos 6:23). Em outras palavras, se você e eu nos basearmos no que merecemos, a punição que merecemos por nossos pecados é a morte. Mesmo assim, nossas mortes nunca poderão pagar adequadamente pelos nossos pecados, porque o nosso sangue não é um sangue sem pecado. É por isso que gosto de lembrar às pessoas que desejam ser justificadas pela sua própria justiça de que isso é simplesmente impossível. Todos nós temos uma dívida que jamais poderemos pagar.

A boa notícia é que, na cruz, Jesus suportou a sentença de morte em nosso nome. Ele merecia ser crucificado? Absolutamente não! Ele escolheu a cruz para que Seu sangue sem pecado pudesse nos purificar de todos os nossos pecados. A cruz permanece, durante toda a eternidade, como uma declaração do amor eterno de Jesus por nós. Na cruz, Jesus foi suspenso entre o céu e a terra como o sacrifício pelos nossos pecados. Ele levou sobre si todo castigo que nós merecemos. Ele absorveu toda pena que a Lei exigia para os nossos pecados.

A cruz permanece, durante toda a eternidade, como uma declaração do amor eterno de Jesus por nós.

Somente Creia

Você sabe por que Jesus escolheu a cruz? João 3:14-15 nos dá a resposta: "E do modo por que Moisés levantou a serpente no deserto, assim importa que o Filho do Homem seja levantado, para que todo o que nele crê tenha a vida eterna".

Ele foi para a cruz para que todo aquele *que nele crer* possa receber o dom da vida eterna.

Todo aquele *que crer*. Isso é tudo que você precisa fazer para receber a herança que foi comprada para você com o sangue do Filho de Deus. Creia NELE. Creia em Jesus. Creia no que Ele fez por você na cruz. Creia que todos os seus pecados foram imputados a Ele e toda a Sua justiça foi imputada a você. Creia na troca divina. Creia em Seu amor. Creia que todos os seus pecados foram punidos na cruz e que, por intermédio de Jesus, você recebeu as dádivas da justiça e da vida eterna.

Há muito a se extrair de João 3:15. Leia esse versículo novamente. Diga-me, quem se qualifica para a salvação? A Palavra de Deus não diz: "Quem obedecer a Ele perfeitamente". Ela não diz: "Quem nunca falhar novamente". E, certamente, ela não diz: "Quem guardar todos os Seus mandamentos". Ela simplesmente diz: "Quem nele crer". Quem crê nele não perecerá, mas terá vida eterna. A única coisa que você precisa fazer é crer!

Pastor Prince, como simplesmente crer em Jesus pode me tornar justo? Precisa haver algo mais que devo fazer para conquistar e merecer o amor de Deus por mim.

Não desconsidere essa verdade só porque ela soa simples, nem subestime o poder de crer corretamente. Quando você crer corretamente — quando você crer que se torna justo por meio de Jesus — acabará produzindo o fruto de justiça. O apóstolo Paulo se refere ao "fruto de justiça" em Filipenses 1:11, e especifica que ele é dado "mediante Jesus Cristo". Quando você fixar seus olhos em Jesus, e somente nele, como a fonte de sua justiça e perdão, acabará produzindo os frutos de justiça, santidade e caráter moral.

De fato, a Bíblia nos diz que é quando não vemos ou nos esquecemos de termos sido limpos de nossos velhos pecados, que acabamos com falta de autocontrole, piedade e amor fraterno (ver 2 Pedro 1:5-9). Você percebe que, quando crer corretamente, acabará vivendo corretamente? Então, faça de Jesus, de Seu perdão e de Seu amor o centro de todas as áreas da sua vida!

Faça de Jesus, de Seu perdão e de Seu amor o centro de todas as áreas da sua vida!

Exaltando Jesus

O compositor Israel Houghton, vencedor de prêmios Grammy e renomado líder de adoração, é um grande amigo meu. Após ouvir, em uma conferência, minha mensagem a respeito de tornar Jesus o centro de nossas vidas, ele me contou ter sido inspirado a compor a canção "*Jesus at the Center*" (*Jesus é o Centro*), em parceria com Adam Ranney e Micah Massey. Essa canção se tornou um hino cantado por cristãos do mundo todo. Sempre que encontro Israel, ele brinca que está pensando seriamente em me enviar um cheque pelos *royalties* porque, toda vez em que me ouve pregar acerca de Jesus, ele recebe inspiração para uma nova canção.

Bem, Israel, se você estiver lendo isto, ainda não vi nada na minha caixa de correio, meu amigo.

É claro que estou apenas brincando! Fico realmente feliz por, cada vez mais, o nome de Jesus ser exaltado no mundo todo. De fato, em uma de minhas viagens a Israel, conheci Adam Ranney. Ele compartilhou comigo como meu ministério o impactara porque o lugar central sempre é dado a Cristo. Tudo isso realmente me encoraja, porque, mais de duas décadas atrás, recebi um mandato do Pai para trazer Seu Filho de volta à igreja.

É triste, mas há algumas igrejas em que você ouve tudo sobre como deve conduzir a sua vida, mas não ouve o nome de Jesus. Você não ouve falar da cruz e não ouve falar de como você é justificado em Cristo. Não ouve sobre como Deus vê você em Cristo hoje. É por isso que sou tão empolgado e abençoado por saber que o glorioso nome do nosso Senhor Jesus está sendo cada vez mais exaltado em todo o mundo. É para isso que eu vivo!

As pessoas me chamam de pregador da graça e estão certas. Mas, acima de tudo, minha paixão é apenas ser alguém que direciona as pessoas a Jesus! Sei que quando a beleza, a perfeição e o amor de Jesus forem revelados nas vidas das pessoas, essas vidas serão transformadas e elas nunca mais serão as mesmas novamente. Livros de autoajuda lhe mostram o que *você* deve fazer. Minhas mensagens e livros são todos acerca de *Jesus* ajudando você, mostrando-lhe Jesus e o que Ele tem feito por você!

Não importa quantas vezes você falhou. Quando você fizer de Jesus o centro da sua vida, Deus fará com que Suas bênçãos, favor e graça fluam para a sua situação. Esse vício contra o qual você tem lutado não mais existirá. Essa carga pesada de culpa e condenação que você tem carregado há anos será tirada de seus ombros. Esse transtorno alimentar, essa amargura e esse medo paralisante serão todos extintos na pessoa de Jesus!

Cristo é o Nosso Escudo

Quando você começar a ver o que Deus vê, sua vida nunca mais será a mesma. Eu já disse isso antes, mas vale a pena repetir: quando você se tornou um crente, Deus não mais viu você como você! Quando Ele olha para você hoje, Ele vê Jesus. Agora você está em Cristo. Quando ensino isso em minha igreja, gosto de ilustrar assim: pego uma caneta esferográfica comum, coloco-a no meio de minha Bíblia e fecho a Bíblia.

"Vocês conseguem ver a caneta agora?" Pergunto à minha congregação, segurando a Bíblia. Não, não conseguem. Tudo que conseguem ver é a Bíblia. A caneta está, agora, totalmente escondida e guardada no escudo das páginas da Bíblia.

Da mesma maneira, no momento em que você aceita Jesus, você é guardado pelo escudo de Cristo. Quando Deus olha para você hoje, Ele não o vê com todos os seus defeitos e imperfeições. Ele só vê Seu Filho querido, Jesus! Sua Palavra diz: "Para louvor da glória de sua graça, que ele nos concedeu gratuitamente no Amado" (Efésios 1:6). Isso se refere a você, meu amigo. Pela graça abundante e generosa de Deus — Seu favor imerecido — você é aceito e aprovado em Jesus, o Amado!

O que isso significa é que Deus não está mais avaliando e julgando você com base em seus méritos. Não se trata mais do que você fez ou *não fez*. Seu amor por você não depende dos seus atos; depende de Jesus. Não importam os erros que você cometeu, Ele o vê lavado no sangue de Seu Filho amado.

Por você estar em Cristo, ter um futuro abençoado não depende de quanto você se esforça para ser perfeito ou o quão duro você se dedica a mudar a si mesmo. Depende da pessoa de Jesus. Não se trata de saber se *você* merece ser abençoado, favorecido e vitorioso. A pergunta é: *Jesus* merece ser abençoado, favorecido e vitorioso?

A Bíblia proclama: "Segundo ele é, também nós somos neste mundo" (1 João 4:17). Jesus merece ser abençoado, favorecido e vitorioso? Então, você também merece! Isso é o que significa estar em Cristo Jesus. Isso significa que, hoje, Deus o avalia e o vê com base na perfeição de Jesus Cristo. A justiça de Jesus é a sua justiça. De fato, a Bíblia explica que, por causa de Jesus, que não conheceu pecado, ter se tornado pecado por nós, somos agora a justiça de Deus em Cristo (ver 2 Coríntios 5:21).

Jesus merece ser abençoado, favorecido e vitorioso? Então, você também merece! Isso é o que significa estar em Cristo Jesus.

A Sua Justiça É um Presente

"Justiça" é um termo jurídico. Significa ter um posicionamento correto diante de Deus. O *Vine's Expository Dictionary of Biblical Words* define justiça como "o presente gratuito de Deus aos homens, pelo qual todos os que creem no Senhor Jesus Cristo são levados a um relacionamento correto com Deus".[1] Em outras palavras, o seu posicionamento correto diante de Deus se baseia no posicionamento correto de Jesus diante de Deus.

Hoje, você é tão justo quanto Jesus porque a sua justiça provém dele. Ele a comprou para você na cruz. Quando você recebeu Jesus como seu Senhor e Salvador, Ele tirou toda a sua injustiça de uma vez por todas e lhe deu o *Seu* presente da justiça. Essa justiça é algo que você nunca pode obter ou conseguir procedendo corretamente; ela só pode ser *recebida* pela sua crença correta em Jesus.

E você sabe o que acontece quando recebe esse presente de justiça? A Bíblia declara que "os que recebem a abundância da graça e o dom da justiça reinarão em vida por meio de um só, a saber, Jesus Cristo" (Romanos 5:17). Ei, quando você reinar, os seus vícios não reinarão. Quando você reinar, as doenças não reinarão. Quando você reinar, medo, depressão e qualquer obstáculo que o está impedindo de viver a sua vida ao máximo serão destruídos e eliminados.

Creia Corretamente no que Diz Respeito ao Seu Posicionamento Correto em Cristo

Há muitos ensinamentos hoje acerca de termos um procedimento correto, mas a resposta está em crer corretamente no que diz respeito ao seu posicionamento correto em Cristo. Por isso é tão importante você se lembrar disto: a sua justiça (posicionamento correto) diante de Deus é um *presente*.

Muitas pessoas estão lutando hoje porque tentam, por seus próprios esforços, obediência e habilidades, conquistar seu posicionamento correto diante de Deus. Com toda sinceridade em seus corações, elas acreditam que, realizando um número maior de boas ações, tornando-se mais obedientes, renunciando a mais coisas por Jesus, orando mais e servindo mais a Deus, Ele as abençoará. Por favor, ouça-me aqui. Sou totalmente favorável a fazer tudo isso. Mas se você acredita que essas coisas lhe trarão justiça, é aí que isso se torna um problema.

Por melhor que possa parecer tudo que você leu acima, quando as pessoas falharem em ser obedientes (e elas falharão), quando falharem em renunciar a mais coisas por Jesus (e elas falharão) e quando elas não orarem "o suficiente", não lerem a Bíblia "o suficiente" e não servirem na igreja "o suficiente", elas começarão a, consciente ou inconscientemente, desqualificar-se para o amor, a presença e as bênçãos de Deus. E, afinal, quem determina o que é "suficiente"? O acusador dos irmãos aproveitará todas as oportunidades para condenar os crentes por *nunca* fazerem "o suficiente". Quando isso acontecer, eles começarão a cair na armadilha da culpa, inferioridade, condenação e vergonha.

Esse é o problema. Quando alguém baseia o seu relacionamento com Deus em seus próprios méritos, sempre deixa a desejar. Esta é a direção da antiga aliança: faça o certo e Deus o abençoará; faça o errado e você será amaldiçoado. Infelizmente, o homem não tem qualquer capacidade de merecer a bênção de Deus por meio de seus atos. Até mesmo sob a antiga aliança, ninguém foi abençoado por ter obedecido a Deus perfeitamente. Eram abençoados em função da justiça temporária que recebiam por meio do sangue de touros e bodes. O sangue desses sacrifícios de animais era meramente uma sombra do sangue que Jesus derramaria definitivamente na cruz para comprar para nós o presente da justiça eterna. Você percebe? Antes e agora, o correto posicionamento com Deus não pode ser merecido; é um presente de Deus, com base no Seu favor imerecido.

> ❖ *O correto posicionamento com Deus não pode ser merecido; é um presente de Deus, com base em Seu favor imerecido.*

Ver a Obra Consumada Traz as Bênçãos de Deus

A equipe que coordena meu ministério televisivo recebeu um *e-mail* de uma preciosa senhora do Texas. Nancy descobriu meu ministério por meio da televisão e começou a realmente ter uma revelação pessoal da bondade de Deus e de quão justa ela era por meio da obra consumada de Cristo. Ao escrever para mim acerca de como a graça de Deus impactou não só a sua vida, mas a de toda a sua família, ela compartilhou:

> *Quando eu o vi pela primeira vez na televisão, cinco anos atrás, eu era bastante cética. Entretanto, algo em você era diferente. Eu soube, em meu espírito, que você estava ensinando o verdadeiro Evangelho. Então, comecei a assistir às suas pregações todos os dias, às vezes duas vezes por dia. Quanto mais eu assistia, mais via a sabedoria de Deus em você e mais queria ter um relacionamento com Deus e Jesus.*
>
> *Naquela época eu estava em um momento difícil da minha vida, prestes a desistir do meu casamento. Estava até mesmo questionando minha fé em Deus. Não percebia o quanto eu mantivera Deus em uma caixa, envolvendo-o apenas em certas áreas da vida porque, no fundo, pensava que Ele estivesse me julgando.*

Quando por fim ouvi a verdade sobre o Evangelho, eu a segui! Nunca olharei para trás, porque você me ensinou a verdadeira liberdade pela qual Jesus morreu para me dar. Louvado seja Deus! Quando o véu foi removido, percebi o quão justa realmente sou, e Deus começou a me abençoar tremendamente!

Meu casamento teve uma reviravolta e agora está se fortalecendo. Estamos em nosso décimo segundo ano de casamento e agradeço a Deus pelas quatro filhas bonitas e saudáveis com que Ele me abençoou. Deus também promoveu meu marido em sua carreira e lhe deu um aumento de salário. Além disso, recentemente, Deus elevou nosso nível, colocando-nos em um incrível bairro e até abriu as portas de uma escola comunitária para duas das minhas meninas. Ele nos favoreceu muito, porque há pelo menos quinhentas pessoas na lista de espera dessa escola!

E isso não é tudo. Cerca de um ano atrás, quando estava assistindo-o ensinar em Israel, eu disse ao Senhor silenciosamente em meu coração: "Senhor, quero ir para Israel. Não sei como vou conseguir, mas quero". Nunca mais pensei na viagem até o início de abril deste ano, quando Deus fez cair em meu colo uma viagem gratuita para Israel e abriu todas as portas para eu ir!

Meu Pai celestial me mostrou que sou Sua filha e que Ele está disposto a cuidar de todas as necessidades pelo restante da minha vida! Eu nada fiz para merecer! Minha luz está brilhando e todos querem saber o motivo.

Não consigo expressar o quanto meu coração fica entusiasmado por ouvir histórias reais de pessoas como Nancy e por saber como Jesus transformou suas vidas e sua caminhada com Ele. Sou muito grato a pessoas como ela, que dedicam tempo a escrever para nós e compartilhar como a revelação do perdão de Deus e do Seu presente de justiça as libertou para crer e receber Sua provisão para todas as necessidades.

Diariamente recebemos *e-mails* de pessoas do mundo todo, compartilhando conosco como ouvir sobre o amor e a graça de Deus por meio de nossas transmissões, livros e recursos de mídia revolucionou totalmente suas vidas e restaurou a esperança no seu futuro. E amamos ter notícias delas, porque este é o objetivo: a transformação da vida das pessoas preciosas por quem Jesus morreu para redimir!

Veja o que Realmente Aconteceu na Cruz

Certa vez, o Senhor me mostrou uma visão do que aconteceu na cruz. Eu vi como todos os pecados de toda a raça humana (mentiras, falsidade, inveja, amargura, adultério, vícios, sujeição, assassinato) e todas as consequências do pecado (medo, enfermidades, culpa, doenças e condenação) giravam em torno de Jesus como espíritos malignos e demônios, rindo de maneira hedionda, insultando-o e atormentando-o. Jesus se tornou como um ímã para todo pecado e, por Sua própria vontade, aceitou todo esse pecado em Seu próprio corpo.

Você e eu nunca seremos capazes de imaginar a dor excruciante que rasgou Seu corpo na cruz. Todo câncer maligno, tumor, enfermidade e toda doença também foram sobre Ele ao mesmo tempo. Aquele que não conheceu pecado tomou sobre Si o enorme peso dos pecados mais sombrios e mais vis de todos os homens. Ele recebeu tudo sozinho.

A Palavra diz que "Ele mesmo tomou as nossas enfermidades e carregou com as nossas doenças" (Mateus 8:17). "Ele mesmo" — um pronome reflexivo singular que significa a exclusão de você e de mim. Uma vez que Ele mesmo recebeu todo castigo, julgamento e condenação por todos os pecados, você e eu estamos excluídos de todo castigo, julgamento e condenação por todos os pecados quando o recebemos como nosso Salvador.

Mas a história não terminou aí. Jesus não morreu na cruz antes de receber sobre Si todos os pecados da humanidade. Ele levou tudo e aceitou tudo em Seu corpo. Então, o fogo do juízo de Deus foi desencadeado sobre o Seu próprio Filho precioso, e somente quando cada último pecado havia sido punido, Jesus clamou "ESTÁ CONSUMADO!", momentos antes de dar Seu último suspiro (ver João 19:30). Você consegue perceber? Jesus se manteve na cruz até que cada pecado que você já cometeu e ainda irá cometer fosse punido em Seu próprio corpo. É por isso que denominamos "obra consumada" o que Jesus realizou na cruz.

Ver como Deus vê

Ora, qual é a sua parte hoje? Sua parte é crer em seu coração e confessar com sua boca que Jesus Cristo é o Senhor da sua vida e que todos os seus pecados foram pagos na cruz. Se você crê que todos os seus pecados foram perdoados, o pecado não terá mais poder sobre você. Você não mais terá de andar por aí com "uma montanha de pecados" em seus ombros, porque essa "montanha de pecados" foi colocada sobre os ombros de outro — Jesus. Ele próprio já pagou o preço pelos seus pecados; então, pare de condenar a si mesmo!

> ❖ *O próprio Jesus já pagou o preço pelos seus pecados;*
> *então, pare de condenar a si mesmo!*

Hoje, quando você olha para o espelho, o que vê? Você se vê preso em todos os seus fracassos, erros e pecados? Ou você vê o que Deus vê?

Meu caro amigo, quando Deus o vê hoje, Ele vê Jesus. Use seus olhos da fé e creia que, como Jesus é, assim é você. Aos olhos de Deus, você é justo, favorecido, abençoado e está curado. Você está livre de todo pecado, de todas as dores da culpa, de todas as formas de condenação e de toda escravidão de vícios e dependências!

CAPÍTULO 6

VOCÊ É IRREVERSIVELMENTE ABENÇOADO

Como um franco-atirador, Balaão subiu a montanha procurando o melhor ponto de observação para disparar uma maldição devastadora sobre o povo de Deus. Ele tinha sido contratado pelo bandido Balaque, que estava ficando cada vez mais intimidado pelos filhos de Israel que invadiam seu território.

Balaque testemunhara o que Israel tinha feito com outra família de criminosos, os amorreus. Ele não queria correr o risco e estava fazendo um ataque preventivo para, a qualquer custo, defender a honra de sua família e proteger seu legado nas planícies de Moabe.

Balaão tinha a reputação de ser um assassino de aluguel altamente confiável. Dizia-se que quem quer que Balaão abençoasse era abençoado, e quem quer que ele amaldiçoasse era amaldiçoado. Armado com esse conhecimento, Balaque havia solicitado os serviços do assassino profissional para expulsar seu inimigo, Israel, de seu território.

Mas enquanto Balaão e Balaque estavam em um lugar alto com vista para o acampamento dos filhos de Israel, ocorreu um estranho fenômeno. Quando abriu a boca para amaldiçoar, Balaão acabou abençoando o povo de Israel! Nervoso e enfurecido, Balaque gritou: "Que foi que você me fez? Eu o chamei para amaldiçoar meus inimigos, mas você nada fez senão abençoá-los!" (Números 23:11, NVI).

Ansioso por ver seus inimigos amaldiçoados e fora de seu território, Balaque levou Balaão a outro lugar alto e exigiu que ele investisse novamente contra os inimigos e tentasse mais uma vez lançar maldições contra Israel. Mais uma vez, em vez de maldições, bênçãos fluíram da boca de Balaão.

Agora, ouça atentamente o que Balaão falou, pois Deus disse que iria colocar as Suas palavras na boca de Balaão (ver Números 22:35): "Recebi uma ordem para abençoar; ele abençoou, e não o posso mudar. Nenhuma desgraça se vê em Jacó, nenhum sofrimento em Israel. O SENHOR, o seu Deus, está com eles; o brado de aclamação do Rei está no meio deles" (Números 23:20-21, NVI).

Em Cristo, Você É Irreversivelmente Abençoado

Essas são palavras preciosas, que revelam como Deus vê você e eu hoje. Você sabia que quando Ele o abençoa, ninguém — nenhum profeta, nenhum feiticeiro e nenhum demônio — pode reverter essa bênção? Você é irreversivelmente abençoado! Você nunca pode ser amaldiçoado! Nenhuma maldição hereditária ou qualquer outra maldição pode recair sobre você, porque Deus já o abençoou! Isso inclui ser redimido da maldição da lei, conforme está registrado em Gálatas 3:13: "Cristo nos resgatou da maldição da lei, fazendo-se ele próprio maldição em nosso lugar (porque está escrito: 'Maldito todo aquele que for pendurado em madeiro')".

Quando Deus o abençoa, ninguém pode reverter essa bênção.

Quando seus inimigos dizem coisas negativas sobre você por inveja, ciúme e medo ou se há pessoas espalhando mentiras ofensivas acerca de você para destruir o seu caráter, saiba isto: o Senhor é o seu defensor. É Deus quem dá influência às palavras, e Ele pode fazer com que as palavras deles caiam por terra. Ele pode até mesmo, como acabamos de ler, transformar as maldições deles em bênçãos. Você não tem de ficar todo afobado, agitado e irado. Apenas saiba que o Senhor está do seu lado e que, quando Ele o abençoou, ninguém pode reverter essa bênção. Amém!

Quero que essa crença correta penetre profundamente em seu coração: *em Cristo Jesus, você é irreversivelmente abençoado*. Independentemente de quão terríveis as suas circunstâncias possam parecer agora, coloque um sorriso em seu rosto e salte de alegria. Quem o Senhor abençoou, ninguém pode amaldiçoar! Deus vai vê-lo atravessar essa tempestade. As coisas se virarão em seu favor. Você não tem de viver decepcionado, desanimado e desesperado. Como você vê no relato bíblico de Balaão, se Deus está do seu lado, quem pode ser contra você?

Creia que Deus Cuida de Você

Há outra verdade que quero que você veja na história de Balaão. Perceba que os filhos de Israel nada fizeram para se defender contra Balaque. De fato, eles estavam completamente alheios a como Deus estava cuidando deles, e mesmo assim Ele os defendeu.

Da mesma maneira, você pode descansar sabendo que Deus é o seu defensor. O salmista nos lembra de que "É certo que não dormita, nem dorme o guarda de Israel. O SENHOR é quem te guarda; o SENHOR é a tua sombra à tua direita. De dia não te molestará o sol, nem de noite, a lua. O SENHOR te guardará de todo mal; guardará a tua alma. O SENHOR guardará a tua saída e a tua entrada, desde agora e para sempre" (Salmos 121:4-8).

Que promessa! Deus cuida de você e de seus entes queridos, e nunca faz uma pausa. Você está protegido contra todos os perigos em todos os momentos do dia.

Deus cuida de você e de seus entes queridos,
e nunca faz uma pausa.

Saiba o Que Deus Não Vê

Deixe-me dar-lhe ainda mais motivos para nos alegrarmos quando aprendemos a ver o que Deus vê. Voltemos às palavras que Deus colocou na boca de Balaão: "Não viu iniquidade em Jacó, nem contemplou desventura em Israel" (Números 23:21). Façamos uma pausa durante um momento. Havia iniquidade em Israel? (Quando Deus usou a palavra "Jacó" aqui, Ele estava se referindo a todos os filhos de Israel.) Havia algum pecado em Israel? Ou todos do acampamento eram perfeitos?

Se você pudesse dar um *zoom* do topo da montanha até o acampamento de Israel, provavelmente perceberia todos os tipos de murmuração e reclamação contra Moisés e sua liderança. Certamente, havia alguns que tinham problema para manter a calma, e talvez houvesse um ou dois cobiçando os burros de seus vizinhos. Não é difícil imaginar que uma grande variedade de imperfeições, pecados, iniquidades e maldades estava presente no acampamento. Mas a questão é: Deus via tudo aquilo?

Leia novamente Números 23:21. Perceba que Deus *não disse* que não havia pecado ou iniquidade em Seu povo. Ele simplesmente disse que não os via. Da mesma maneira, Ele não está dizendo que não há pecado em você. O que Deus diz é: "Eu não o vejo".

Espere um pouco! Como pode um Deus inflexivelmente santo não ver pecado em mim?

Meu amigo, isso acontece porque esses mesmos olhos santos viram todos os seus pecados punidos no corpo de Jesus Cristo. Os seus pecados foram punidos e não mais existem.

No acampamento israelita, embora houvesse iniquidades, pecados e maldades, Deus não viu nenhum deles, porque o sangue de touros e bodes que eles ofereciam ao Senhor diariamente cobria os filhos de Israel. Imagine o quanto isso é verdadeiro hoje, para nós que fomos purificados eternamente pelo sangue do Cordeiro de Deus, Jesus Cristo, nosso lindo Salvador!

Sob a antiga aliança, os israelitas desfrutavam de uma cobertura *temporal* por meio dos sacrifícios de animais, mas, para nós, a expiação e o pagamento de todos os nossos pecados por Jesus Cristo são *eternos*. É por isso que Deus não observa o pecado e a iniquidade em você nem vê maldade em você. Quando Deus olha para você hoje, Ele o vê como um filho (ou uma filha) justo, perdoado, curado, favorecido, abençoado, aceito e amado, por causa da cruz de Jesus. Agora, você se vê como Deus o vê?

> ❖ *Quando Deus olha para você hoje, Ele o vê como um filho (ou uma filha) justo, perdoado, curado, favorecido, abençoado, aceito e amado, por causa da cruz de Jesus.*

Aperfeiçoados em Cristo

Acredito que lutamos com dificuldade para acreditar nessa verdade porque nos conhecemos muito bem — aliás, demasiadamente bem. Somos extremamente conscientes de cada pequena falha em nossa constituição física e emocional. Sabemos, lembramos e repetimos em nossas mentes os pecados, as falhas e os erros que cometemos. Erros que cometemos há dez, ou mesmo vinte anos, ainda estão frescos em nossas mentes como se tivessem sido cometidos ontem.

Certa vez, vi algumas mulheres sendo entrevistadas na televisão; quando perguntadas quais eram as suas melhores características, foi-lhes muito difícil chegar a uma resposta. Todavia, quando lhes pediram para citar as características de que não gostavam em si mesmas, foram unânimes em dizer: "Oh, por onde eu começo?" E faziam uma lista de cada parte de si mesmas: seus cabelos, narizes, orelhas. Conseguiram encontrar até mesmo algo de que não gostavam em seus ombros.

Nossa propensão em focar nas falhas não termina apenas na nossa aparência. Você já percebeu como nossa atenção é atraída pelas falhas até mesmo mínimas em qualquer coisa que olhamos? Apenas imagine-se em pé diante de um grande quadro branco. Em vez de ver a vasta extensão da superfície branca limpa, temos muita probabilidade de encontrar e focar no pequeno ponto preto no canto inferior esquerdo do quadro, se houver um ali. Nossas mentes naturais são igualmente inclinadas a se fixar no negativo e no imperfeito. Do mesmo modo, temos a tendência de nos concentrarmos em nós mesmos e nos condenarmos até pelos nossos pequenos defeitos, em vez de nos concentrarmos em como Deus realmente nos vê — perfeitos em Cristo.

Jesus, a Fonte da Nossa Fé

É por isso que é preciso ter fé para crer que Deus o vê como justo. É preciso fé para crer que Ele não o vê nos seus pecados, que Ele não observa pecado ou iniquidade em você. É preciso ter fé para crer que Ele diz intencionalmente: "Pois, para com as suas iniquidades, usarei de misericórdia e dos seus pecados jamais me lembrarei" (Hebreus 8:12). É preciso ter fé para crer que Deus não se lembrará de seus fracassos e erros!

Mas, pastor Prince, meus pecados estão me encarando. Como posso ter fé para crer que Deus não os vê?

Meu amigo, o ponto essencial para a fé está em olhar para a fonte da fé — Jesus. Como diz a Bíblia: "... olhando firmemente para o

Autor e Consumador da fé, Jesus" (Hebreus 12:2). Sua fé para crer é encontrada em Jesus! A versão *Amplified Bible* diz: "Desviando o olhar [de tudo que é distração] para Jesus, que é o Líder e a Fonte da nossa fé [dando o primeiro incentivo para a nossa crença] e é também o seu Consumador [levando-a à maturidade e perfeição]".

O ponto essencial para a fé está em olhar para a fonte da fé — Jesus.

Em outras palavras, desvie seus olhos de seus próprios defeitos, imperfeições, fracassos e erros, e apenas fixe-os em Jesus. Quanto mais você vê Jesus e Sua obra consumada, mais fé surge em seu coração para crer que todos os seus pecados estão verdadeiramente perdoados. Você pode começar do zero e ter um começo totalmente novo em Cristo. O velho se foi e tudo se fez novo!

O Poder de Contemplar Jesus

Você pode estar pensando: "Mas isso parece tão impraticável. Como pode a minha vida mudar apenas fixando meus olhos em Jesus?"

Bem, não pareceu tão impraticável quando Pedro fixou seus olhos em Jesus. *Ele andou sobre as águas!* Somente quando se virou e olhou para as ondas turbulentas foi que Pedro começou a afundar.

Da mesma maneira, quando fixamos os nossos olhos em Jesus e fazemos dele o centro de nossas vidas, somos transformados sobrenaturalmente e caminhamos sobre as águas agitadas da culpa e da condenação. Todavia, quando afastamos nossos olhos de Jesus e começamos a olhar novamente para as ondas de nossas falhas, erros e pecados, nós, como Pedro, começamos a afundar na tempestade furiosa da culpa e da condenação. Mas, mesmo quando isso acontecer, você poderá animar-se, porque Jesus estará lá para retirá-lo e resgatá-lo, exatamente como fez com Pedro.

Creio que Jesus está fazendo isso em sua vida neste exato momento. Existe alguma coisa que você fez em seu passado da qual você simplesmente não consegue se livrar, que se parece com pesos em torno de seus pés, segurando-o para baixo? Hoje é o dia da sua libertação. Aprenda a ver o que Deus vê, fixando seus olhos em Jesus.

Você precisa compreender que o que você vê ou como os outros o veem não é tão importante quanto a maneira de *Deus* vê-lo. Muitas pessoas pensam que Deus as vê em seus pecados e está apenas esperando para puni-las. Essa crença incorreta produz uma vida incorreta. Se você vê Deus desse modo, só poderá sentir constante medo, insegurança e ansiedade acerca dos seus pecados passados. Hoje, tome a decisão de voltar seus olhos para Jesus, pois Ele já o tornou justo com o Seu sangue!

O que você vê ou como os outros o veem não é tão importante quanto a maneira de Deus vê-lo.

De fato, quanto mais você contempla Jesus, mais é transformado de glória em glória. A Bíblia nos diz que "todos nós, com o rosto desvendado, contemplando, como por espelho, a glória do Senhor, somos transformados, de glória em glória, na sua própria imagem, como pelo Senhor, o Espírito" (2 Coríntios 3:18). Fixar os olhos em Jesus é a maior santidade. Muitos pensam *que têm de fazer mais* para serem mais santos, aceitos e amados por Deus. A verdade é que, quando você contemplar mais a Jesus e vir o Seu amor, perdão, graça abundante e Seu presente da justiça comprada para você com o Seu próprio sangue, você será transformado sobrenaturalmente.

A santidade é o resultado de vermos Jesus em Sua graça. Quando você vê Jesus e recebe Seu amor e graça diariamente, o seu coração é transformado interiormente. Essa não é uma modificação externa do comportamento. É uma mudança real que ocorre em um coração tocado por Sua graça e por uma consciência emancipada que está para sempre liberta da culpa. É então que a dependência dos vícios começa a desaparecer de sua vida. É então que o medo começa a se dissolver em Seu perfeito amor, e que a condenação decorrente de seus erros passados é lavada pelo Seu precioso sangue. Que vida! Essa é a vida que Deus quer que você experimente. Você pode vê-la? Você pode ver o que Ele vê?

A santidade é o resultado de vermos Jesus em Sua graça.

Você É Precioso aos Olhos de Deus

Quero lhe mostrar outro aspecto de como Deus o vê hoje por meio de uma bela verdade oculta no peitoral do sumo sacerdote de Israel. A Bíblia nos dá informações muito detalhadas acerca do que o sumo sacerdote usava nos dias do antigo Israel — e não há detalhes insignificantes na Bíblia. Hoje, Jesus é o nosso Sumo Sacerdote e, quando examinamos o peitoral, vemos algo poderoso acerca da maneira como o Senhor vê o Seu povo.

Na ilustração abaixo, observe que há doze pedras no peitoral do sumo sacerdote. O nome de cada uma das doze tribos de Israel está gravado em cada uma das pedras. Por exemplo, "Judá" está gravado no sárdio engastado na primeira fileira, e "Gade" está gravado no diamante engastado na segunda fileira.

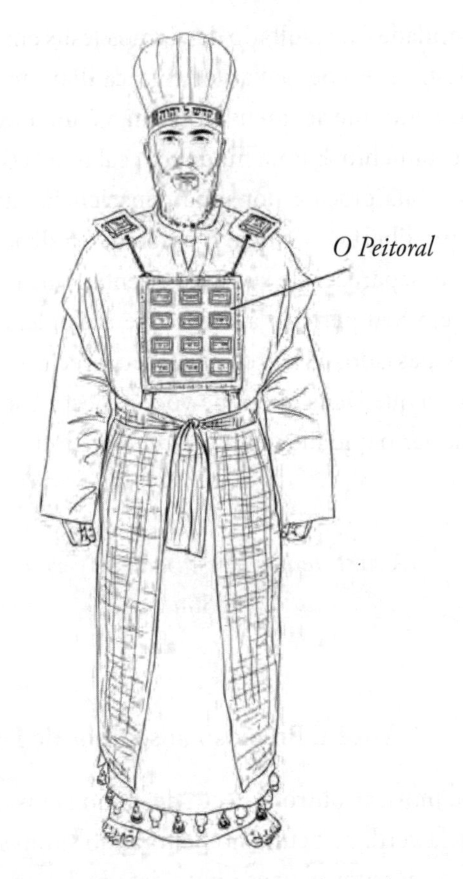

O sumo sacerdote de Israel: os nomes das doze tribos de Israel estão gravados em doze pedras preciosas encontradas em seu peitoral.

Essas doze pedras representam o povo de Deus hoje. Perceba como Deus representa o Seu povo, você e eu, como pedras preciosas. Ele não usou pedras e seixos comuns abundantes em Israel. Ele escolheu deliberadamente gemas muito caras, raras e preciosas, como safira, topázio, esmeralda, ametista, diamante, ônix e jaspe para representar a você e a mim (ver Êxodo 39:9-14). Além disso, de todas as peças de vestuário usadas pelo sumo sacerdote, o peitoral é a mais próxima do coração. Isso fala de quanto o Senhor o valoriza e de Seu desejo de mantê-lo perto de Seu coração. Aos Seus olhos, você é muito caro, precioso e amado. Se alguma vez lhe disseram que Deus o vê como um pecador vil e desprezível saiba que essa é uma mentira do abismo do inferno!

Gostaria também de chamar a sua atenção para o fato de que os nomes das tribos de Israel não estavam meramente escritos nas gemas. A Bíblia nos diz que eles foram *gravados* (ver Êxodo 39:14). Isso significa que, quando você se torna crente em Jesus, seu nome está gravado eternamente no Livro da Vida. Se o seu nome fosse apenas escrito, você poderia pensar que ele poderia ser facilmente apagado ou riscado. Mas a verdade é que Jesus *gravou* o seu nome em uma pedra preciosa e Ele o mantém perto de Seu coração.

Seu nome pode ser apagado do coração de Deus? Apenas veja o que Jesus promete aos nascidos de novo: "O vencedor será assim vestido de vestiduras brancas, e de modo nenhum apagarei o seu nome do Livro da Vida; pelo contrário, confessarei o seu nome diante de meu Pai e diante dos seus anjos" (Apocalipse 3:5). Amado, por meio de Cristo Jesus você é um vencedor e, em Cristo Jesus, você está eternamente seguro. Descanse na garantia de que o seu nome não será riscado do Livro da Vida. Ela permanecerá gravado em pedra e perto do coração de Deus por toda a eternidade!

Você É um Vencedor por meio de Cristo

Mas como você se torna um "vencedor"? Não deixe ninguém distorcer esse versículo para dizer que a responsabilidade é sua. Muitas crenças erradas nascem de ensinamentos antropocêntricos que focam no que o homem precisa fazer — ou, neste caso, o que o homem precisa vencer por si mesmo por meio de suas próprias obras. Certifique-se de crer em ensinamentos cristocêntricos, centrados no que Jesus fez e continua a fazer em sua vida.

Em caso de dúvida, deixe a Bíblia interpretar a Bíblia. Neste caso, alguns capítulos depois, Apocalipse 12:10-11 nos diz: "Pois foi expulso o acusador de nossos irmãos, o mesmo que os acusa de dia e de noite, diante do nosso Deus. Eles, pois, o venceram por causa do sangue do Cordeiro e por causa da palavra do testemunho".

Como você vence o diabo que vem para acusá-lo e condená-lo por seus erros? Pelo sangue do Cordeiro que o lava de toda injustiça e pela palavra do seu testemunho de que Jesus Cristo é o seu Senhor e Salvador! Céu e salvação eterna nada têm a ver com os seus próprios esforços. Trata-se da sua crença em Jesus e em tudo que Ele fez por você na cruz. Ninguém vai para o céu por sua própria justiça. TODOS nós somos qualificados somente pelo sangue do Cordeiro!

> ❖ *Céu e salvação eterna nada têm a ver com os seus próprios esforços. Trata-se da sua crença em Jesus e em tudo que Ele fez por você na cruz.*

Sempre que a sua consciência culpada ou o acusador dos irmãos, o diabo, condená-lo por seus erros, mantenha em sua mente essa bela imagem que Deus pinta de nós em Sua Palavra. Veja e creia em seu coração que, como as pedras preciosas do peitoral do sumo sacerdote, você é precioso aos Seus olhos e próximo de Seu coração. Não se trata de como você se vê, como seu cônjuge o vê, ou como seus parentes, amigos e colegas de trabalho o veem. A coisa mais importante é, primeiramente, aprender a ver como *Deus o vê*.

Pedras Preciosas Brilham sob a Luz

Talvez durante anos você tenha se visto como alguém fraco, alguém que sucumbe facilmente à culpa, ataques de ansiedade ou vícios.

Hoje é o dia de afastar seus olhos de si mesmo e de suas fraquezas. Aprenda a ver o que Deus vê. Ele o vê em Cristo Jesus, através da lente da cruz e do precioso sangue que foi derramado para a sua redenção. Elimine todas as suas crenças erradas e veja-se como uma pedra preciosa, muito amada e próxima ao coração de Deus.

Deixe-me perguntar-lhe: quando percebe o quão valioso e precioso você é aos Seus olhos, isso faz você querer sair e pecar ou continuar vivendo em pecado?

É claro que não!

Ao contrário, os seus pensamentos se desenvolverão mais como: "Ei, não é assim que um crente, precioso ao Senhor, se comporta. Um diamante precioso não pertence à lama, sujeira e imundície do pecado. Isso é impróprio a um diamante. O lugar de direito do diamante é perto do coração de Deus, onde ele reluz e brilha".

Conhecer a sua identidade verdadeira, justa e preciosa para Deus em Cristo irá tirá-lo de todo vício, escravidão e pecado. Esse conhecimento faz com que você queira andar e viver a vida elevada como um filho do Rei. Um viver santo, um bom caráter e uma verdadeira moralidade nascem de ver como Deus o vê hoje. Se você se vê como um pecador vil e desprezível, essa crença errada o manterá em escravidão, e você acabará se comportando como um pecador vil e desprezível. Escrevi este livro para lhe dizer que esse não é você! Deus o vê em Cristo. Quando Ele o vê, Ele vê a cruz e, por meio da cruz, você tem uma linda aparência. Portanto, não tenha medo da verdade e da luz de Deus.

> ❖ *Deus o vê em Cristo. Quando Ele o vê, Ele vê a cruz e, por meio da cruz, você tem uma linda aparência.*

Você sabe o que acontece às pedras preciosas quando a luz incide sobre elas? Elas brilham e irradiam beleza. A verdade é que a luz é a melhor amiga de uma gema porque enfatiza as melhores qualidades da pedra preciosa. Da mesma maneira, enquanto lê isto agora, você sabe que a luz da graça e da verdade de Deus está incidindo sobre você? Ela não está aqui para condená-lo, mas para fazê-lo brilhar e exibir as suas melhores qualidades. Ela é uma luz que mostra a perfeição da obra de Jesus, tornando-o totalmente limpo. Ela não é uma luz a ser temida. A graça exibe o melhor que há em você porque a graça sempre produz santidade. Quanto mais você receber o amor e a graça de Deus, e se vir como Ele o vê, mais você irá se levantar de toda área de derrota e brilhará gloriosamente para Jesus como as gemas preciosas do peitoral do sumo sacerdote.

Tudo o que Importa é a Cruz

Há um segredo surpreendente escondido na história de Balaão. Você sabe o que Balaão viu do topo da montanha quando estava tentando amaldiçoar o povo de Deus? Ele viu isto:

O acampamento israelita que Balaão viu formava uma imagem da cruz de Jesus.

O que você vê? Isso mesmo! É a cruz de Jesus!

A Bíblia dá detalhes muito específicos acerca de como as doze tribos de Israel montaram seu acampamento e do número de pessoas de cada tribo (ver Números 2:2-32). Lemos que o acampamento de Judá (compreendendo Judá, Issacar e Zebulom), no lado leste do acampamento, é o maior deles e, na ilustração, você pode ver que ele forma a parte inferior, mais extensa, da cruz. Eu lhe disse que não há detalhes insignificantes na Bíblia — tudo aponta para a pessoa de Jesus. Não é surpreendente? Amo quando a cruz de Jesus é revelada!

Isso significa que, quando estava tentando amaldiçoar o povo de Deus, Balaão realmente teve um vislumbre de como Deus vê o Seu povo: por meio da cruz, por meio do sacrifício de Seu Filho. É claro que Balaão não compreendeu o significado da cruz, assim como os filhos de Israel naquele tempo.

Mas você e eu compreendemos.

Meu amigo, quando Deus olha para você hoje, Ele vê o preço que Seu Filho amado pagou na cruz para remi-lo de todos os seus pecados. Ele o vê em Cristo. Aos Seus olhos, você é perdoado, justo, precioso, lindo, valioso e próximo ao Seu coração. É tempo de você ver a si mesmo como Deus o vê!

PARTE TRÊS

RECEBA O PERDÃO COMPLETO DE DEUS

CAPÍTULO 7

RECEBA O PERDÃO E O REINO DE DEUS

❖

Mesmo após mais de duas décadas de ministério ativo, ainda fico espantado quando vejo o quão duras as pessoas são consigo mesmas. Acredito que as origens disso possam estar em suas crenças erradas acerca de Deus. Quando você acredita erroneamente que Deus é duro com você por suas falhas, inevitavelmente será duro com as pessoas à sua volta e, acima de tudo, acabará sendo muito duro consigo mesmo.

As pessoas duras consigo mesmas não conseguem se perdoar pelos erros que cometeram no passado. Infelizmente, acabam punindo a si mesmas, quer saibam disso ou não. Algumas acabam se cortando e ferindo fisicamente. Algumas se excedem nos alimentos ou cedem ao abuso de substâncias. Outras saciam seus apetites sexuais e se tornam descontroladas, prejudicando não apenas a si mesmas, mas também aos seus entes queridos, tudo porque respondem a um instinto de autopunição, ainda que inconscientemente.

Esse é um círculo vicioso de derrota. Quanto menos conseguem perdoar a si mesmas, mais se machucam com todos os tipos de comportamentos e mais acabam escravizadas por diversos vícios destrutivos. Isso leva a ainda mais culpa, o que, por sua vez, leva a ainda mais autopunição — e o ciclo continua.

Entregue Seus Fracassos a Jesus

É por isso que acredito que a causa principal de muitos hábitos pecaminosos, medos e vícios pode ser atribuída à condenação. Hoje, quero falar com você sobre buscar a raiz da condenação para ajudá-lo a receber o perdão de Deus nessas áreas, a fim de que você possa sair de seu ciclo de derrotas e entrar em um novo ciclo de vitória.

Você está vivendo com alguma culpa não resolvida e condenação hoje? Tenho uma ótima notícia para você. Quando você perceber que o coração de Deus não está na condenação, mas no perdão, toda a sua vida poderá ser revertida para a Sua glória! Tenho testemunhado pessoalmente muitas vidas transformadas ao darem apenas um pequeno passo de fé, acreditando na Sua graça e recebendo o Seu perdão em suas vidas.

Quando você perceber que o coração de Deus não está na condenação, mas no perdão, toda a sua vida poderá ser revertida para a Sua glória!

Em vez de punir-se por seus erros e desqualificar-se, essas pessoas começaram a corrigir suas crenças e a receber o perdão de Deus, vendo Jesus assumir a punição que era delas. Começaram a ver seu Salvador qualificando-as a receber todas as bênçãos de Deus para seus casamentos, famílias e carreiras.

Neste momento, quero encorajá-lo a entregar para o Senhor a culpa e a condenação acumuladas por quaisquer erros cometidos ao longo dos anos.

Você faria esta oração comigo?

Senhor Jesus, não quero mais viver dessa maneira. Hoje eu entrego todos os meus fracassos, pecados e erros nas Tuas mãos amorosas. E eu recebo o Teu perdão agora em meu coração.

Obrigado pelo Teu precioso sangue que me lava, deixando-me mais branco do que a neve. Agora eu descanso em Tua justiça, favor, alegria e paz. Em nome de Jesus, Amém!

Essa é uma oração simples, mas poderosa. Encorajo-o a fazer essa oração toda vez que você falhar e sentir culpa e condenação em seu coração. Pare de se punir; a sua resposta está na cruz de Jesus. Garanto a você que, quando você se voltar para Jesus e lembrar a si mesmo quão perdoado e justo você é em Cristo toda vez que errar, começará a viver como a pessoa perdoada e justa que Jesus fez de você.

Deus o Ama Perfeitamente

Deus é um Deus de perdão. Ele o conhece perfeitamente e mesmo assim o ama perfeitamente. Somos escravos da ideia de que, se alguém vir os nossos defeitos, deixará de nos amar. Bem, embora isso possa ser verdade nos relacionamentos humanos, Deus não é assim.

Deus vê todas as nossas imperfeições, falhas e defeitos em Jesus na cruz. Nossos pecados e nossa maldade não fazem com que Ele perca o Seu interesse. De fato, para Ele, essas são ocasiões para demonstrar Sua graça e Seu perdão por meio do sangue de seu Filho, que removeu todos os nossos pecados com eficácia no Calvário.

Deus conhece suas fraquezas melhor do que você, e o ama do mesmo modo.

Portanto, não tenha vergonha de suas falhas, erros e imperfeições. Deus conhece suas fraquezas melhor do que você, e o ama do mesmo modo. Sua Palavra nos lembra de que Jesus não é alguém "que não possa compadecer-se das nossas fraquezas". Em vez disso, Jesus foi tentado em tudo, mas não pecou (Hebreus 4:15). Ele compreende todas as tentações e provações pelas quais você está passando. Ele não está decepcionado com você e não está esperando que você viva segundo um conjunto de deveres e proibições como condição para perdoá-lo e amá-lo. A Bíblia diz: "Mas Deus prova o seu próprio amor para conosco pelo fato de ter Cristo morrido por nós, sendo nós ainda pecadores. Logo, muito mais agora, sendo justificados pelo seu sangue, seremos por ele salvos da ira" (Romanos 5:8-9).

Você entendeu isso? *Quando* Deus o amou?

É isso mesmo: *quando você ainda era pecador*. Antes mesmo de conhecer a Deus, quando você ainda estava no pecado, Ele já o amava. Quanto mais hoje, que você foi purificado pelo sangue de Jesus e tornado justo! Tendo recebido a justiça de Jesus, você é justo para sempre. Mesmo quando você cai em pecado, os seus pecados não fazem de você um pecador novamente.

Quando você erra hoje, você ainda é a justiça de Deus. Isso acontece porque a sua justiça vem de Jesus. Da mesma maneira que uma linda borboleta não pode se transformar de volta em uma lagarta, uma vez que você foi feito justo pelo sangue de Jesus, você não pode se transformar de novo em pecador. Então, conhecer a sua identidade justa em Cristo lhe dá o poder de superar todo pecado, todo vício e todo mau hábito!

Conhecer a sua identidade justa nele lhe dá o poder de superar todo pecado, todo vício e todo mau hábito!

Você é Justo em Cristo

A crença errada que muitos crentes têm é que eles se tornam pecadores novamente sempre que falham. Assim, vivem suas vidas cristãs em insegurança e condenação. Às vezes, pensam que são justos; outras vezes, pensam que são pecadores. Eles acreditam, erroneamente, que sua justiça depende de como eles se saem naquele dia. Isso leva a uma grave crise de identidade. Não admira que não estejam vendo as vitórias que Jesus já comprou para eles na cruz!

Meu amigo, encontre a sua identidade de justo em Jesus. Crentes nascidos de novo que foram lavados pelo sangue de Jesus não gostam de viver em pecado, assim como ovelhas não gostam de chafurdar na lama. Agora, quando uma ovelha cai na lama, ela ainda é uma ovelha? Claro que é! Ela não se torna, de repente, um porco que gosta de lama. A ovelha pode estar na lama, mas está constrangida naquela lama, odeia a lama e não vê a hora de ser purificada dessa lama.

Estou escrevendo para pessoas que estão genuinamente em busca de um meio de sair de seus medos, culpas, cativeiros, vícios e hábitos nocivos. Estou escrevendo para ovelhas que odeiam viver com medo, odeiam ser escravizadas pela culpa e odeiam estar presas a vícios e hábitos que sabem estar destruindo-as, mas não sabem como encontrar a liberdade. E estou aqui para lhes dizer o seguinte: a graça de Deus é a resposta. A graça não é uma licença para pecar; ela é a *resposta* para vencer o pecado!

A graça não é uma licença para pecar; ela é a resposta para vencer o pecado!

E aquela pessoa que conheço, que se autodenomina crente, mas vive como o diabo?

Não nos cabe julgar quem é crente e quem não é. Há pessoas que professam ser "crentes", mas não há, em suas vidas, qualquer evidência de serem. O fato de uma pessoa ir à igreja não faz dela um crente, assim como ir ao McDonald's não faz de você um hambúrguer ou entrar em uma garagem não faz de você um carro!

A boa notícia é que, embora você não possa julgar se outra pessoa é verdadeiramente um cristão nascido de novo, você certamente pode saber se *você* mesmo é nascido de novo.

Basta perguntar a si mesmo: você crê, em seu coração, que Jesus Cristo é o seu Senhor e Salvador? Se sua resposta for sim, você é um crente nascido de novo, tornado justo pelo sangue de Jesus, e pode ter a garantia eterna de que o céu é o seu lar!

Você é salvo e justificado pela graça, por meio da fé. Como crente, você ainda cometerá erros, ainda falhará e ainda será tentado. De tempos em tempos, você cairá em pecado. Mas ter pecado não o transformou de volta em um pecador. Você foi comprado e redimido pelo sangue de Jesus e, em Cristo, você ainda é a justiça de Deus, mesmo quando falha. Por quê? Porque a sua justiça não é um resultado de você proceder corretamente, mas de você crer corretamente. Ela é um presente de Deus, não algo que você possa conquistar por meio da obediência, do procedimento correto e da perfeição sem pecado. É por isso que você pode ter segurança eterna, sabendo que você é salvo por Jesus e não pelas suas próprias obras!

Na cruz, Jesus o redimiu de todos os seus pecados. Mas você sabia que Jesus não o redimiu de nunca ser tentado e pecar de novo? Não acredita em mim? Diga o nome de um crente que você conheça hoje, neste planeta, que nunca é tentado e nunca peca.

Encerro meu argumento.

Você consegue perceber? Se formos salvos e tornados justos hoje por nossas próprias obras e procedimento correto, que esperança temos? Louve a Deus por nossa inabalável esperança de salvação ser encontrada em Jesus e somente nele!

O Poder para Vencer o Pecado

Infelizmente, em muitos lugares nos dias de hoje, tudo que você ouve são mais mensagens acerca de agir corretamente, agir corretamente e mais agir corretamente! Mas acredito que aquilo de que necessitamos é mais ensino acerca de *crer* corretamente. O que precisamos fazer é continuar levando pessoas a Jesus, Sua graça, obra consumada e perdão. Não tenho dúvida de que, então, a crença correta produzirá uma vida correta. Elas se tornarão pessoas cuja esperança não está na justiça que *elas* podem produzir, mas no *presente da justiça de* Jesus Cristo e no que *Jesus* pode produzir nelas.

Posso mostrar-lhe milhares de crentes que estão tendo vitórias sobre tentação, culpa, vício e pecado. Minha equipe ministerial recebe *e-mails* e cartas de minha congregação e de crentes de todo o mundo, que foram libertos do pecado quando descobriram sua identidade de justo em Jesus.

Esses são crentes que sabem que não são tornados justos por suas próprias obras, mas pelo sangue de Jesus. São crentes sob a graça, onde o pecado não tem poder em suas vidas. Quando se colocam sob a graça, começam a expressar Romanos 6:14, que diz: "Porque o pecado não terá domínio sobre vós; pois não estais debaixo da lei, e sim da graça". Esses são crentes que, quando tentados em sua mente a pecar, já receberam o perdão de Deus em seus corações e, portanto, freiam o pecado em seus caminhos antes de o pensamento pecaminoso conseguir sequer se transformar em um ato pecaminoso.

Deixe-me compartilhar com você um testemunho que recebi de Lucas. Esse precioso irmão compartilhou:

> *Mesmo tendo sido criado em um lar cristão com pais totalmente dedicados a Jesus, eu me envolvi com as drogas. Tentava frequentar a igreja, mas ouvir as mensagens me fazia sentir como se eu simplesmente não pudesse confessar os meus pecados o suficiente, arrepender-me o suficiente ou odiar meus pecados o suficiente para receber o perdão de Deus.*
>
> *Então, certo dia, um amigo muito querido me deu um exemplar de seu livro, Destinados a Reinar. O livro balançou meu mundo espiritual. Eu vi que o pecado não era o problema. O*

problema era eu não compreender a graça do meu maravilhoso Senhor e Salvador. Quando vi a obra consumada de Jesus, percebi que Deus não está lá em cima com uma grande vara esperando que eu erre, para poder me castigar com ela.

Ao continuar lendo o seu livro e me alimentando do Evangelho da graça, fui liberto de uma dependência de drogas de cinco anos em apenas cinco dias! E eu sei que é tudo por meio da doce, doce graça de Jesus sendo revelada em minha vida.

Obrigado, pastor Prince, por seu livro, vídeos e pregações. Eu quero conhecer melhor esse Deus da graça e quero que minha família também o conheça como um Deus da graça, e não o Deus da Lei que condena os Seus filhos. Nunca conheci um Deus amoroso como conheço agora!

Você consegue ver o quão poderoso pode ser viver com a consciência do perdão de Jesus? O pecado não tem domínio sobre a sua vida quando você está sob a graça. O pecado não pode criar raízes em sua vida quando você está estabelecido no perdão de Deus. Receber o Seu perdão o coloca em um ciclo de vitória sobre o pecado, enquanto aqueles que recebem condenação a cada pensamento errado em sua mente entram em um ciclo interminável de derrota. Você vê a diferença?

O Perdão É Recebido, Não Conquistado

Nada há absolutamente nada que você possa fazer para conquistar o perdão de Deus. O perdão é recebido, não conquistado. Se você está tentando conquistar o seu próprio perdão e pensando que Deus está constantemente com raiva de você, estou aqui para lhe dizer que o coração de Deus não é assim. Essa é a religião cristã. A religião cristã é como uma esteira rolante sem fim, baseada em nossos próprios esforços para tentar conquistar o perdão, a aprovação e a aceitação de Deus. Você já passou por isso? Em caso positivo, escute as palavras de Jesus:

> *"Vocês estão cansados, enfastiados de religião? Venham a mim! Andem comigo e irão recuperar a vida. Vou ensiná-los a ter descanso verdadeiro. Caminhem e trabalhem comigo! Observem como eu faço! Aprendam os ritmos livres da graça! Não vou impor a vocês nada que seja muito pesado ou complicado demais. Sejam meus companheiros e aprenderão a viver com liberdade e leveza".*
>
> — Mateus 11:28-30, A Mensagem

"Os ritmos livres da graça...". Gosto dessa frase. O que ela significa é que há bem-estar e prazer quando você anda na graça de Deus. Isso contrasta com a luta e a tensão do esforço próprio. Há descanso quando você sabe que nada há que possa fazer para conquistar o Seu perdão. Desista de sua justiça própria, que a Bíblia descreve como "trapo da imundícia" (Isaías 64:6) e, com os braços abertos e um coração aberto, receba o Seu perdão!

> ❖ *Há descanso quando você sabe que nada há que possa fazer para conquistar o Seu perdão.*

O ponto essencial para sair de um ciclo de pecado e derrota é receber e parar de se agredir. Receba e pare de se punir, porque os seus pecados já foram punidos no corpo de outra pessoa — Seu nome é Jesus, nosso lindo Senhor e Salvador. Não admira o Evangelho ser chamado de *boas notícias.*

Obrigação *Versus* Relacionamento

Quando você compreender a graça e o perdão de Deus, entenderá a diferença entre obrigação e relacionamento. Sob a nova aliança da graça, a motivação para a vida correta foi alterada. Segundo a Lei, o viver de forma correta é feito por obrigação religiosa. Segundo a graça, tudo que fazemos hoje nasce de uma motivação interior que flui diretamente a partir de um relacionamento de amor com Jesus.

> ❖ *Sob a graça, tudo que fazemos hoje nasce de uma motivação interior que flui diretamente a partir de um relacionamento amoroso com Jesus.*

Meu amigo, Deus não é legalista. Ele não quer que você leia a Sua Palavra só porque Ele disse isso. Ele quer que você sinta o Seu amor e dedique tempo à Sua Palavra porque você quer *desfrutar* de Sua doce presença. A ação exterior pode ser a mesma: duas pessoas podem estar lendo a Bíblia. Porém, uma pode fazê-lo por obrigação religiosa, enquanto a outra é interiormente motivada pelo amor de Deus. Uma pessoa faz isso para tentar conquistar o perdão e a aceitação de Deus; a outra, porque sabe que foi perdoada. Uma faz isso por causa do legalismo; a outra o faz por causa do relacionamento. A realidade é que, quando você não lê a Bíblia, não deve se sentir culpado; deve sentir fome.

Recentemente, almocei com um ministro itinerante, que me perguntou: "É legalista os pastores pedirem aos maridos de sua congregação que amem as suas esposas e instruírem as esposas a se submeterem aos seus maridos?" Por sua expressão, percebi que ele estava esperando que eu dissesse: "É claro que não é legalista". Então, ele ficou aturdido quando respondi: "Sim, é!" E quando acrescentei: "A Bíblia não nos diz para fazer isso".

Expliquei que, como ministros, precisamos ensinar o versículo inteiro, que, na verdade, diz: "As mulheres sejam submissas ao seu próprio marido, como ao Senhor" e "Maridos, amai vossa mulher, *como também Cristo amou a igreja e a si mesmo se entregou por ela*" (Efésios 5:22, 25, grifo do autor). A ênfase está no amor de Jesus por nós. Tudo que fazemos hoje sob a nova aliança da graça se origina no nosso relacionamento de amor com Jesus. Seu amor precisa, primeiramente, operar em nós.

Veja bem, é uma questão de motivação. Você gostaria que seu marido lhe dissesse: "Deus diz que eu devo amá-la e que devemos conversar mais; então, vamos sair para jantar hoje"? Em seguida, ele coloca um alarme em seu telefone e diz: "Muito bem, senhora, o seu tempo começa agora". Ei, nenhuma mulher que se preze aceitaria isso, certo? Você quer que seu marido a leve para jantar fora, não porque ele tem de fazê-lo, mas porque *quer* fazê-lo.

É por isso que a Palavra de Deus não se limita a exortar os maridos a amarem suas esposas e depois para por aí. Ela prossegue ensinando aos maridos exatamente como fazê-lo: o poder de amar vem quando, primeiramente, os maridos sentem como Jesus os amou e se entregou por eles.

Transformados pelo Seu Amor

Homens, quando vocês se alimentam do amor de Jesus, seu tanque de combustível de amor por sua esposa e por seus filhos nunca ficará vazio. Pense no amor de Jesus. Feche os olhos e veja seu Salvador entregar tudo na cruz por você. Quando você se abastece do Seu amor em seu coração, sua esposa se torna a beneficiária direta daquele transbordante amor de Jesus. Um homem que experimenta o amor de Jesus apenas ama! Um homem que experimenta o perdão de Jesus apenas perdoa! Nós temos o poder de amar e perdoar porque Ele nos amou e perdoou primeiro.

> ❖ *Nós temos o poder de amar e perdoar porque Ele nos amou e perdoou primeiro.*

É assim que somos transformados à Sua imagem. Você quer ser mais paciente? Medite sobre o quão paciente Jesus foi com você todos esses anos. Você deseja ser mais perdoador para com sua esposa? Então, encha sua mente com pensamentos do Seu perdão para cada falha sua. Pense em como Ele estava lá para erguê-lo cada vez que você se atrapalhou, sem julgamento e sem condenação, somente amor. "Porque sete vezes cairá o justo e se levantará" (Provérbios 24:16).

É isso mesmo, meu irmão; independentemente do quanto você possa ter caído, Jesus o vê como um homem justo, vestido com Suas próprias vestes de justiça e nada o manterá para baixo. Você pode pensar que está tudo acabado, mas não está. Deus ainda não acabou de operar em você. Seus planos e Seus propósitos para a sua vida ainda não foram cumpridos. Seu amor por você nunca vacilou.

Todas as suas imperfeições são engolidas pelo Seu perfeito amor. Você pode ter cometido erros, mas nunca é tarde demais para receber o Seu perdão e para receber coragem e força dele para fazer a coisa certa: voltar para a sua esposa, buscar o seu perdão e confiar no Senhor para reacender o seu amor um pelo outro, e trazer cura e restauração para o seu casamento. A sua resposta é encontrada na pessoa de Jesus. Ele irá tratá-lo e fará com que todas as coisas cooperem para o bem e para a Sua glória. Receba o Seu perdão e deixe-o guiá-lo.

A sua resposta é encontrada na pessoa de Jesus. Ele irá tratá-lo e fará com que todas as coisas cooperem para o bem e para a Sua glória.

A Graça Excede a Lei

Quando centrar o seu coração e a sua vida em Jesus e no Seu perdão, você superará até mesmo o que a Lei exige de você. A Lei diz "Não cobiçarás", mas não pode ordenar que você seja generoso. Somente a graça o torna generoso. A Lei diz "Não matarás", mas não pode colocar em seu coração amor e perdão para com alguém que o ofendeu. Somente o amor e o perdão de Jesus podem fazer isso em seu coração e transformá-lo para amar e perdoar os seus inimigos e os que o magoaram. A Lei diz "Não cometerás adultério", mas não pode colocar em seu coração paixão, amor e perdão para com o seu cônjuge. Só Jesus pode!

Quando você estiver sob a graça, não só cumprirá os mandamentos da Lei em todos os sentidos, mas acabará excedendo, inconscientemente e sem esforço, a todas as exigências da Lei! É isso o que Deus quer dizer quando fala da nova aliança: "Na sua mente imprimirei as minhas leis, também sobre o seu coração as inscreverei; e eu serei o seu Deus, e eles serão o meu povo" (Hebreus 8:10). Essas leis que Deus escreve em nossas mentes e em nossos corações não são os Dez Mandamentos. Elas excedem os Dez Mandamentos. Elas pertencem à lei real do amor que brota do coração de Jesus e enche nossas mentes e corações. Verdadeiramente, "o cumprimento da lei é o amor" (Romanos 13:10)!

Com o que você está enchendo o seu coração hoje — com condenação ou com o perdão de Deus? Amado, eu o encorajo a receber o Seu perdão e a parar de punir a si mesmo. Esse é o ponto-chave para não apenas romper o ciclo de pecado e derrota em sua vida, mas para viver uma vida repleta de amor, paz, esperança e vitória.

Lembre-se de que quem é muito perdoado, muito ama; e quem é mais amado, mais ama!

Quem é muito perdoado, muito ama; e quem é mais amado, mais ama!

CAPÍTULO 8

GRAÇA RENOVADA PARA CADA ERRO

Não muito tempo atrás, estava levando minha esposa Wendy para almoçar e, por algum motivo, toda vez que ela fazia um comentário rotineiro, eu me via reagindo irritado com ela ou fazendo uma observação desnecessariamente provocativa. Cada resposta minha tinha um tom rude e, como você pode imaginar, o trajeto que fazíamos de carro afundou no silêncio muito rapidamente. Mais tarde, durante o almoço, sendo a mulher paciente que é, minha esposa me perguntou: "Querido, há algum motivo para você estar tão irritado hoje?"

Você já teve um daqueles dias em que sua esposa precisa lhe fazer uma pergunta como essa? Bem, aquele foi um desses dias para mim. Caso você não saiba, nós, ministros de Deus, não temos "desentendimentos" com nossas esposas; temos apenas "discussões intensas"! Estou brincando. É claro que há divergências ocasionais na casa dos Prince. Certamente, isso não é a norma, mas acontece de vez em quando, especialmente quando Wendy não consegue enxergar a minha "sabedoria". Posso ser verdadeiro aqui? Posso ser vulnerável com você e compartilhar com você as minhas fraquezas?

Sabe, às vezes as pessoas me encontram na rua, quando estou vestindo apenas minha calça *jeans*, uma camisa esportiva e um boné de beisebol. Quando, de repente, me reconhecem, elas se espantam e exclamam: "Pastor Prince, você parece tão diferente de como aparece nas capas de seus livros!" Bem, é claro que pareço diferente. Você pensa, honestamente, que eu saio por aí vestindo um terno com colete ou *smoking* todos os dias?

Relaxe. Estou apenas me divertindo e brincando com o fato de que alguns ministros gostam de se apresentar sempre como santos e perfeitos — com todos os fios de cabelo no lugar, aparência e comportamento sempre imaculados. Eu não sou assim. Gosto de ser aberto, autêntico e transparente. Gosto de ser a mesma pessoa dentro e fora do púlpito. Quer esteja em pé atrás do púlpito ou relaxando enquanto tomo um café com você, eu sou a mesma pessoa. Amo a Palavra, amo as pessoas e amo direcionar pessoas imperfeitas a Jesus. E sou o primeiro dessa lista de pessoas imperfeitas. Mesmo enquanto escrevo este livro, estou pregando também a mim a Palavra de Deus.

Agora, voltando à minha história acerca do almoço com minha mulher e de por que eu estava tão irritado naquele dia, deixe-me registrar que, geralmente, sou muito boa companhia, então o que aconteceu naquele dia não foi habitual. É claro que, como em todas as coisas, minha mulher foi a "beneficiária" direta desse surto de irritabilidade. E, embora eu ainda não estivesse no melhor estado de espírito, minha resposta à pergunta de minha mulher naquele dia foi realmente muito boa, se assim posso dizer de mim mesmo.

Eu disse: "Querida, não sei o que há de errado comigo, mas se você vir isso acontecer de novo, por favor, avise-me, está bem?" E, apenas caso você tenha alguma ilusão bizarra de mim como marido, deixe-me dizer que essa também *não* é a maneira de eu responder o tempo todo. Prefiro não entrar em detalhes, já que temos assuntos mais importantes a discutir neste capítulo, mas sei que você me entendeu.

Meu irmão, quando se trata de aprender a amar nossas esposas e ser mais cuidadosos, atenciosos e gentis, nenhum de nós chegou lá. Como qualquer um de vocês, maridos, eu também estou aprendendo e crescendo. Louvado seja Jesus pela Sua abundância de graça e pelo presente da ausência de condenação!

Poderia a Culpa Estar se Infiltrando?

A pergunta de Wendy — "Querido, há algum motivo para você estar tão irritado hoje?" — me fez refletir sobre a origem do meu mau humor para com ela naquele dia. Poderia ser fadiga? Pensei se havia dormido bem na noite anterior. Eu tinha dormido bem. Eu até consegui dormir mais horas do que o habitual.

Então, eu me lembrei de que mais cedo naquele dia, tive um pequeno encontro com um parente. Nada sério, mas eu vinha questionando o tom de minha voz e até mesmo a escolha de minhas palavras. Eu não havia dito algo inadequado, mas, ainda assim, tinha começado a julgar-me, pensando: "Talvez eu devesse ter apenas deixado passar. Talvez não devesse ter dito aquilo. Além disso, essa pessoa é um parente".

Esses eram os pensamentos que giravam em minha mente. Eu estava justificando meus atos e minhas palavras em minha cabeça, mas, ao mesmo tempo, estava também, inconscientemente, começando a me sentir culpado. Depois, mais tarde, eu estava ao telefone corrigindo alguém de minha equipe que havia cometido um erro bastante grave. Ao desligar o telefone, pensei comigo mesmo: "Fui muito duro?"

Foi na sequência desse incidente que levei minha mulher para almoçar, e você já sabe o que aconteceu quando eu estava com ela. Tudo que Wendy fez foi jogar conversa fora. Ela não era o parente e não era a pessoa que eu havia corrigido por telefone. Ela era uma inocente (e, se você me permite acrescentar, bonita) espectadora no lugar errado, na hora errada! Você entende o que eu quero dizer?

Percebi então que eu estava assim irritado por estar realmente me sentindo culpado. Eu não necessariamente havia feito algo errado, apenas permiti que um pouco de culpa se infiltrasse em meu coração e, inconscientemente, permiti a entrada da condenação. Meu amigo, quando você está andando sob uma nuvem de julgamento, você pode se tornar uma pessoa realmente desagradável de se estar por perto. Confie em mim, sei do que estou falando. Dou graças a Deus porque, quando Wendy me fez a pergunta, Ele me deu aquele momento de clareza em que pude ver a situação do meu coração.

Louvo a Jesus por ter uma esposa com discernimento e perspicácia, que não tomou as minhas observações de forma pessoal e soube que algo não estava bem comigo. Foi por isso que eu lhe disse para me informar da próxima vez em que ela percebesse tal comportamento em mim, porque, mesmo quando você é um autor de livros acerca da graça e do perdão de Deus, pode haver momentos em que a condenação se infiltra em seu coração e você está totalmente alheio ao isso. Você pode se sentir péssimo o dia todo, e todas as suas respostas ferirem os outros. Essa não é a vida abundante, e você sabe a que tudo se resume? Tudo se resume a ter um constante senso do perdão de Deus sobre a sua vida. Em vez de receber e abrigar toda culpa, condenação e julgamento, precisamos permanecer seguros em relação a nosso perdão perfeito em Jesus.

Há uma qualidade redentora em ser consciente do perdão, diferentemente de ser consciente de suas falhas, pecados e erros. Quando você é consciente do perdão e vê as suas falhas na cruz de Jesus, recebe o poder de romper com sua irritabilidade, impaciência e pavio curto para com os outros. Você recebe poder para romper com seus distúrbios alimentares, vícios e ansiedades! Quando você percebe que não merecemos o perdão e a graça de Deus, mas Ele nos dá esses presentes mesmo assim, essa revelação do Seu favor imerecido o transforma de dentro para fora. Isso dissolve os nós de raiva e impaciência em nós que se acumularam ao longo dos anos e nos liberta para desfrutarmos o amor de Deus e demonstrá-lo aos outros.

Quando você percebe que não merecemos o perdão e a graça de Deus, mas Ele nos dá esses presentes mesmo assim, essa revelação do Seu favor imerecido o transforma de dentro para fora.

Graça Não É Meramente Concessão de Poder

O ponto-chave, portanto, é receber a Sua graça como um favor imerecido e crer que esse mesmo favor imerecido é o que o transforma. Há, por aí, um ensinamento segundo o qual a graça é definida como "concessão divina de poder". Tenha cuidado ao definir a graça como meramente concessão de poder, pois isso é diluir e reduzir o que a graça verdadeiramente é.

A graça produz concessão divina de poder, mas, em si mesma, a essência da graça é o Seu favor imerecido e inconquistado. Quando você está em seu estado mais indigno? Quando você falhou. Favor imerecido significa que, quando você falhou e está em seu estado mais indigno, *pode* receber em sua vida o favor, as bênçãos, o amor e a aceitação perfeita de Jesus. Deixe-me dizer-lhe que, quando você compreender e receber a graça como favor imerecido de Deus, você será não só revestido de poder, mas também curado e transformado de dentro para fora.

Portanto, tenha cuidado com o que você ouve e crê acerca da graça. A graça de Deus não é uma habilidade que lhe permite fazer mais coisas e ter melhor desempenho (porque você recebeu mais poder). Não, ela é um genuíno encontro de corações com um Salvador que o ama mais do que você é capaz de imaginar. Não se trata do que *você tem de fazer*, mas totalmente do que *Jesus fez*.

O perigo real de definir graça como apenas concessão divina de poder é que podemos, inconscientemente, inverter a graça e, em vez de vê-la como obra de Deus em nossa vida, fazermos dela uma obra nossa. Em vez de girar em torno do que Jesus fez, a definição errônea de graça como "concessão de poder" a transforma em ser o que *você* precisa fazer e como precisa ser o *seu* desempenho agora que recebeu essa graça, essa "concessão divina de poder". Você consegue ver isso? Com tal definição de graça, o ônus de viver a vida de Cristo recai diretamente sobre os seus ombros.

Meu amigo, certifique-se de que aquilo em que você crê em seu coração sempre direciona você para Jesus e somente Jesus, não para si mesmo. Lembre-se de que tudo se refere à Sua obra, ao Seu fazer, ao Seu desempenho e ao Seu amor em nossas vidas. Nada, nunca, aponta para você. Não seja enganado por aqueles que se afastam da definição pura de graça como favor imerecido de Deus e acabam fazendo com que tudo se trate de você e do que você precisa fazer. Isso não é graça. A graça é obra de Deus, do início ao fim.

 *A graça é obra de Deus, do início ao fim.*

Deixe a Bíblia Definir a Graça para Você

Você sabia que, quando lê a *Amplified Bible*, há um parêntese após a palavra "graça" sempre que ela aparece, e que o conteúdo desses parênteses define graça como o favor inconquistado e imerecido de Deus? Por exemplo, João 1:17 diz: "Porque a lei foi dada por intermédio de Moisés; a graça (favor inconquistado e imerecido, bênção espiritual) e a verdade vieram por meio de Jesus Cristo". Outra passagem, Romanos 5:17, diz que "os que recebem a abundância da graça (favor imerecido) [de Deus] e o dom da justiça [colocá-los em retidão com Ele mesmo] reinarão em vida por meio de um só, a saber, Jesus Cristo (o Messias, o Ungido)".

Assim, toda vez que você ouvir a palavra "graça", pense no favor imerecido de Jesus. Não permita que outras pessoas transformem a pureza da graça de Deus em sua vida. Elas citarão definições de graça encontradas em vários dicionários, mas, em última análise, essas são definições dadas pelo homem. Não sei quanto a você, mas quero a definição de graça que está na Bíblia. As definições de graça criadas pelo homem nunca se igualarão às de Deus. É melhor deixar a Bíblia interpretar a Bíblia.

Ora, como a Bíblia define a graça? Paulo, o maior apóstolo da graça, a descreve muito claramente em Romanos 11:6: "E, se é pela graça, já não é pelas obras; do contrário, a graça já não é graça".

Você vê? Na graça não há lugar para as obras do homem, pura e simplesmente. Pois aqueles que ensinam que graça significa "concessão de poder" tendem a incliná-la para as obras do homem e o desempenho do homem. Isso não é a graça verdadeira. Lembre-se de que a verdadeira concessão divina de poder vem de Jesus, não de você.

Na Bíblia Viva, Romanos 11:6 diz: "E se isso é devido à benignidade de Deus, então não é por eles serem 'bonzinhos'. Porque neste caso o presente gratuito não seria mais gratuito — não é gratuito quando é conseguido como retribuição". Eu amo isto: Sua graça é *gratuita* e *imerecida*! Quando você realmente experimentar esse favor e amor gratuitos e imerecidos de Deus, não terá de se preocupar com seu desempenho. O amor e favor imerecidos de Deus em seu interior expulsarão todo pensamento errado e toda crença errada, e você produzirá boas obras. Você produzirá resultados. Você produzirá verdadeiros frutos de justiça, duradouros, sustentáveis e permanentes!

O Favor Imerecido de Deus Traz Transformação sem Esforço

Quero que você imagine uma árvore forte e saudável. Uma árvore forte e saudável não se preocupa com produzir frutos ou livrar-se das folhas mortas. Enquanto a árvore receber a quantidade certa de luz do sol, água e nutrientes, fluirá nela uma seiva saudável, repleta de todos os nutrientes certos e que elimina naturalmente todas as folhas mortas. E, enquanto sua vida interior — a vida de sua seiva saudável — continuar a fluir, novas folhas brotarão nessa árvore e bons frutos crescerão e florescerão naturalmente em todos os galhos.

Meu amigo, quando você começar a receber a luz do sol do favor de Deus e tomar a água da Sua Palavra — ao começar a se alimentar do perdão de Jesus em sua vida e de sua posição de justiça em Cristo, as folhas mortas de culpa, medo, vícios e todo tipo de transtorno começarão a ser eliminadas pela nova vida de Jesus no seu interior. A transformação que você experimentará, quando não baseada em sua própria disciplina e autocontrole, é verdadeiramente sem esforço. Já não será mais "Como vou superar esse problema de ira?" ou "Como posso vencer essa dependência de cigarro?" ou "Como posso vencer esse hábito de comer em excesso quando estou estressado e inseguro?". Em vez disso, agora é "Como Jesus em mim superará esse problema de ira, essa dependência de cigarro, esse hábito de comer demais?"

Os frutos do seu sucesso virão sem esforço. Um por um, os vícios, as disfunções e as emoções negativas começarão a ser eliminados de sua vida como folhas mortas e novas folhas (novas atitudes e pensamentos positivos), novas flores (novos desejos e sonhos) e novos frutos (novos comportamentos e hábitos) começarão a florescer em sua vida.

> ❖ *Quando você começar a receber a luz do sol do favor de Deus e se alimentar do perdão de Jesus em sua vida, as folhas mortas de culpa, medo, vícios e todo tipo de transtorno começarão a ser eliminadas pela nova vida de Jesus no seu interior.*

Jesus disse: "Permanecei em mim, e eu permanecerei em vós. Como não pode o ramo produzir fruto de si mesmo, se não permanecer na videira, assim, nem vós o podeis dar, se não permanecerdes em mim. Eu sou a videira, vós, os ramos. Quem permanece em mim, e eu, nele, esse dá muito fruto; porque sem mim nada podeis fazer" (João 15:4-5). Quero encorajá-lo a permanecer na Sua graça — Seu favor imerecido e inconquistado para a sua vida.

Seu Livro-Caixa Está Zerado

É muito importante que você entenda, creia e permaneça na verdade do favor imerecido de Deus e do Seu perdão em sua vida, mesmo quando o seu comportamento não for perfeito. Por quê? Porque isso o liberta para desfrutar de seu relacionamento com Deus, para gostar de despender tempo com Ele e para esperar o bem proveniente dele. Isso o liberta para desfrutar de paz e descanso diariamente, bons relacionamentos com os outros e uma vida de plenitude. Isso o liberta para esperar confiantemente um futuro brilhante.

Imagine por um momento que você é um empresário. Devido a algumas más decisões e algumas coisas além de seu controle, sua empresa contraiu uma grande dívida. Em virtude disso, você adquiriu o hábito de evitar o livro-caixa de sua empresa. Você sabe que, ao abri-lo, tudo o que verá estará em vermelho, e que todo aquele vermelho é um lembrete gritante de quanto você deve e em que estado prejudicial sua empresa entrou. Você não pode deixar de pensar no livro-caixa, mas, quanto mais pensa nele, mais ele o apavora.

Da mesma maneira, se continuar a acreditar e pensar que ainda existe uma dívida não quitada entre você e Deus em sua conta com Ele, você não conseguirá respirar com facilidade. Você se torna consumido por pensamentos de como quitar a sua dívida. De fato, o simples pensamento do vermelho em sua contabilidade o deixa com medo de ir a Ele ou de esperar a Sua ajuda para qualquer coisa.

Mas digamos que um bom amigo que o ama descobre a sua dívida na empresa e, por sua livre e espontânea vontade e de seu próprio bolso, quita a dívida. Ele faz isso porque, como seu bom amigo, não quer mais que você carregue esse fardo de dívida. Além disso, sabendo que você nunca conseguirá pagar essa dívida por si mesmo, ele não quer que você sequer tente reembolsá-lo.

Agora (depois de se recuperar do choque dessa incrível notícia), você não tem mais medo do seu livro-caixa. Você pode respirar bem novamente. Você pode eliminar o seu desespero, rir e ansiar pela vida novamente. Você não fica mais com medo só de pensar em seu livro-caixa. De fato, você ficaria muito feliz em verificar seu livro-caixa, porque ele mostra o quão livre de dívidas você está e quão bom o seu benfeitor é.

De semelhante modo, depois de compreender que está completamente perdoado, você não mais terá medo ou ficará na defensiva quando seus erros, falhas e fracassos forem expostos. Em vez disso, você encontrará a sua segurança, paz e confiança no amor do Senhor por você. Você está perfeitamente perdoado e justificado pela obra consumada de Jesus.

Meu amigo, isso é o que Jesus fez por você, e muito mais. Sendo quem é, o Filho de Deus, Ele é um pagamento em excesso por seus pecados. E Ele não apenas o limpou de toda a sua vida de pecados, mas também lhe concedeu a Sua própria justiça e favor. Para quê? Para que você possa ser livre para desfrutar da presença de Deus e receber todas as Suas bênçãos, sem qualquer consciência de uma dívida entre vocês. Quanto mais viver a vida com uma expectativa confiante do bem, mais você permanecerá nessa verdade de que os seus pecados foram totalmente perdoados na cruz e que não há nenhum débito em seu livro-caixa.

Quanto mais viver a vida com uma expectativa confiante do bem, mais você permanecerá nessa verdade de que os seus pecados foram totalmente perdoados na cruz.

De vez em quando, porém, devido à força do hábito, você pode acordar com medo de estar novamente endividado. Mas tudo que você tem de fazer é abrir o seu livro-caixa e olhar para ele. Ele lhe mostrará o quão isento de dívida você realmente está, independentemente do que você sinta. Semelhantemente, caso haja dias em que você duvide de que Deus o perdoou, tudo que você terá a fazer será abrir a Palavra de Deus e ver nela como o preço foi integralmente pago, o juízo executado e cada migalha de condenação já lançada fora sobre o corpo de Cristo!

Graça Renovada para Todo Fracasso

Posso lhe dar uma tarefa hoje? Toda vez que você falhar, seja perdendo a paciência com seu cônjuge ou voltando a um vício que está tentando vencer, quero desafiá-lo a ter consciência do perdão, não do pecado. Toda vez que você falhar, entre na presença de Deus e diga:

> *Querido Deus, obrigado porque, mesmo agora, Teu perdão e Teu perfeito amor estão sendo derramados sobre mim devido à obra consumada do Teu Filho em minha vida. Remova toda sensação remanescente em mim de maldade, culpa e condenação. Eu creio, com todo o meu coração, que neste momento, ao olhares para mim, Tu me vês em Cristo Jesus. Estou vestido com Tuas vestes de justiça, favor e bênçãos. Obrigado por Tua abundância de graça e por Teu presente de justiça em minha vida. Por meio de Jesus, eu reinarei nesta vida sobre todo pecado, vício e fracasso.*

Meu amigo, toda vez que você falha, há graça renovada de Jesus para redimi-lo. Toda vez que você deixar a desejar, confesse sua justiça em Jesus pela fé. Sei que, provavelmente, você não se *sentirá* particularmente justificado, e é por isso que você precisa dizer isso pela fé.

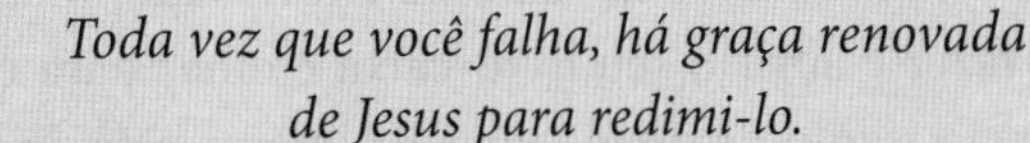
Toda vez que você falha, há graça renovada de Jesus para redimi-lo.

Recebi muitos testemunhos de libertações de pessoas no mundo todo que, mesmo quando sucumbiam às suas dependências, confessavam: "Até mesmo neste momento, eu sou a justiça de Deus em Cristo" e, afinal, encontravam a libertação de seus cativeiros. Podia ser uma dependência de fumo, álcool ou pornografia. Michael, um irmão da Austrália, compartilhou com alegria: "Acabo de deixar de fumar, seguindo o que você ensinou em seus livros e DVDs (a respeito de estar consciente da minha justiça em Cristo e confessá-la) sempre que eu era tentado a fumar. Também fui liberto após vinte anos de abuso de drogas e álcool, e estou livre de pensamentos paranoicos. Eu não conseguiria livrar-me deles por meus próprios esforços, mas, por meio de Cristo, consegui".

Quanto mais essas pessoas confessaram e se viram como justas em Jesus, mesmo em meio às suas falhas, mais elas passaram a enxergar a sua verdadeira identidade em Cristo. As folhas mortas começaram a cair e elas chegaram ao ponto em que não tinham qualquer desejo de voltar a fumar outro cigarro, beber outra gota de álcool ou visitar outro *site* pornográfico. Novas folhas, novas flores e novos frutos surgiram em suas vidas inconscientemente e sem esforço. A graça pôs fim à esterilidade e ao tormento do inverno e inaugurou a perpétua primavera para elas.

Amado, se você está lutando contra alguma coisa neste exato momento, pare de lutar e comece a receber. Comece a receber a abundância de favor imerecido do Senhor. Comece a receber o presente gratuito da Sua justiça. Comece a receber o poder purificador do Seu perdão. Não há nada que você possa fazer além de absorvê-lo e permitir que Seu poder de ressurreição expulse todo sintoma de morte e podridão em suas circunstâncias e em sua vida. Jesus lhe diz hoje: "Eis que faço coisa nova, que está saindo à luz; porventura, não o percebeis? Eis que porei um caminho no deserto e rios, no ermo" (Isaías 43:19).

 *Se você está lutando contra alguma coisa neste exato momento, pare de lutar e comece a receber.*

Pare de permitir que o inimigo amontoe condenação sobre você em todas as áreas em que você tem falhado. Você está em Cristo — totalmente aceito, irrevogavelmente perdoado e totalmente amado. Creia nisso e receba Seu perdão e amor para superar todo tipo de pecado. O tempo de você se alegrar chegou, pois o seu Salvador veio para salvá-lo!

CAPÍTULO 9

SEJA LIBERTO DA CONDENAÇÃO

❖

Ela havia lutado freneticamente quando foi subitamente arrancada da cama e arrastada para as ruas pelos homens do templo. Mas não tinha forças para resistir os agitadores que se apoderaram dela, e seus pés descalços agora lutavam por encontrar o passo enquanto ela era rudemente empurrada por todos os lados. Um medo frio martelava em seu coração de modo ensurdecedor, quase abafando as provocações de desprezo das pessoas atraídas às ruas pela comoção.

Ela havia pecado e sabia o que estava por vir. Poucos meses antes, ela testemunhara uma mulher tentando afastar-se rastejando enquanto, uma após outra, pedras pesadas eram violentamente arremessadas nela pela multidão desdenhosa chamada a executar a justiça de Deus. Ela ainda se lembrava de como teve de sufocar a náusea que lhe subiu à garganta ao ver o corpo mutilado da mulher ensanguentada após seus algozes terem, por fim, se dispersado. Ela nunca imaginou que, algum dia, enfrentaria o mesmo destino. Nunca tivera a intenção de cometer adultério. Ela sabia que era um erro encontrá-lo sozinha. Foi um erro terrível e agora era tarde demais. Segundo a Lei de Moisés, a pena capital era o preço do adultério. Não havia como escapar.

Arrastada para o pátio do templo como uma boneca de pano, ela reconheceu vagamente a fragrância das ofertas feitas no altar de bronze. Embora ela não entendesse o significado, o cheiro sempre lhe dera conforto quando era uma criança crescendo em Jerusalém. Vislumbres de seu pai dizendo-lhe que Deus faria chover Suas bênçãos sobre a sua família enquanto o cheiro do sacrifício subia ao céu lhe vieram à mente, pouco antes de a multidão de fariseus religiosos parar abruptamente e jogá-la aos pés de um homem a quem chamaram de Mestre.

Ela sabia que seu julgamento havia começado, que aquele homem devia ser o seu principal carrasco, o juiz religioso que a sentenciaria oficialmente à morte antes de eles a arrastarem para fora da cidade para ser apedrejada. Tremendo incontrolavelmente, ela curvou a cabeça e tentou cobrir os olhos com o cabelo o melhor que podia, para não poder ver a multidão que gritava à sua volta enquanto todos esperavam por sua sentença.

Então, seus implacáveis acusadores dispararam o primeiro tiro: "Mestre, esta mulher foi apanhada em flagrante adultério. E na Lei nos mandou Moisés que tais mulheres sejam apedrejadas; tu, pois, que dizes?" (João 8:4-5). Prevendo mais humilhação, ela se preparou para as palavras condenatórias de julgamento que, tinha ela certeza, viriam do mestre.

Mas ela nada ouviu, exceto um silêncio ensurdecedor. Era como se o mestre não tivesse escutado as acusações proferidas contra ela. Então, com o canto do olho, ela viu o mestre abaixar-se e escrever com o dedo no chão. Os fariseus, preparados com pedras nas mãos e enfurecidos por esse atraso, exigiram: "O que você diz, mestre? Nós a apedrejamos agora?"

O mestre se levantou diante deles e ela ouviu uma voz tão retumbante de majestade, que sua respiração ficou presa na garganta. Articulando cada palavra com uma perfeita mescla de autoridade e compaixão, Ele declarou: "Aquele que dentre vós estiver sem pecado seja o primeiro que lhe atire pedra" (João 8:7). Então, Ele se abaixou até o chão novamente e voltou a escrever, como se os líderes da sinagoga nem estivessem lá.

Suas palavras a desnortearam. Quem *era* aquele mestre? Por que Ele a estava defendendo, uma mulher pecadora e adúltera? Era *aquele* o homem da pequena aldeia de Nazaré, de que todos falavam? O homem que curava os cegos e fazia os coxos andarem de novo? O homem que diziam odiar o legalismo e amar os pecadores? É esse o homem? *Quem* é esse homem? Enquanto essas perguntas rodopiavam em sua mente amedrontada, ela ouviu o som de sua salvação.

Tum.

Tum.

Tum.

As rochas que a teriam golpeado até a morte caíram, impotentes, no chão. Uma a uma, as sandálias daqueles que a haviam arrastado até o templo se viraram e se afastaram. As multidões que se haviam reunido também começaram a se dispersar, por ter ficado claro que não haveria espetáculo.

Após algum tempo, tudo que ela podia ver eram as sandálias do mestre. Ele levantou a cabeça dela, e ela viu Seu rosto pela primeira vez. Era um rosto de compaixão e amor. Um rosto que brilhava com aceitação e confiança. Ela deixa fluir as lágrimas reprimidas quando Ele lhe pergunta: "Mulher, onde estão aqueles teus acusadores? Ninguém te condenou?" (João 8:10). Ao longo de toda a sua provação, ninguém falara com ela. Ela não tinha importância. Tudo que importava era que ela praticara o ato e que ele justificava a sua morte. Mas, agora, seus acusadores haviam ido embora e o homem que a resgatara lhe falava e olhava como se ela *tivesse importância.*

Com gratidão, ela sussurrou: "Ninguém, Senhor!" Ela sabia, sem sombra de dúvida, que esse mestre não era um mestre comum. Foi por isso que ela se dirigiu a Ele como "Senhor" e não como "mestre", como fizeram os fariseus. Ele *era* o Jesus de quem todos estavam falando. Então, ela ouviu as palavras que nunca esqueceria pelo resto de sua vida: "Nem eu tampouco te condeno; vai e não peques mais" (João 8:11). Ao voltar para sua casa, ela repetiu essas palavras para si mesma várias vezes: "Nem eu tampouco te condeno; vai e não peques mais". Ele salvara a sua vida e ela sabia que nunca mais seria a mesma.

O Poder da Ausência de Condenação

Jesus demonstrou algo muito importante no relato da mulher apanhada em adultério. O que capacita alguém a ter o poder para vencer o pecado? Obviamente, a ameaça da Lei não impediu a mulher de cometer adultério. Mas receber a aceitação de Jesus — saber que, mesmo merecendo ser apedrejada até a morte, Ele não a condenou — *isso* lhe deu o poder para "ir e não pecar mais".

Vamos voltar e examinar o que Jesus fez. Jesus salvou a mulher com retidão. Ele não disse: "Não a apedrejem. Mostrem misericórdia para com ela". O que ele disse foi: "Aquele que dentre vós estiver sem pecado seja o primeiro que lhe atire pedra". E, por espontânea vontade, os fariseus e a turba religiosa saíram, um a um.

Observe como, depois disso, Jesus não perguntou à mulher: "Por que você pecou?" Não, o que ele perguntou foi: "Onde estão aqueles teus acusadores? Ninguém te condenou?" Parece que Jesus estava mais preocupado com a *condenação* do pecado do que com o próprio pecado. Ele se certificou de que ela fosse embora sem sentir condenação e vergonha. Não devemos inverter a ordem de Deus. Quando Deus diz que algo vem em primeiro lugar, isso deve vir em primeiro lugar. O que Deus coloca em primeiro lugar, o homem não pode colocar em último. Deus diz que "nenhuma condenação" vem em primeiro lugar, e então você pode "ir e não pecar mais".

A religião inverte esse sentido. Nós dizemos: "Primeiramente vá e não peque mais, então não o condenaremos". O que precisamos compreender é que, quando não há condenação, as pessoas recebem poder para viver vidas vitoriosas, vidas que glorificam a Jesus. É daí que vem a concessão de poder. A graça produz uma concessão de poder sem esforço, por meio da revelação da ausência de condenação. Ela é inconquistada e totalmente imerecida. Mas podemos recebê-la, esse presente da ausência de condenação, porque Jesus pagou por ela na cruz.

Quando não há condenação, as pessoas recebem poder para viver vidas vitoriosas.

Verdade seja dita, nenhum de nós poderia ter atirado a primeira pedra naquela mulher. Todos nós pecamos e deixamos a desejar. Hoje, nossa confiança não está em nossa capacidade de cumprir as leis de Deus perfeitamente, mas no único Jesus Cristo, que é em si mesmo o cumprimento da Lei. Em Cristo, somos todos iguais. Se um irmão ou uma irmã se envolve com pecado, nosso papel não é julgá-los, mas restaurá-los, apontando-lhes o perdão e o presente da ausência de condenação encontrado em Jesus.

A única pessoa que não tinha pecado e poderia ter exercido punição judicial sobre a mulher era Jesus. Só Ele estava qualificado para atirar a primeira pedra, e não o fez. Jesus devia, em carne, representar o que havia no coração de Deus. Não era julgamento. Seu coração é revelado em Sua graça e Seu perdão. Gosto de dizer assim ao descrever o que aconteceu enquanto os fariseus esperavam para apedrejar a mulher: os fariseus *fariam* se *pudessem*, mas não podiam. Jesus *poderia* se *quisesse*, mas não quis. Esse é o nosso Jesus!

A Lei Não Pode Condená-lo Hoje

Curiosamente, a Bíblia não nos conta o que Jesus escreveu no chão com o dedo. Mas acredito que, quando se abaixou, Ele estava escrevendo a Lei de Moisés. Estive em Jerusalém muitas vezes. Durante uma de minhas visitas, anos atrás, ao pátio do templo onde Jesus

Quando Jesus escreveu com seu dedo no chão, Ele escreveu em pedra, não em um chão de terra.

teria conhecido essa mulher, o Senhor abriu meus olhos para ver que o chão daquele espaço do templo era feito de pedra dura. Isso significa que Jesus não escreveu no chão de terra. Ele escreveu com o dedo na pedra.

Então, em um lampejo, vi que Jesus estava escrevendo *a Lei* na pedra. Ele estava efetivamente dizendo aos fariseus: "Vocês pretendem ensinar-me a respeito da Lei de Moisés? Eu sou Aquele que escreveu a lei". Jesus escreveu duas vezes no chão com o dedo, completando assim a tipologia, pois sabemos que Deus escreveu os Dez Mandamentos com o dedo duas vezes.

O primeiro conjunto dos Dez Mandamentos foi destruído por Moisés quando ele viu os israelitas adorando o bezerro de ouro no sopé do Monte Sinai. Então, Deus escreveu outro conjunto em pedras e o deu a Moisés para que fosse colocado sob o propiciatório na arca da aliança. Nunca ouvi alguém pregar isso antes — era uma nova revelação, diretamente do céu. Amo quando o Senhor abre os meus olhos para ver a Sua graça!

> ❖ *Somos perdoados porque Ele foi julgado. Somos aceitos porque Ele foi condenado!*

Você sabe por que é tão empolgante saber o que Jesus escreveu no chão naquele dia? É muito importante porque nos mostra que o próprio autor da Lei perfeita de Deus *não* usa a Lei para nos julgar e condenar hoje. E não se trata de Deus simplesmente ter decidido ser misericordioso para conosco. Não! É porque o próprio Jesus cumpriu todos os justos preceitos da Lei em nosso nome e tomou sobre Si toda maldição e toda pena de punição por nossos pecados em Seu próprio corpo na cruz. Somos perdoados porque Ele foi julgado. Somos aceitos porque Ele foi condenado!

Perdão e Cura Andam de Mãos Dadas

Há outro motivo para podermos nos alegrar com o conhecimento de que Jesus suportou o castigo que nos era devido: perdão e cura andam de mãos dadas. A Bíblia diz que Aquele que nunca descumpriu uma única Lei de Deus "... foi traspassado pelas nossas transgressões e moído pelas nossas iniquidades; o castigo que nos traz a paz estava sobre ele, e pelas suas pisaduras fomos sarados" (Isaías 53:5). Você vê como a cura e o preço do nosso perdão estão tão intimamente entrelaçados na Palavra de Deus?

Hoje, muitos estão lutando para se curar de suas doenças, enfermidades, disfunções mentais e vícios. Quero anunciar a você hoje que a nossa parte é *receber* o perdão de Jesus e crer que somos perdoados todos os dias. Quanto mais conscientes do perdão nós somos, mais facilmente experimentaremos cura e libertação de todos os males do corpo, opressão mental e hábitos destrutivos.

Um de meus salmos favoritos diz: "Bendize, ó minha alma, ao SENHOR, e tudo o que há em mim bendiga ao seu santo nome. Bendize, ó minha alma, ao Senhor, e não te esqueças de nem um só de seus benefícios. Ele é quem perdoa todas as tuas iniquidades; quem sara todas as tuas enfermidades" (Salmos 103:1-3). Ora, o que vem primeiro? A consciência de que todos os seus pecados estão perdoados precede a cura de todas as suas enfermidades!

E a palavra-chave aqui é *tudo*. Alguns de nós nos sentimos confortáveis em receber perdão parcial em certas áreas de nossas vidas. Mas nós nos recusamos a permitir que o perdão de Jesus toque algumas áreas escuras — áreas das quais não podemos abrir mão e das quais não podemos nos perdoar. Quaisquer que sejam esses erros, eu o encorajo a permitir que Jesus o perdoe de *todos* os seus pecados e a receber a cura de *todas* as suas doenças. Meu amigo, deixe o passado para trás. Deixe os erros para trás. Permita-se ser livre e aprenda a se perdoar recebendo, com o coração aberto, o perdão total e completo de Jesus.

Jesus reforçou ainda mais essa correlação entre perdão e cura, no encontro com o homem paralítico. Era óbvio que a grande necessidade do homem era ter seu corpo curado. Desejando sua cura, seus quatro amigos até removeram uma parte do telhado e o baixaram em uma maca para fazê-lo chegar a Jesus. Mas qual foi a primeira declaração de Jesus a ele? Jesus disse: "Tem bom ânimo, filho; estão perdoados os teus pecados" antes de curá-lo dizendo: "Levanta-te, toma o teu leito e vai para tua casa" (Mateus 9:2, 6). Jesus sabia que o homem necessitava receber o perdão por todos os seus pecados antes que seu corpo pudesse ser totalmente curado.

Que coisas o estão paralisando hoje? Medo? Dependência de antidepressivos? Ataques de ansiedade? Talvez alguma doença física? Seja qual for o problema, a sua resposta está em receber uma nova revelação do quanto você está perdoado em Cristo e em crer que não está mais sob condenação (ver Romanos 8:1)!

> ❖ *A sua resposta está em receber uma nova revelação do quanto você está perdoado em Cristo e em crer que não está mais sob condenação.*

O Poder Transformador de Crer no Evangelho

Quero compartilhar com você um maravilhoso relato de louvor de Pat, que vive em Ohio e escreveu este *e-mail*:

> *Mudanças surpreendentes em minha vida começaram a acontecer desde que me alimentei com as verdades que você ensinou. Agora tenho uma alegria e um apreço pela vida que nunca tive desde a minha adolescência (e tenho mais de cinquenta anos de idade). Sinto uma paz que se manifesta em todas as áreas da minha vida, desde o relacionamento com os filhos, passando por minhas finanças, até minha saúde.*
>
> *Inicialmente, quando comecei a ouvi-lo, não acreditava no que você ensinava a respeito de santidade, plenitude de bênçãos e justiça mediante a fé na obra consumada de Cristo. Quando fiquei doente e acamado, continuei a assistir a você, pois era incapaz de fazer mais do que isso. Você apoiava seus ensinamentos com passagens e comprovações do Antigo Testamento. Comecei a perceber que o que você estava ensinando era verdadeiro. Comecei a ler os evangelhos e as epístolas com uma mente iluminada e pude ver claramente que você estava apresentando o Evangelho.*
>
> *Quando acolhi essas verdades, meu estado físico começou a se alterar. Eu sofria de uma lesão na medula espinal em um disco intervertebral, para a qual não havia cura. Especialistas em coluna vertebral se recusavam a me operar a menos que eu atingisse a fase em que parte do meu corpo ficasse paralisada,*

que é a evolução habitual do problema. Eu sentia dores e estava fisicamente incapacitado há mais de dois anos.

Desde que comecei a me alimentar com os seus ensinamentos, recuperei o uso de meu corpo e a maior parte da dor, anteriormente excruciante, diminuiu. Agora consigo relaxar e ter segurança, e confiar na disposição e disponibilidade do poder e da graça de Deus para me curar. Isso veio como resultado do aumento da fé, eliminação da condenação, compreensão da Sagrada Comunhão e uma maior consciência do amor de Deus por mim.

Também fui liberto de dez anos de dependência de cigarros. Eu costumava fumar somente à noite, antes de ir dormir, para acalmar meus nervos. Durante vários anos tentei romper o hábito, mas não conseguia. Sempre me senti muito culpado por ter tal fraqueza. No entanto, quando percebi que Deus não usava minha fraqueza contra mim, e que Ele me aceitou incondicionalmente e ainda me abençoava, deixei toda preocupação e luta contra minha dependência. Comecei a sentir paz e descanso.

Poucos meses depois, consegui parar de fumar. É como se a dependência tivesse sido facilmente removida de minha vida, como se apenas tivesse desaparecido de mim. Sei que foi o Espírito de Deus operando em mim para me aperfeiçoar e me dar o poder de não mais ter vontade de fumar.

Minha vida foi verdadeiramente transformada. O Evangelho é aquilo de que este mundo tem fome e muita necessidade. Sou crente há mais de vinte e cinco anos e nunca ouvi o Evangelho ser apresentado da maneira como você o ensina. Obrigado por tudo. Continue despertando o mundo para o amor e a graça de Deus, bem como para a esperança de salvação, bênção e glória em Cristo Jesus!

Apenas Receba

Caro leitor, você também pode experimentar essa vitória. É tempo de parar de se ferir. Jesus foi ferido por todos os seus pecados. É hora de parar de se espancar. Jesus recebeu todos os seus espancamentos na cruz. É hora de parar de se cortar e punir, porque Jesus recebeu todo corte e punição em seu nome. É hora de parar de se perguntar se você fez o suficiente para conquistar o perdão e a aceitação de Deus. Seu perdão e graça são imerecidos — não podem ser conquistados; só podem ser recebidos. Você já deu um presente de Natal ou de aniversário a entes queridos? Tudo que você quer que eles façam é recebê-lo de você e desfrutá-lo. É exatamente assim que Deus quer que você receba hoje o Seu amor e o Seu presente da ausência de condenação.

❖ *É hora de parar de se perguntar se você fez o suficiente para conquistar o perdão e a aceitação de Deus. Seu perdão e graça não podem ser conquistados; só podem ser recebidos.*

Olhe para a cruz hoje e diga:

Obrigado, Jesus, por me amar. Hoje recebo o Teu perdão completo em minha vida e me perdoo por todos os meus pecados, erros e falhas. Eu os libero todos em Tuas mãos amorosas. Declaro que, em Ti, sou totalmente perdoado, liberto, aceito, favorecido, justificado, abençoado e curado de todas as doenças e enfermidades. Amém!

Quanto mais você deixar as águas do perdão e do favor imerecido de Deus se derramarem assim sobre você todos os dias, mais você receberá a Sua saúde para o seu corpo e sanidade para a sua mente.

Seja o que for que tenha acontecido no passado, e tudo que possa estar confrontando você agora, eu o encorajo a lembrar e crer que Deus o ama e já o perdoou. Agora, comece a desfrutar de Seu amor e deixe Sua graça operar em você e por você, para levá-lo a um lugar de maior saúde, força emocional, paz e prazer na vida.

PARTE QUATRO

VENÇA A BATALHA POR SUA MENTE

CAPÍTULO 10

VENÇA A BATALHA POR SUA MENTE

❖

Espero que você esteja gostando desta jornada de descobrir o poder de crer corretamente. Vimos o quão vital é crer no amor de Deus por você e falamos da importância de ver o que Ele vê. Também exploramos o impacto de sermos conscientes do perdão, ao contrário de sermos perpetuamente conscientes da culpa.

Agora que você está na metade deste livro, quero que esteja ciente de que, quando começar a praticar alguns dos pontos-chave que foram discutidos, sua mente enfrentará algumas batalhas que desafiarão as suas crenças. Mas anime-se, sabendo que você não precisa ter medo dessas batalhas. Nos próximos capítulos, eu lhe mostrarei como vencer a batalha por sua mente crendo corretamente. Meu amigo, a batalha não é exterior (em suas circunstâncias externas), mas interior. Ela é travada e vencida no campo de batalha de suas crenças e pensamentos.

Crenças e pensamentos errados o manterão derrotado.

Crenças e pensamentos corretos o lançarão em direção à sua libertação.

Foi por isso que Jesus disse: "E conhecereis a verdade, e a verdade vos libertará" (João 8:32). A verdade colocada em sua mesinha de centro não o liberta. A verdade confortavelmente alojada em sua estante não o liberta. Você pode ter um exemplar da Bíblia Sagrada imponentemente colocado em sua impressionante biblioteca de mogno feita sob medida, mas isso não o libertará.

A verdade que você *conhece* e na qual você *crê* é aquela que tem o poder de libertá-lo. É disso que este livro trata. Ele trata de lhe transmitir as verdades da Palavra de Deus para moldar a sua crença. Quanto mais a sua crença se tornar alinhada com a verdade da Sua Palavra, mais você gozará de Sua liberdade, graça, favor, perdão e bênçãos.

❖ *Crenças e pensamentos errados o manterão derrotado. Crenças e pensamentos corretos o lançarão em direção à sua libertação.*

Muitas pessoas estão, de fato, vivendo em derrota e escravidão hoje, embora possam não estar cientes de estar vivendo sob o jugo de alguma coisa. Em alguns aspectos, elas se acostumaram aos seus cativeiros. Deixe-me explicar isso melhor. Existem áreas sobre as quais você agora está sentindo medo e ansiedade? As áreas das quais que você sente medo e ansiedade indicam a presença de crenças erradas em sua vida, das quais Deus quer que você seja liberto. Substitua essas crenças erradas por crenças corretas baseadas na Palavra de Deus e você erradicará esses medos e ansiedades. Crer corretamente é a chave que abre os tesouros de Deus em sua vida. Veja, a graça, o favor, as bênçãos e o perdão sempre estiveram lá, mas quando você começa a crer corretamente, começa a *acessar* a plenitude de Seu amor e da obra consumada no monte do Calvário. Todos os benefícios da obra consumada já são seus. Eles já lhe pertencem. Jesus já pagou o preço. Então, o entrave entre você e a sua vitória são as suas crenças erradas. A batalha tem a ver com as suas crenças. É por isso que, quando você começar a crer corretamente, dará início à sua libertação.

> ❖ *A verdade que você conhece e na qual crê é aquela que tem o poder de libertá-lo.*

A Estratégia do Inimigo

O inimigo sabe que, se conseguir controlar os seus pensamentos, poderá manipular as suas emoções e os seus sentimentos. Por exemplo, se ele conseguir fazer você acolher pensamentos de culpa, fracasso e derrota, você começará a se sentir péssimo com relação a si mesmo, fisicamente fraco e até mesmo deprimido.

Nossas emoções são sinalizadores que nos indicam quais são os nossos pensamentos. Graças a Deus pelas emoções. Elas nos dizem se algo está terrivelmente errado com os nossos pensamentos. Muitos de nós não estamos conscientes quando nosso pensamento desliza por uma ladeira escorregadia em direção ao medo, dúvida, pessimismo e ansiedade. Todavia, Deus nos projetou de maneira a podermos reconhecer rapidamente o nosso pensamento por meio das nossas emoções. Tente o seguinte: sempre que você começar a sentir emoções negativas, como medo, preocupação, culpa e raiva, pare e pergunte a si mesmo: "O que eu estou pensando?"

As suas emoções seguem imediatamente os seus pensamentos. Se os seus pensamentos forem negativos, você naturalmente produzirá emoções negativas. Por outro lado, se seus pensamentos forem positivos em Cristo, você produzirá emoções positivas.

É por isso que há uma batalha por sua mente. O diabo quer manter os seus pensamentos negativos, para que ele possa mantê-lo derrotado. Ele é um mestre em jogos mentais e não joga limpo. Quando tentou Adão e Eva no jardim, ele os fez duvidar dos motivos de Deus, mentindo a eles e insinuando que Deus estava, deliberadamente, sonegando-lhes algo bom. Ele fez com que Deus parecesse mesquinho, quando, na realidade, Deus estava protegendo-os. A estratégia do diabo não mudou — ele continua usando de mentiras, acusações, culpa e condenação para iludir os crentes de hoje e fazê-los duvidar do perfeito amor, perdão e superabundante graça de Deus.

Muitos anos atrás, quando eu era bastante novo no ministério, orei juntamente com outro pastor por uma senhora oprimida pelo diabo. Ela não era crente. Enquanto estávamos orando por ela, de repente, a mulher rosnou ameaçadoramente com uma profunda voz masculina: "*Eu quero a mente dela!*" Opa! Foi a primeira vez que orei por uma pessoa possuída por um demônio e o demônio respondeu! Lembro-me vividamente até hoje. Bem, nós oramos por ela e expulsamos o demônio.

Agora, por favor, não se preocupe; como crente em Jesus, você *nunca* pode ser possuído pelo demônio. Ele pode oprimi-lo mentalmente, mas nunca pode possuí-lo. Compartilhei minha experiência com essa mulher para lhe revelar a estratégia do inimigo. Ele quer a sua mente! Ele quer manter a sua mente negativa, oprimida, deprimida e pessimista. Ele quer que você permaneça na crença errada, sabendo que, enquanto continuar a crer de forma errada, você continuará a viver de forma errada. Há uma batalha por sua mente e nós a vencemos pelo poder da crença correta.

Há uma batalha por sua mente e nós a vencemos pelo poder da crença correta.

Jesus é Maior

É importante você estar estabelecido nessa verdade. Você não precisa ter medo do diabo, porque "maior é aquele que está em vós do que aquele que está no mundo" (1 João 4:4). Jesus, que está em você, é maior do que o diabo que está neste mundo. Independentemente de quais sejam as táticas malignas do inimigo, ele não prevalecerá contra você nessa batalha. O diabo é um inimigo derrotado. Maior é Aquele que está em você do que todos os pensamentos negativos que o inimigo possa lançar contra você. Maior é Aquele que está em você do que os sentimentos de culpa e inadequação. Maior é Aquele que está em você do que toda acusação que seja levantada contra você.

Mantenha-se firme nesta declaração: "Toda arma forjada contra ti não prosperará; toda língua que ousar contra ti em juízo, tu a condenarás" (Isaías 54:17). Uau! Nenhuma arma forjada contra você prosperará. A Bíblia não diz que você não sofrerá desafios ou que você não será confrontado com ataques. Mas promete que, quando as provações vierem, você poderá estar confiante na certeza de que elas não prosperarão contra você.

Você sabe por que pode se manter firme nessa promessa hoje? No mesmo versículo, Deus prossegue declarando que "esta é a herança dos servos do SENHOR e o seu direito que de mim procede" (Isaías 54:17). Essa proteção é sua herança. Deus não o protege pelo seu procedimento correto; Ele o protege porque a sua justiça vem do próprio Senhor!

Perceba que a arma contra você *já poderia ter sido forjada*, o que significa que uma arma pode já ter sido concebida, elaborada e apontada para você. Não tenha medo. Seja qual for o desafio ou a arma, saiba, sem sombra de dúvida, que ela não prevalecerá contra você. Esta é a promessa de Deus para você hoje: *nenhuma arma forjada contra você prosperará.* Não porque o seu comportamento é perfeito, mas porque a sua posição em Cristo é perfeita. A sua vitória está firmemente assegurada pela obra consumada de Jesus, que é a sua herança em Cristo.

Destruindo Fortalezas

Quando você medita sobre as promessas da Bíblia que proclamam a verdade de Deus em sua vida, já está começando a vencer a batalha por sua mente. Não é uma coincidência Jesus ter sido crucificado no Gólgota, que significa "Lugar da Caveira" (Mateus 27:33). Sua libertação precisa começar em sua mente. A Palavra de Deus nos diz:

> *Porque, embora andando na carne, não militamos segundo a carne. Porque as armas da nossa milícia não são carnais, e sim poderosas em Deus, para destruir fortalezas.*
>
> — 2 Coríntios 10:3-4

Essa batalha pela sua mente não é travada externamente. Nossas armas não são físicas ou tangíveis. Nossas armas nessa batalha não são ogivas nucleares, metralhadoras ou granadas. Nossas armas são as armas da crença correta, e são poderosas em Deus para destruir as fortalezas que nos mantiveram cativos. As fortalezas não podem ser destruídas com armas físicas; só podem ser totalmente demolidas através da fé correta na verdade da Palavra de Deus.

❖ *As fortalezas não podem ser destruídas com armas físicas; só podem ser totalmente demolidas através da fé correta na verdade da Palavra de Deus.*

O diabo só pode semear pensamentos errados em sua mente, mas não pode controlar aquilo em que você crê! Quando você começar a crer corretamente, todas as mentiras e pensamentos errados se derreterão como manteiga em um dia quente e ensolarado. Mentiras podem aprisioná-lo e derrotá-lo apenas na medida em que você não permitir que a verdade de Deus entre em sua situação para libertá-lo. Escute atentamente o que Jesus disse: "Se vós permanecerdes na minha palavra, sois verdadeiramente meus discípulos; e conhecereis a verdade, e a verdade vos libertará" (João 8:31-32). O que isso significa é que, qualquer que seja a fortaleza em que você esteja aprisionado hoje, a verdade de Jesus irá libertá-lo!

Fortalezas são pensamentos errados e mentiras que foram perpetuados em sua mente ao longo de semanas, meses ou até mesmo anos. Essas crenças erradas entrincheiradas fazem com que você viva sob o jugo de vícios e em um estado de medo, culpa, ansiedade ou depressão crônica.

A Palavra de Deus nos diz, em termos inequívocos, que a guerra tem lugar em nossas mentes e é vencida quando cada um de nós "destruir fortalezas, anulando nós sofismas e toda altivez que se levante contra o conhecimento de Deus, e levando cativo todo pensamento à obediência de Cristo" (2 Coríntios 10:4-5). Há uma batalha por sua mente, e o local onde o inimigo lança os seus ataques contra você está em seus pensamentos e imaginação. Acredito que, quando você está ciente de que há uma guerra por sua mente e de que ela é travada entre suas crenças erradas e crenças corretas, você já venceu metade da batalha!

> ❖ *Há uma batalha pela sua mente, e o local onde o inimigo lança os seus ataques contra você está em seus pensamentos e imaginação.*

Ancore Sua Identidade em Cristo

A Bíblia deixa claro que existe algo como uma guerra espiritual em nossas mentes, e é vital para você, como crente, entender isso. Caso contrário, você pensará que cada pensamento que passa pela sua cabeça só vem de você. Então, começará a acreditar naquelas mentiras, sem saber que o inimigo as plantou para confundi-lo.

Vários anos atrás, preguei uma mensagem acerca de como, às vezes, o diabo usa o pronome na primeira pessoa para plantar pensamentos em nossas cabeças, para nos enganar. Por exemplo, ele não diz: "Você tem um transtorno alimentar" ou "Você tem uma dependência nesta área". O diabo usa o pronome na primeira pessoa para semear em sua mente pensamentos como esses: "*Eu* tenho um transtorno alimentar", "*Eu* sou viciado em pornografia" ou "*Eu* sou um pervertido". Você percebe o quão insidiosa e astuta é a serpente? O diabo faz com que você pense que está tendo aqueles pensamentos de derrota. Quer que você acredite que você é assim.

Ao ouvir essa mensagem, um homem preso a um vício destrutivo havia muitos anos escreveu uma carta para mim. Walter compartilhou que essa estratégia do diabo, de usar o pronome na primeira pessoa, continuou ressoando em seu interior após ouvir a minha mensagem. Ao sair da igreja, ele foi para casa, se trancou em seu quarto e, pela primeira vez, declarou em voz alta: "Eu não sou viciado!" Ele apenas escolheu rejeitar aquela mentalidade maligna em nome de Jesus e, depois, relatou: "Naquele exato momento, senti algo poderoso acontecer dentro de mim. Não sei como descrever. Foi como se a vida se tornasse espetacular devido ao amor de Deus, e eu não conseguia conter a sensação".

Após fazer aquela confissão em voz alta, tudo mudou: "Meu vício cessou. Eu simplesmente perdi todo o interesse e não me sinto nem um pouco tentado. Todos os desejos errados sumiram e, o melhor de tudo, sei que amo Jesus mais do que nunca e não posso viver sem ele. Estou renovado. Estou renascido. Sei que tudo está sob o Seu controle e que eu sou abençoado e perdoado", disse Walter.

Uau! Que incrível testemunho do poder e da bondade de Deus na vida desse irmão. Com apenas uma declaração, ele rompeu a fortaleza mental sob a qual o diabo o colocara durante muitos anos. Esse é verdadeiramente o poder da crença correta. Se você pode mudar aquilo em que acredita, você pode mudar a sua vida, exatamente como fez esse irmão.

Há mentiras acerca de sua identidade nas quais você acredita hoje?

Quebre o poder dessas mentiras declarando a sua identidade em Cristo. Diga em voz alta: "Eu sou um filho de Deus. Eu sou curado, perdoado, justificado e santo em Cristo Jesus". Em vez de acreditar nas mentiras do diabo quando ele usa a estratégia do pronome na primeira pessoa contra você, declare a sua verdadeira identidade em Jesus.

Levando Cativo Todo Pensamento

Infelizmente, foge ao conhecimento de muitos crentes dos dias de hoje o fato de que o inimigo lançou campanhas maliciosas de desinformação que os escravizou eficazmente, durante anos, com baixa autoestima, ódio de si mesmos, culpa, distúrbios alimentares, perversões, medos desordenados e todos os tipos de hábitos estranhos e vícios. E é por isso que estou escrevendo este livro, para expor as mentiras do inimigo e para ajudar você a ver, com absoluta clareza, suas táticas enganosas e manipuladoras. Essas mentiras desmoronarão como um castelo de cartas no segundo em que você enxergar a sua verdadeira identidade em Cristo.

As armas dessa guerra não são naturais e físicas. Suas armas se encontram na verdade da Palavra de Deus; elas são potentes e têm o poder de derrubar e destruir toda fortaleza construída por meio de desinformação e crença errada. E a maneira de destruir essas fortalezas em nossas mentes é "[levar] cativo todo pensamento à obediência de Cristo" (2 Coríntios 10:5).

Quando eu era um jovem crente, ensinaram-me que era minha responsabilidade levar todos os meus pensamentos em obediência *a* Cristo. Tentei e lutei com isso durante anos e acabei com mais opressão mental, estresse e culpa do que tinha no início. Ninguém consegue levar todo pensamento que atravessa a sua mente a obedecer perfeitamente *a* Cristo.

Certo dia, Deus abriu meus olhos para ver o que Ele estava realmente dizendo nesse versículo. Ele me disse: "Filho, mantenha seu foco e seus pensamentos sempre na obediência *de* Cristo, e essa será uma arma poderosa para destruir as fortalezas do diabo em sua mente". Quando Ele me disse isso, parecia que luzes haviam sido subitamente acesas em minha cabeça.

Se o caminho para destruir fortalezas mentais depende de você ser capaz de capturar perfeitamente todo pensamento que passa por sua mente e torná-lo perfeitamente obediente a Cristo, então essa é uma receita para o fracasso certo. Os ensinamentos legalistas sempre colocam a exigência sobre o homem. Os ensinamentos da graça sempre demonstram como a provisão vem de Deus. A Lei coloca o foco no que o homem precisa fazer. A graça coloca o foco no que Jesus fez e ainda está fazendo em nossas vidas. Você pode aplicar esse princípio para testar qualquer ensinamento que tenha recebido.

Então, o que significa submeter todo pensamento à obediência *de* Cristo? Vejamos o que a Palavra de Deus diz acerca da obediência de Cristo e permitamos que a Bíblia interprete a Bíblia. A Palavra nos diz: "Porque, como, pela desobediência de um só homem, muitos se tornaram pecadores, assim também, por meio da obediência de um só, muitos se tornarão justos" (Romanos 5:19). O que isso significa é que, por meio da desobediência de um só homem (de Adão), todos nós nos tornamos pecadores. Mas por meio da obediência de Jesus Cristo (de um só homem) na cruz, todos nós fomos tornados eternamente justos no momento em que cremos nele. Deus quer que você coloque o foco na obediência de Jesus, não na desobediência de Adão. A desobediência de Adão o torna consciente do pecado e do juízo, enquanto a obediência de Jesus na cruz o torna consciente do perdão e da justiça!

Isso significa que não há obediência da nossa parte? Absolutamente não! Quanto mais você crer que a sua justiça vem da obediência de Jesus e não de seus próprios esforços, mais você viverá, inconscientemente, uma vida de obediência. As pessoas dizem que aqueles que pregam a graça não pregam a obediência. O que elas não percebem é que, sob a antiga aliança da Lei, a obediência era a raiz de todas as bênçãos de Deus. Mas, sob a nova aliança da graça, primeiramente Deus nos abençoa, e a obediência é o fruto.

> *Quanto mais você crer que a sua justiça vem da obediência de Jesus e não de seus próprios esforços, mais você viverá, inconscientemente, uma vida de obediência.*

Nossa obediência hoje, sob a nova aliança, começa com escolher *crer* que somos feitos justos pela *obediência de Cristo* na cruz. Não se trata da obediência legalista à Lei que muitos estão tentando trazer de volta à igreja. O apóstolo Paulo descreve a nossa obediência como "obediência por fé" (Romanos 16:26) — crer corretamente no que Jesus fez para nos tornar justos. E quando crermos assim corretamente, encontraremos a Sua graça nos motivando e concedendo poder para pensarmos e vivermos corretamente.

Todos nós já ouvimos muitas mensagens acerca de viver corretamente, mas, sabe de uma coisa? Ouço pastores lamentando que ainda há pouca vida correta nos bancos das igrejas. Minha crença pessoal é de que isso não ocorre porque os crentes querem ser ruins. Eles não estão vivendo da maneira como deveriam porque os seus sistemas de crença realmente não mudaram. A Palavra de Deus nos diz: "O justo viverá por fé" (Romanos 1:17). Você pode dizê-lo assim: *o justo viverá pela crença correta.* Quando você crê corretamente, libera o poder de Deus para viver corretamente. Quando você crer no Evangelho, o verdadeiro Evangelho que diz que você é justo por meio da obediência de Jesus (ver Romanos 5:19), você viverá corretamente. Os resultados corretos se seguirão.

Meu amigo, no tocante à obediência, certamente houve uma mudança por causa da cruz de Jesus. Sob a antiga aliança da Lei, você tinha de obedecer antes de Deus abençoá-lo. Mas, sob a graça, Deus o abençoa primeiro e, depois, a obediência é o fruto. Quanto mais você crer corretamente que se tornou justo e abençoado por meio da obediência de Cristo, mais você verá o fruto da obediência em sua vida. Uau! Jesus seja louvado por Sua maravilhosa graça!

O Inimigo Não Joga Limpo

O inimigo só pode fazer incursões em sua vida quando lhe mostra, com sucesso, a sua obediência, ou a falta dela, para determinar o seu posicionamento com Deus. Ele usará a desinformação para fazer com que você se sinta podre, sujo e imundo, mesmo que, em Cristo, você já seja totalmente justo. Não se esqueça: o diabo não joga limpo.

Ao longo dos anos, percebi que outra das estratégias do inimigo envolve semear um mau pensamento em sua mente e, em seguida, rapidamente se virar para condená-lo por aquele mesmo pensamento que ele plantou. Ele dirá: "Que tipo de pessoa suja e podre é você? Como você pode pensar isso? Você é nojento!" Ele o acusará, condenará e depreciará, e continuará enfatizando as áreas em que você falhou.

Mesmo quando você faz a coisa certa, nunca é suficiente. Se você ler um capítulo da Bíblia, ele lhe mostrará alguém que leu dois capítulos. Ele é um crítico constante. Se você cometeu um erro, ele continuará insistindo em sua desobediência. Se o diabo conseguir ter sucesso em fazer com que você foque na sua obediência, ou na falta dela, em vez de na obediência de Jesus, ele terá sucesso em todos os seus jogos mentais com você. É por isso que, quando você focar seu pensamento na *sua* desobediência, você será desencorajado, esmagado e oprimido.

Então, como você deve reagir quando pensamentos negativos ou até mesmo malignos passarem por sua mente? Antes de tudo, você precisa saber que esses pensamentos não representam você; o seu eu verdadeiro é nascido de novo em Cristo Jesus, um crente da nova criação! Quando maus pensamentos vierem, concentre-se na sua verdadeira identidade e em quem você realmente é em Cristo, pensando na cruz de Jesus. Ponha o seu foco em Sua perfeita obediência e em como Sua obediência no Calvário o torna justo, íntegro, favorecido e completo. Isso é o que significa levar cativo todo pensamento à obediência de Cristo.

Coloque o Foco na Obediência de Jesus

Scott, um irmão da Flórida, escreveu à minha equipe para compartilhar este testemunho muito encorajador:

> *Nasci e fui criado na igreja, tendo sido cristão durante toda a minha vida. Todavia, eu me esforçava para seguir a Lei, pois assim me fora ensinado, e sempre tive medo de decepcionar Deus.*
>
> *Quanto mais eu tentava ser um "bom cristão", mais culpado eu me sentia! Lutava contra a pornografia e visitava sites adultos duas vezes por dia. Exceto destruir meu computador, eu havia tentado tudo que há para romper com esse hábito, mas sempre perdia a batalha. Como resultado, afastei-me totalmente da igreja porque me sentia culpado, desprezível e indigno.*
>
> *Certo dia, minha tia me apresentou os ensinamentos do pastor Prince. Sua mensagem não era acerca da Lei, mas sim, preenchida com o ingrediente que faltava: Jesus Cristo! Tudo que o pastor Prince ensinava ressoava dentro de mim como uma nota musical perfeitamente afinada. Pela graça, meu relacionamento com Cristo foi transformado e não mais carrego aquele inimaginável fardo de culpa e vergonha. Em vez disso, sinto-me alegre o tempo todo! Também não consigo deixar de contar aos meus amigos como isso transformou o Cristianismo para mim.*
>
> *Milagrosamente, desde que o meu foco tem estado em Jesus, não na minha luta, não olhei qualquer material pornográfico!*

Hoje, sempre que luto contra a luxúria, mantenho meus olhos no perdão incondicional de Jesus e sinto alegria em vez de culpa. Jesus me limpou do meu vício e estou maravilhado!

Obrigado, pastor Prince, por trazer nova vida e alegria à minha caminhada com o Senhor. Sinto-me transformado, alegre, abençoado e muito mais! Deus seja louvado!

Ao ler essa carta, fiquei especialmente emocionado quando Scott compartilhou como o ingrediente que falta é Jesus Cristo! Quando começou a crer corretamente em Jesus, quando começou a colocar o foco na obediência de Jesus e não na sua própria desobediência, ele experimentou sua tremenda libertação!

Meu amigo, há uma verdadeira batalha pelo domínio de sua mente. Muitas pessoas sucumbem a ela quase imediatamente quando têm um pensamento pecaminoso e, então, começam a se sentir culpadas e condenadas por terem esses pensamentos pecaminosos. Os pensamentos são os gatilhos para as suas emoções. O inimigo sabe que, se conseguir levá-lo a acreditar nos pensamentos errados de derrota, ansiedade, ganância, inveja e luxúria, ele conseguirá empurrar as suas emoções em direção a sentimentos de culpa, medo e condenação. Quando você sucumbe a essas emoções tóxicas e autodestrutivas, ele consegue envolvê-lo ainda mais e tentá-lo a agir segundo esses pensamentos pecaminosos.

❖ *Os pensamentos são os gatilhos para as suas emoções.*

Oro para que, hoje, você seja capaz de ver que, por meio do poder da crença correta, você pode romper vitoriosamente com esse círculo vicioso de derrota. Na próxima vez em que você tiver pensamentos negativos, pare e olhe para a obediência de Cristo.

Veja a cruz. Veja Jesus. Veja-o lavando a sua mente com o Seu precioso sangue.

Amado, sua nova identidade de justo está em Cristo Jesus. E, como Ele é, assim é você neste mundo!

CAPÍTULO 11

VITÓRIA SOBRE OS JOGOS MENTAIS DO INIMIGO

❖

Vários anos antes do início das transmissões de meu ministério na TV dos Estados Unidos, recebi uma carta de Max, da marinha norte-americana, que havia passado por Singapura e tido um encontro transformador com o Evangelho da graça. Sua carta contava uma linda história, mais bem contada em suas próprias palavras:

> *Pastor Prince, há algum tempo tenho desejado escrever a você para compartilhar o que Deus tem feito na minha vida por meio da experiência que vivi em Singapura. Não consigo lhe dizer como sou grato a Deus por ter sido milagrosamente levado à sua igreja.*
>
> *Sou aluno da Academia Naval dos Estados Unidos e daqui a quatro meses serei comissionado como oficial dos Fuzileiros Navais. Sou cristão há cerca de três anos, mas, durante bem mais de um ano, estive em forte cativeiro. Como você, estava convencido de que havia cometido o pecado imperdoável. Para mim, a graça era uma coisa ruim. Eu sabia que merecia ir para o inferno sob o Antigo Testamento e, por Jesus ter vindo e eu ainda pecar, sentia-me totalmente merecedor do inferno. Assim, em meu coração, eu desejava que Jesus nunca tivesse*

vindo. Para encurtar a história, fiquei desesperado. Estava disposto a fazer qualquer coisa para encontrar a paz com Deus.

Infelizmente, não percebia que meu foco em fazer mais para Deus só me afastava mais da paz que eu tão desesperadamente desejava. Em pouco tempo, tornei-me muito crítico. Isoleime dos meus amigos cristãos e até convenci alguns de que eles estavam a caminho do inferno comigo. Não consigo lhe dizer o desespero e a angústia que senti naquele ano. Na noite de 18 de abril de 2001, escrevi em meu diário: "Quanto eu não pagaria a alguém para me mostrar o caminho para o Senhor — não para uma religião, mas para o Deus vivo". Mal sabia eu, naquele tempo, que Deus estava preparando o meu coração, pois, quinze páginas depois no mesmo diário, eu estava escrevendo palavras de esperança e alegria.

No fim do meu primeiro ano, recebi ordens para ir de submarino até a Tailândia. No dia antes de minha partida, disseramme que não mais iríamos à Tailândia, mas a Singapura. Os primeiros quatro dias após minha chegada a Singapura foram gastos com passeios turísticos. Certa noite, fui com todos os oficiais a um bar. O bar era especialmente desagradável, e saí mais cedo com um amigo.

Em meu caminho de volta para o hotel, orei ao Senhor desesperadamente por alguma comunhão. Despedi-me de meu amigo e continuei andando pela rua movimentada. Então, para minha surpresa, ouvi um homem me perguntar: "Você está procurando uma igreja?" É claro que eu disse sim àquele homem, que acabei descobrindo ser um membro de sua igreja. Ele me deu o número de telefone de sua casa e as instruções para chegar à igreja. Ele me disse que haveria culto de estudo bíblico no dia seguinte. Nós só conversamos durante aproximadamente um minuto antes de cada um seguir seu caminho.

Sou grato por ter conseguido participar do culto de estudo bíblico na noite da sexta-feira. Eu ainda era muito crítico e, por isso, estava questionando tudo, mas a mensagem que ouvi era diferente de tudo que havia ouvido antes. Depois, no domingo, novamente assisti ao culto em sua igreja e encomendei treze das suas fitas. Como disse anteriormente, eu estava disposto a tentar qualquer coisa para encontrar com Deus, embora realmente não pensasse que essas fitas fossem me impactar. Naquele dia, parti com o submarino e escutei a mensagem "Vencendo a Batalha de Sua Mente" umas oito vezes seguidas.

Minha vida nunca mais foi a mesma. Ouvi as outras fitas e tive meu primeiro vislumbre da graça de Deus. Quando voltei aos Estados Unidos após apenas três semanas no submarino, minha mãe percebeu uma grande mudança na minha atitude. Onde antes havia depressão, havia alegria. Onde antes havia uma atitude crítica, havia amor. Quando voltei à academia em agosto, dei as fitas aos amigos a quem eu havia convencido de que estavam indo para o inferno comigo. Na vez seguinte em que os vi, eles estavam cheios de alegria!

Minha esperança e desejo é que este e-mail o incentive. Oro para que, algum dia, Deus possa me usar para levar essa Sua mensagem às igrejas da América e ao Corpo de Fuzileiros Navais. Agradeço-lhe por todas as orações que você possa fazer por mim. Oro para que, algum dia, eu consiga visitar novamente Singapura e a sua igreja. Sei que se espera que os fuzileiros sejam durões, mas meu desejo de comunhão com você e sua igreja é tão grande que, às vezes, quase me leva às lágrimas. Desejo ansiosamente ouvir novas fitas algum dia. Que a graça e a paz de Deus estejam com você e sua família.

A história de Max não termina aqui. Curiosamente, dois anos após receber seu *e-mail*, um dos oficiais da Marinha a quem ele dera as minhas fitas nos escreveu para contar como a sua própria vida também fora incrivelmente transformada pelas mensagens. Ao nos contar a sua história, Robby mencionou Max, e como dois anos após sua viagem a Singapura ele se tornara um oficial muito respeitado na formação de pilotos de jato e um homem que se destacava entre os seus pares. O amor e a graça de Deus que o haviam libertado também o transformaram em alguém que (nas palavras de Robby) "tinha tanto amor e alegria de Deus nele, que as pessoas simplesmente queriam estar perto dele".

Que impressionante testemunho da graça de Deus! Lembro-me de ser muito encorajado pelo que o Senhor fizera por Max ao receber seu primeiro *e-mail*, cerca de doze anos atrás. Naquela época, em 2002, Deus estava começando a me mostrar como o Evangelho da graça precisava ir além das quatro paredes de nossa igreja local, em Singapura. E cerca de cinco anos mais tarde, Deus abriu as portas para nós, e começamos nossa primeira transmissão televisiva nos Estados Unidos em abril de 2007. Hoje, transmitimos para mais de duzentos países, por mais de sessenta redes de televisão em todo o mundo e alcançamos milhões de pessoas com o Evangelho da graça. Agora, há uma revolução da graça varrendo o globo!

Todos os dias, somos contatados por pessoas preciosas como Max, que escrevem para compartilhar como suas vidas foram totalmente transformadas quando começaram a crer corretamente na pessoa de Jesus. Sempre que Wendy e eu lemos os *e-mails* e cartas que recebemos da equipe ministerial, sentimo-nos profundamente honrados e gratos a Jesus por tudo que Ele fez e continua a fazer nessas vidas.

Acredito, de todo o meu coração, que você é o próximo da fila. O que quer que você necessite — seja libertação, milagre, cura, restauração ou livramento — está muito perto. Você pode até não estar consciente disso, mas Deus já começou uma obra em você e, certamente, Ele a concluirá em sua vida.

> ❖ *O que quer que você necessite — seja libertação, milagre, cura, restauração ou livramento — está muito perto.*

Há muitas verdades poderosas na mensagem que Max ouviu oito vezes seguidas quando estava no submarino. Eu realmente gostaria de abençoar você com essa mensagem. Livros são poderosos, mas há algo especial em ouvir a Palavra pregada. Se você estiver interessado, acesse josephprince.com/power para fazer o *download*[1*] da mensagem de áudio gratuita. Acredito que esse recurso irá ajudá-lo a receber um novo elemento para vencer a batalha por sua mente.

Jogos Mentais do Inimigo

O diabo gosta de jogos mentais. Quando eu era um crente jovem e impressionável, fui ensinado erroneamente que um cristão poderia cometer o que se tornou conhecido como "o pecado imperdoável" ao blasfemar contra o Espírito Santo. O simples pensamento de que eu poderia cometer esse pecado me colocou sob forte opressão. Aquele pensamento abriu a porta para todos os tipos de experiências terríveis em minha vida.

Eu estava realmente preocupado por já ter cometido o pecado imperdoável e estar com uma passagem só de ida para o inferno. Quanto mais eu resistia, mais tinha todos os tipos de pensamentos blasfemos acerca do Espírito Santo quando orava e até mesmo quando estava adorando a Deus com sinceridade. Foi uma experiência angustiante, com o diabo implacavelmente oprimindo e atacando minha mente com todos os tipos de maus pensamentos.

Então, o que é o "pecado imperdoável"?

O pecado imperdoável é simplesmente o pecado de um descrente rejeitar continuamente Jesus como seu Salvador. Por não aceitar o presente gratuito da salvação de Deus, ele está dizendo: "Eu não preciso de Jesus. Eu posso muito bem salvar a mim mesmo". Era isso o que os fariseus hipócritas estavam fazendo nos tempos de Jesus,

---

* Áudio da mensagem disponível somente em inglês. No idioma original em inglês, essa mensagem se chama *Winning the Battle of Your Mind.* (N. do T.)

bem diante dele. Apesar de todos os milagres surpreendentes da graça que Jesus realizou pelo poder do Espírito Santo, eles se recusavam teimosamente a crer que Ele era o Messias. Chegaram a ter a audácia de dizer que Seu poder e autoridade vinham de um espírito maligno (ver Mateus 12:24)!

Meu amigo, portanto, é impossível para você, como crente, cometer esse pecado, porque você *já recebeu* Jesus como seu Salvador. Além disso, não há absolutamente pecado algum que Seu sangue já não tenha limpado de você. Todos os seus pecados foram perdoados e desculpados por meio de Sua obra consumada na cruz. Esse é um trabalho imaculado. Jesus não deixou um único pecado sequer.

Foi por isso que o apóstolo Paulo, que escreveu dois terços do Novo Testamento, nunca mencionou o "pecado imperdoável" em qualquer de suas epístolas às igrejas. Não lhe parece que, se os cristãos pudessem cometer esse pecado e perder sua salvação, Paulo o teria mencionado pelo menos uma vez?

Infelizmente, na época, ninguém me ensinou a graça de Deus e eu vivi sob essa nuvem escura de opressão mental durante mais de um ano. Você consegue imaginar isso — um único pensamento me manteve em cativeiro durante um período tão longo! E foi por meio dessa experiência traumatizante que aprendi sobre os jogos mentais do diabo.

Como compartilhei no capítulo anterior, o diabo sabe como usar o pronome pessoal para enganá-lo. Em vez de me dizer descaradamente: "Você cometeu o pecado imperdoável", eu ficava ouvindo em minha mente: "*Eu* cometi o pecado imperdoável". E em função de eu crer erradamente que um crente poderia cometer esse pecado, isso reforçava as mentiras do diabo em minha cabeça. Eu ouvia constantemente pensamentos como: "Blasfemei contra o Espírito Santo", "*Eu* cometi o pecado para o qual não há perdão" e "*Eu* falhei e decepcionei a Deus". O inimigo sempre incluía o pronome "EU", apesar de, todo aquele tempo, ser ele quem estava plantando aquelas ideias erradas e passando esses pensamentos blasfemos por minha mente.

Quando eu orava a Deus e aqueles pensamentos errados, às vezes vulgares, entravam; geralmente, minha resposta era: "Oh meu Deus! O que há de errado comigo? Eu sou um cristão, não deveria ter esses tipos de pensamentos". Em outros momentos, o diabo me confrontava com acusações como: "Como você pode ter esses pensamentos?", "Que tipo de pessoa doente é você?" ou "Como você pode pensar coisas tão desagradáveis contra aquela pessoa e ainda se chamar de cristão?"

Você já passou por isso? O inimigo é um especialista em lançar pensamentos em sua mente e, em seguida, recuar e ir até você como um legalista para acusá-lo com exatamente os pensamentos que ele havia colocado em sua mente.

Vencendo a Batalha

A chave para vencer a batalha por sua mente é aprender a se separar dos maus pensamentos plantados pelo inimigo. Esses pensamentos não são seus! Você não é responsável por esses pensamentos, tanto quanto não é responsável por qualquer coisa profana dita por alguém que esteja em sua presença.

> ❖ *A chave para vencer a batalha pela sua mente é aprender a se separar dos maus pensamentos plantados pelo inimigo.*

Da mesma maneira, sempre que o diabo semear pensamentos errados em sua mente, sua parte é saber que esses pensamentos malignos ou impuros não vêm de você. Ignore-os com uma crença firme em seu coração de que os pensamentos não vêm de você. Creia, sem sombra de dúvida, que você é a justiça de Deus e simplesmente ignore esses pensamentos como você ignoraria uma pessoa que estivesse falando coisas absurdas em sua presença. Não dê a esses pensamentos qualquer peso.

Minha opressão mental durou um ano porque sempre senti que tinha de fazer algo a respeito. Já lhe aconteceu de se sentir como se *tivesse de fazer* alguma coisa? Bem, eu me sentia responsável por aqueles pensamentos em minha mente e, no momento em que acreditei que aqueles pensamentos horríveis eram meus, o diabo me deixou exatamente como ele queria — derrotado, culpado e sentindo-me condenado. *Toda grande escravidão começa na mente.*

A Palavra de Deus nos diz: "Resisti ao diabo, e ele fugirá de vós" (Tiago 4:7). Você sabe qual é a mais elevada forma de resistência? Simplesmente ignorar os pensamentos do diabo! As mulheres entendem bem disso. Elas sabem que a melhor maneira de resistir a um homem é simplesmente ignorá-lo. Imagine uma senhora passando por um canteiro de obras e todos os homens começando a assoviar para ela. Uma mulher de cabeça fria simplesmente continuará andando, ignorando os assovios deles. Ela sabe que é melhor fazer isso do que lhes responder, gritando para pararem.

Quanto a mim, quando estava preso na opressão mental, eu repreendia o diabo toda vez que um mau pensamento flutuava pela minha mente. Como você pode imaginar, acabei repreendendo o diabo *o tempo todo*. No fim do dia, meu foco e consciência estavam mais no diabo do que em Deus! Deus não quer você consciente do diabo; Ele quer você consciente de Jesus. Você vence a batalha por sua mente simplesmente ignorando o inimigo. Não pense que você precisa fazer algo com aqueles pensamentos. Quando o diabo sugere coisas à sua mente, simplesmente ignore-o. A guerra espiritual não precisa ser combativa. Ela pode ser calma, pacífica, simples e fácil. É tudo uma questão de ver a obra consumada de Jesus.

❖ *Você vence a batalha por sua mente ignorando o inimigo.*

A Resposta É Simples

Muitos anos após minha experiência com a opressão mental, de fato, após eu já estar pregando o Evangelho da graça, deparei-me com a autobiografia de John Bunyan. Ao lê-la, descobri que ele — aquele respeitado pregador inglês do século dezessete que escreveu o *best-seller O Peregrino* — havia passado por uma experiência com um tormento mental muito parecida com a minha, na qual sua mente também era constantemente atormentada por pensamentos blasfemos contra Deus.

Nessa autobiografia, *Graça Abundante Para o Principal dos Pecadores*, Bunyan compartilhou como, durante aquele terrível tempo, "todo o meu conforto me foi tirado; então a escuridão se apoderou de mim; após o que, inundações de blasfêmias, contra Deus, Cristo e as Escrituras, foram derramadas sobre o meu espírito, para minha grande confusão e espanto... Muitas vezes, encontrei minha mente dedicando-se, repentinamente, a praguejar e blasfemar, ou a falar alguma coisa grave contra Deus, ou seu Filho Cristo, e as Escrituras".[1]

Quando li aquilo, fiquei surpreso, mas também fortemente encorajado por alguém como John Bunyan ter passado pela mesma situação que eu.

No entanto, ainda mais importante para mim foi como a liberdade e a vitória por fim chegaram a ele. Certo dia, quando Bunyan passava por um campo, ainda tendo pensamentos e medos de não estar bem com Deus, "de repente", disse ele, "essa sentença caiu sobre a minha alma: a tua justiça está nos céus". Ele prosseguiu: "Eu vi, com os olhos da minha alma, Jesus Cristo à direita de Deus; lá, eu digo, estava a minha justiça; de modo que, onde quer que eu estivesse ou o que quer que eu estivesse fazendo, Deus não poderia dizer de mim:

ele quer a minha justiça, porque ela estava bem diante dele. Além disso, vi também que não era a boa disposição de meu coração o que tornava melhor a minha justiça, nem mesmo a minha má disposição o que piorava a minha justiça; pois minha justiça era o próprio Jesus Cristo, 'o mesmo ontem e hoje, e para sempre'".[2]

Como você vence essa batalha por sua mente? Meu amigo, a resposta se encontra na pessoa de Jesus. Ele é a sua justiça. A sua justiça é uma pessoa. Ele está no céu e nunca pode ser removido, independentemente do que você tenha ou não tenha feito. A sua justiça é o próprio Jesus Cristo, e Ele é o mesmo ontem, hoje e para sempre (ver Hebreus 13:8)!

Portanto, não seja enganado por mais tempo. O apóstolo Paulo diz: "Mas receio que, assim como a serpente enganou a Eva com a sua astúcia, assim também seja corrompida a vossa mente e se aparte da simplicidade e pureza devidas a Cristo" (2 Coríntios 11:3). O Evangelho é simples. Ele só se refere a Jesus. Ele não se refere a você. Cristo é a nossa justiça. Cristo é a nossa obediência. Cristo é a nossa santificação. Cristo é a nossa justificação. Glorie-se e orgulhe-se em Cristo, e somente em Cristo. O inimigo tentará fazer parecer que tudo se refere a você. Mantenha isso simples. Diferentemente de Eva, não se deixe enganar pela astúcia dele. Ignore-o e concentre-se apenas na simplicidade que há em Cristo.

Transforme Sua Mente

No Novo Testamento, "arrependimento" é a palavra grega *metanoia*, que significa simplesmente "transformação da mente".[3] *Meta* significa "mudança" e *noia* se refere à sua mente. Certas pessoas religiosas têm a ideia de que arrependimento significa rastejar na sujeira e condenar-se até sentir que conquistou suficientemente o perdão de Deus por meio de sua contrição.

Minha pergunta é: o quão condenadas e tristes essas pessoas precisam estar antes de terem realmente "se arrependido"? E após terem "se arrependido", caso falhem novamente na mesma área, isso significa que elas realmente não "se arrependeram" totalmente na primeira vez? Nem por um momento duvido da sinceridade das pessoas que acreditam em "arrependimento" dessa maneira. Todavia, você pode ser sincero em sua intenção, mas ainda estar sinceramente errado quando o arrependimento não se baseia na crença correta que leva à transformação interior do coração.

O que estou dizendo é que você pode bater no peito com tristeza, vestir-se de pano de saco e cinzas, chorar até não mais poder no altar, e ainda ir para casa inalterado. Tristeza não é igual a transformação. Crer corretamente é o que traz o verdadeiro arrependimento (transformação da mente) e, portanto, a genuína transformação. É impossível arrepender-se verdadeiramente ao modo da Bíblia — experimentar Jesus, Seu amor, graça e poder e permitir que Ele transforme a sua mente e o seu sistema de crenças — e ainda permanecer igual.

Crer corretamente é o que traz o verdadeiro arrependimento (transformação da mente) e, portanto, a genuína transformação.

Você consegue ver como ensinamentos centrados no homem acerca de contrição e arrependimento podem parecer muito bons, mas, na realidade, aprisionar as pessoas em um ciclo permanente de derrota e hipocrisia? Deixe-me dizer-lhe o seguinte: se você é um cristão nascido de novo e cometeu um erro ou falhou, ninguém precisa ensiná-lo a entristecer-se. Como nova criatura em Cristo, você já odeia o pecado e a transgressão. Isso incomoda a sua alma e há um gemido por liberdade. A verdade é que você está procurando uma maneira de sair de seu cativeiro. O arrependimento de que você necessita — a transformação da mente de que você necessita — é saber que Deus já o perdoou. Pare de se condenar e ande em Sua justa identidade em direção a novos níveis de vitória sobre o pecado.

Agora que você compreende o que é o arrependimento da Bíblia, vamos usá-lo para vencer a batalha por sua mente. Quando pensamentos errados entram em sua mente, o arrependimento — ou a transformação da mente — de que você necessita é saber que esses pensamentos não pertencem a você. Nessa situação, o arrependimento não é esmurrar-se por ter esses pensamentos. Eu costumava fazer isso, o que só me deixava mais oprimido e derrotado. Não, não lhes dê espaço para florescerem! Ignore-os enquanto você continua a estar estabelecido e seguro em sua identidade em Cristo. Encha sua mente com Seus pensamentos, Sua Palavra viva, paz, alegria e amor.

E é por isso que, toda vez que você ouve uma pregação ou lê livros centrados em Jesus e não no homem, o arrependimento está acontecendo. Mensagens e recursos ungidos cheios de Jesus o libertam do pensamento errado e calibram o seu crer e pensar, de modo que suas crenças e pensamentos estejam alinhados com a Palavra de Deus. E, agora, você já deve saber que a crença correta e o pensamento correto sempre produzem resultados corretos em sua vida.

A crença correta e o pensamento correto sempre produzem resultados corretos em sua vida.

Como Deus Avalia os Seus Pensamentos

No capítulo 6, falamos do peitoral do sumo sacerdote e de como o Senhor nos representa como gemas preciosas próximas ao Seu coração. Aqui, quero desvendar a importância de outro item usado pelo sumo sacerdote: a placa de ouro em torno de sua testa.

O sumo sacerdote usa em sua testa uma placa de ouro com as palavras "Santidade ao Senhor".

Você pode ler a respeito dessa placa de ouro em Êxodo 28:36, 38: "Farás também uma lâmina de ouro puro e nela gravarás à maneira de gravuras de sinetes: SANTIDADE AO SENHOR... E estará sobre a testa de Arão, para que Arão leve a iniquidade concernente às coisas santas... sempre estará sobre a testa de Arão, para que eles sejam aceitos perante o SENHOR".

No Antigo Testamento, Arão foi o primeiro sumo sacerdote de Israel. O sumo sacerdote de Israel é uma representação de nosso Senhor Jesus Cristo, nosso Sumo Sacerdote permanente hoje. Deus instruiu que essa placa dourada da mitra (vestimenta da cabeça), que tem gravadas nela as palavras hebraicas *Kadosh Le Yahweh*, deveria estar sempre na testa do sumo sacerdote. A gravação significa "Santidade ao Senhor", e o sumo sacerdote tinha de tê-la sempre em sua testa, para que todo o Israel fosse aceito diante de Deus. O significado disso é que, mesmo quando falhava *em pensamentos*, Israel ainda era aceito por Deus, porque Ele julgava a nação de Israel com base em seu sumo sacerdote. Se o sumo sacerdote era aceito, a nação inteira era aceita.

Hoje temos um Sumo Sacerdote perfeito em Cristo. Não são os seus pensamentos que o qualificam para ser aceito por Deus. Sob a nova aliança da graça, Deus não está mais julgando-o com base em seus pensamentos. Deus o julga com base em Seu Filho. Se Ele é justo, Deus o vê como justo. Se Ele é abençoado, Deus o vê como abençoado. Se Ele está sob o favor límpido de Deus, Deus o vê como sob o Seu favor límpido. Se os Seus pensamentos são sempre perfeitos e plenos de santidade para com Deus, Deus vê os seus pensamentos como perfeitos em Cristo!

Como você vê, não há detalhes insignificantes na Bíblia. Agora, não pense que hoje, no céu, Jesus está vestido como um sumo sacerdote do Antigo Testamento. O vestuário, o peitoral e a mitra são apenas recursos visuais que Deus descreve na Bíblia para nos mostrar o que é verdadeiro acerca do nosso Senhor Jesus e de nossa perfeição nele.

Hoje, quando o diabo vier atormentar a sua mente, mostre-lhe Jesus. Os pensamentos de Jesus são sempre santos. Lembre-se de como a placa de ouro está sempre em torno da testa do seu Sumo Sacerdote e Seus pensamentos são sempre plenos de santidade a Deus. Leia novamente Êxodo 28:38: "Sempre estará sobre a testa de Arão, para que eles sejam aceitos perante o SENHOR". Portanto, mesmo quando os seus pensamentos não forem sempre perfeitos, saiba que os pensamentos de Jesus são sempre perfeitos. E é por causa da Sua perfeição que você é *sempre* aceito nele diante de Deus. Deus nunca irá rejeitá-lo porque os seus pensamentos são imperfeitos. Ele está olhando para Jesus e, por Seus pensamentos serem santos, você é aceito!

Quando o diabo vier atormentar a sua mente,
mostre-lhe Jesus.

Amado, que grande garantia e segurança temos em Cristo! Nossos pensamentos podem vacilar, mas os pensamentos dele são sempre perfeitos. Creia que você é sempre aceito e aprovado por causa de Jesus. É isso que significa levar todo pensamento cativo à perfeita obediência de Cristo (ver 2 Coríntios 10:5), e em Cristo você sempre vencerá a batalha por sua mente!

CAPÍTULO 12

CUIDADO COM O LEÃO QUE RUGE

❖

Uma das maiores lutas que as pessoas enfrentam na batalha por suas mentes é a crença errada de que Deus está zangado com elas. O diabo sabe que se ele pode fazê-lo acreditar que Deus está com raiva de você, pode mantê-lo preso no medo, derrota e escravidão.

Quero expor essa mentira do diabo e mostrar-lhe, pela Palavra de Deus, que Ele não está com raiva *de você*. Ele é louco *por você*! Deus o ama apaixonadamente e quer que você tenha total garantia e confiança em Seu amor.

Para ser vitorioso na batalha por sua mente, é importante você acreditar, de todo o coração, que Deus é por você e não contra você. Quando você usa as armas da crença correta para prevalecer contra as astutas ciladas do diabo, a Bíblia chama isso de ser forte no Senhor:

> *Quanto ao mais, sede fortalecidos no Senhor e na força do seu poder. Revesti-vos de toda a armadura de Deus, para poderdes ficar firmes contra as ciladas do diabo; porque a nossa luta não é contra o sangue e a carne, e sim contra os principados e potestades, contra os dominadores deste mundo tenebroso, contra as forças espirituais do mal, nas regiões celestes.*
>
> — Efésios 6:10–12

Deus quer que você seja edificado, estabelecido e forte em Seu amor e graça por você. Acredite no Seu amor e vista toda a armadura de Deus para poder ser capaz de resistir às ciladas do inimigo.

A Armadura de Deus é Crer Corretamente

Quando eu era um jovem crente, sempre que ouvia falar em "vestir toda a armadura de Deus", imaginava Bruce Wayne vestindo a armadura e os acessórios de sua *Bat-roupa.* Clique. Ele fecha seu cinto de utilidades. Clique. Ajusta sua capa. Clique. Coloca sua máscara. Em função de todos os livros que lera, eu até costumava fazer mentalmente os movimentos de vestir a "armadura de Deus" todas as manhãs, imaginando-me colocando meu capacete, minha couraça e todas as outras peças da armadura antes de sair de casa. Se não fizesse isso, eu realmente me sentia espiritualmente nu e, acredite em mim, essa não é uma boa sensação.

Mas a armadura de Deus não é isso.

A armadura de Deus é crer corretamente! A batalha é por sua mente, e é a crença correta o que o mantém protegido e seguro do ataque do inimigo contra a sua mente na forma de mentiras, pensamentos negativos e concepções malignas.

Como Vestir a Armadura de Deus

Vamos repassar toda a armadura de Deus (ver Efésios 6:10-20) e observar como a crença correta em tudo que Jesus fez sempre nos levará à vitória.

Comecemos com o cinto da verdade. Quando o diabo vier contra você com as suas mentiras acerca de você, cinja a sua cintura com o cinto da verdade. O diabo não poderá enganá-lo se você estiver estabelecido no que a Palavra de Deus diz sobre você. Ele só pode fazer incursões em sua mente quando você não sabe ou não tem certeza do que diz a Palavra de Deus. É por isso que incentivo as pessoas a estudarem a Palavra de Deus e ouvirem mensagens repletas da graça e da verdade de Deus. Encha sua mente e seu coração com a verdade e, certamente, você derrotará o inimigo.

> ❖ *O diabo não poderá enganá-lo se você estiver estabelecido no que a Palavra de Deus diz sobre você.*

Em segundo lugar, já sabemos que o diabo tentará atacá-lo com todos os tipos de acusações e pensamentos condenatórios, para fazer com que você se sinta culpado e péssimo consigo mesmo. É por isso que, quando você está estabelecido no presente da justiça, seus ataques contra você não prevalecem. Todos os dardos inflamados de acusações do diabo são ineficazes contra a couraça da justiça que protege o seu coração contra todo medo, culpa e condenação.

E quando ele vier contra você com pensamentos de medo, dúvida e confusão, permaneça forte e defenda-se com o escudo da fé. No tempo do apóstolo Paulo, um escudo se referiria ao tipo de escudo enorme usado pelos romanos. Então, não imagine um escudo minúsculo. Esse escudo é grande como uma porta! Veja a sua fé como um poderoso escudo e imagine o seguinte: enquanto o seu escudo da fé está erguido, você é intocável. Não importa quantos dardos inflamados o diabo possa lançar contra você, TODOS eles serão extinguidos. Um número demasiado de cristãos está, em vez disso, tomando o escudo da dúvida e extinguindo as bênçãos de Deus. Não se deixe ser assim — *enfrente o seu futuro com ousadia e o poderoso escudo da fé.*

Ora, o inimigo também irá tentar roubar a alegria que você tem em função do Evangelho da paz, ilustrado aqui como as sandálias. Mas, quando ele vier, certamente o Deus de paz esmagará Satanás sob os seus pés.

Outra área que o diabo gosta de atacar em sua mente é a área da sua salvação. Quando você estiver sendo atacado, certifique-se de estar usando o capacete da salvação. A palavra "salvação" vem de uma linda palavra grega, *soteria*. Ora, não cometa o erro de compreender a salvação como apenas o presente da vida eterna. Definitivamente, ela inclui a vida eterna, mas a palavra *soteria* significa, realmente, muito mais. É uma palavra abrangente que significa livramento (de seus inimigos, doenças, depressão, medos e todos os males), preservação, segurança e salvação.[1] Então, coloque o capacete da salvação meditando em Jesus, e encha-se de integridade, proteção, cura e sanidade de Deus. Deixe a Sua *soteria* guardar a sua mente contra as mentiras do inimigo.

Finalmente, você foi também equipado com a espada do Espírito, que é a Palavra de Deus. Empunhe a espada do Espírito orando no Espírito e declarando a Palavra de Deus sobre a sua situação. Declare Suas promessas e a verdade da Sua graça sobre você e as circunstâncias para proteger o seu coração contra pensamentos de desesperança e medo.

Meu amigo, da mesma maneira que a batalha por sua mente não é física, toda a armadura de Deus também não é uma armadura física. Em vez disso, ela tem tudo a ver com aquilo que você crê em Cristo. Quando você crê corretamente, o diabo nada pode fazer com você. Toda estratégia maligna que ele tiver contra você, certamente fracassará. Por isso, seja forte no amor do Senhor por você. Creia que Deus é por você e não contra você. Sua verdade, justiça, fé, Evangelho, salvação, Palavra e Seu Espírito são, todos eles, armas da crença correta para protegê-lo contra todos os ataques do diabo.

Seja forte no amor do Senhor por você. Creia que Deus é por você e não contra você.

Sendo "Indevorável" diante do Leão que Ruge

O diabo não quer que você seja forte no amor do Senhor por você. Em vez disso, ele quer que você questione o amor de Deus por você. Para conseguir isso, uma de suas principais estratégias é tentar fazer com que você pense que Deus está com raiva de você.

A Palavra de Deus nos diz que o diabo anda ao redor como um leão que ruge, procurando a quem *possa* devorar. Dou graças a Deus por dizer que ele está "procurando a quem possa devorar" (1 Pedro 5:8, NVI). Isso significa que ele não pode simplesmente devorar alguém. Ele precisa procurar aqueles a quem ele *possa* devorar. Alguns de nós somos "indevoráveis". Essa palavra pode não existir, mas certamente descreve um ótimo lugar para se estar quando o inimigo está à espreita de sua próxima vítima.

Quero ensinar-lhe a como se tornar "indevorável" pelo diabo. O segredo está no versículo anterior, 1 Pedro 5:7: "Lançando sobre ele toda a vossa ansiedade, porque ele tem cuidado de vós". Percebe? O segredo para ser "indevorável" é estar despreocupado e não ficar atolado em ansiedades e preocupações! É rir muito, aproveitar a vida e não pensar no amanhã.

Para a mente legalista, isso parece terrivelmente irresponsável. Todavia, na mente de Deus, a sua maior responsabilidade é alegrar-se sempre no Senhor e não se preocupar com seus fracassos passados, suas circunstâncias atuais e seus futuros desafios! Por quê? Por causa do que a graça de Deus já fez por você. E porque Aquele que tem poder sobre a morte está cuidando de você e zelando por você neste exato minuto.

> ❖ *A sua maior responsabilidade é alegrar-se sempre no Senhor e não se preocupar com seus fracassos passados, suas circunstâncias atuais e seus futuros desafios!*

Se você quer ver a vitória sobre os ataques do inimigo, aprenda a relaxar, soltar e liberar todo pensamento opressivo, preocupação e cuidado nas mãos amorosas de Jesus. Creia, de todo o coração, que Ele cuida de você e que você não está sozinho nesta jornada. Você tem um companheiro constante em Jesus nesta grande aventura chamada vida.

Penso ser interessante notar como a Bíblia nos diz que o diabo anda ao redor *como* um leão que ruge (ver 1 Pedro 5:8). Em outras palavras, ele vai até você *como* um leão, o que significa que ele não é um leão real; ele meramente se disfarça de leão. Por que ele escolhe representar um "leão que ruge"? Essa era uma pergunta que eu havia ponderado em meu coração durante um longo tempo. Então, muitos anos atrás, pouco antes de ir a Israel com um grupo de líderes no fim de 2002, Deus abriu meus olhos usando outra passagem da Bíblia. Ele me mostrou por que o diabo finge ser um leão que ruge e me ajudou a ver o tipo de medo que o diabo tenta trazer para nossas vidas. Eu nunca havia ouvido alguém pregar sobre isso, portanto essa foi uma nova revelação que recebi de Deus.

O Diabo Personifica a Ira do Rei

A passagem que Deus usou para responder à minha pergunta foi Provérbios 19:12: "Como o bramido do leão, assim é a indignação do rei; mas seu favor é como o orvalho sobre a erva". Ora, isso é o que eu chamo deixar a Bíblia interpretar a Bíblia. 1 Pedro 5:8 diz que o diabo anda ao redor como *um leão que ruge*, e Provérbios 19:12 é uma passagem paralela que revela por que o diabo escolhe fazer isso.

Quando se trata de interpretação da Bíblia, não é tão importante saber o que este ou aquele professor de Bíblia disse, ou mesmo o que o autor deste livro diz. A Bíblia é o seu melhor comentário de si mesma; então, deixe a própria Bíblia explicar-se e revelar o coração de Deus por você.

Ora, quem é o "rei" de Provérbios 19:12? Aqui, o rei é o nosso Senhor Jesus. Ele é o verdadeiro Rei dos reis (ver Apocalipse 17:14; 19:16). Antes de decompor isso ainda mais, deixe-me primeiro estabelecer que você *não* é o objeto da Sua ira. Quando o Rei está com raiva, Ele está com raiva da injustiça, do diabo e do que ele está fazendo na sua vida.

Quando Jesus olha para uma pessoa cheia de doença, Ele está com raiva da doença, mas ama a pessoa. Deus ama o pecador, mas odeia o pecado. Se alguém que você ama tem câncer, você odeia o câncer, mas ama a pessoa. Deus odeia o divórcio, mas ama os divorciados. Deus odeia a embriaguez, mas ama as pessoas embriagadas. Deus odeia o pecado, mas ama o pecador.

Deus odeia o pecado em virtude do que ele faz com os objetos de Seu amor. O pecado destrói vidas. Destrói casamentos, afasta as pessoas e impede Seus filhos de viver suas vidas ao máximo. Jesus ama as pessoas e foi por isso que Ele pagou o preço extremo na cruz e, de uma vez por todas, nos resgatou do poder do pecado. Em Cristo, você não tem de viver na escravidão do pecado!

Então, sejamos cem por cento claros: a ira de Deus é dirigida contra qualquer coisa maligna que procura nos destruir. Sua raiva e ira não são dirigidas a nós, Seus filhos. Sua ira por todos os nossos pecados foi totalmente exaurida na cruz.

Mas o diabo vai até você todo vestido como um leão, representando o Rei. Ele quer dar a você a impressão de que Deus está com raiva de você, mesmo que não esteja.

Sejamos claros em relação a outra coisa: há um único leão verdadeiro, que é o Leão de Judá, Jesus Cristo (ver Apocalipse 5:5), o Rei dos reis. O diabo anda ao redor *como* um leão que ruge, porque está fingindo ser Jesus e tentando intimidá-lo por meio da impressão de que Deus está com raiva de você. O diabo é um impostor! Ele quer fazer com que você se sinta alienado e separado de Jesus. Ele quer que você pense que Jesus está dizendo: "Não estou satisfeito com você. Estou realmente decepcionado com você. Como você pode cometer tal erro?" Meu amigo, quando você se descobre pensando assim, precisa saber que não é Jesus. Jesus não fala assim.

Medo e Amor Não Podem Coexistir

Infelizmente, muitos crentes sinceros e bem-intencionados caem na armadilha do diabo e acabam com a crença errada de que Deus está decepcionado e bravo com eles. Em função disso, começam a se sentir hipócritas. Param de frequentar a igreja, param de ler a Bíblia, param de ouvir pregações e param de conversar com Deus em oração, não porque são pessoas más, mas porque são realmente pessoas sinceras e responsáveis que acreditam que Deus está realmente bravo com elas.

Elas amam o Senhor, mas em função dessa crença errada de que Ele está irado com elas, começam a dar passos premeditados para evitar Deus. Quando isso acontece, você sabe quem venceu? O diabo, que anda ao redor como leão que ruge.

Existem também alguns crentes que podem nem saber que o diabo rugiu para eles, mas realmente acreditam que estão aquém das expectativas de Deus e o irritaram. Vivem em um constante estado de tentar apaziguar e agradar a esse Deus irado. Em vez de desfrutar de um doce relacionamento íntimo com Jesus, eles se sentem como se estivessem sempre pisando em ovos no tocante à sua caminhada com o Senhor.

Se você já teve tais pensamentos acerca de Deus, gostaria de compartilhar com você este princípio muito importante. Realce-o aqui ou anote-o em algum lugar:

> *Medo e amor não podem coexistir em um relacionamento saudável. Insegurança e amor não podem coexistir em um relacionamento verdadeiramente íntimo.*

Tomemos como exemplo nosso relacionamento com nossos filhos. No trato com os seus filhos, definitivamente haverá correção e orientação, mas você não quer que seus filhos o temam ou sejam inseguros de seu amor e aceitação. Medo e insegurança levarão ao ódio. Se seus filhos tiverem medo de você, eles crescerão odiando-o. Ora, certamente, esse não é o tipo de relacionamento que Deus quer com você e comigo, Seus filhos.

De que, então, nosso amoroso Pai celestial quer que sejamos conscientes em nosso relacionamento com Ele? Veja o restante de Provérbios 19:12: "Mas seu favor [do rei] é como o orvalho sobre a erva". Deus quer que você, Seu filho amado, viva com uma forte consciência de Seu favor, aceitação e amor cobrindo-o como o orvalho sobre a erva. Em função de Jesus ter suportado o julgamento por todos os seus pecados, você pode viver todos os dias não consciente do julgamento, mas consciente do favor.

> ❖ *Deus quer que você, Seu filho amado, viva com uma forte consciência de Seu favor, aceitação e amor.*

O Correto Temor do Senhor

Posso ouvi-lo perguntar: "Mas, então, como fica o temor do Senhor? Como ficam Ananias e Safira na Bíblia?"

Essas são grandes perguntas, meu amigo.

Respondi à primeira pergunta em meu livro *Favor Imerecido*.[2] Também falo disso no capítulo 15. Basta dizer, aqui, que o "temor do Senhor" na nova aliança da graça trata de honrar, adorar e reverenciar a Deus como Deus em nossas vidas. Aqui, "temer" não se refere a se sentir aterrorizado, com medo ou ameaçado por Deus. Apenas pergunte-se que compreensão de Deus ressoa em seu espírito? Um

Jesus amoroso que abriu mão de tudo por você ou um Deus irado que procura cada oportunidade para julgar, condenar e punir você? O Espírito Santo que habita em você lhe mostrará um Deus de amor, enquanto o diabo fingirá manifestar a ira do Rei e encontrará todas as oportunidades de rugir para você.

Quanto a Ananias e Safira, fique certo de que eles não eram crentes. Eram trapaceiros que entraram na igreja primitiva para tentar enganar o povo de Deus financeiramente. Como um bom pastor, o Senhor protege as Suas ovelhas dos lobos que vão molestá-las e tosquiá-las. A história de Ananias e Safira não deve deixá-lo com medo de Deus, mas sim, dar-lhe a confiança de que Ele está cuidando de você e protegendo-o daqueles que querem feri-lo. Essa é uma história da proteção de Deus, não da ira de Deus com o Seu povo.[3] Se você acredita que Deus o castigará ou abaterá como fez a Ananias e Safira, o diabo rugiu para você.

Durante décadas e décadas, Deus tem sido retratado pelo diabo como um Deus irado e, infelizmente, muitos professores de Bíblia têm, involuntariamente, ajudado a pintar um retrato de um Deus repleto de ira. Essa representação de Deus é um erro. Estamos agora sob a nova aliança e você não será capaz de encontrar uma única passagem do Novo Testamento que diga que Deus está zangado com os crentes por causa dos seus pecados. Você teria de buscar no Antigo Testamento versículos que falam da ira de Deus para com os pecados de Seu povo.

Será que por Deus não estar com raiva de você não há lugar para a correção dele em nossas vidas? Existe correção e sábia orientação por meio da Palavra de Deus na nova aliança da graça? Absolutamente sim. Mas, quanto à sua ira por você e seus pecados, tudo isso foi resolvido na cruz. Garanto a você que, quando entrar na doce presença de Jesus com todos os seus desafios, deficiências e lutas, Ele não rugirá para você. Ele irá amá-lo com plenitude e irá colocá-lo em uma trajetória de liberdade de todos os seus medos, culpas e vícios. Jesus é o fim de todas as suas lutas!

 *Jesus é o fim de todas as suas lutas!*

Por Que Deus Não Está Bravo com Você

Como o perfeito amor de Deus é a resposta para superar as lutas em sua vida, o diabo está fazendo tudo que pode para aliená-lo e separá-lo desse amor. Ele sabe que você evitará Deus se pensar que Ele está com raiva de você, assim como você evitaria alguém para com quem você tem uma dívida. Enquanto a dívida estiver em sua consciência, você nunca se sentirá relaxado e à vontade quando seu credor estiver ao redor.

O que é belo em Jesus é que Ele não só pagou a dívida do pecado de toda a sua vida, mas também a pagou *mais que o necessário*. Diferentemente dos sumos sacerdotes do Antigo Testamento, Ele não ofereceu o sangue de touros e bodes para pagar pelos seus pecados. Esse Sumo Sacerdote pagou pelos seus pecados com Seu próprio sangue perfeito e sem pecado. Deus não foi tolerante para com o pecado sob a graça! De modo algum. Ele ofereceu seu Filho unigênito, Jesus, que é um absoluto pagamento em excesso pelos seus pecados.

É como se você tivesse uma dívida de um milhão de dólares, mas Jesus tivesse pagado um bilhão de dólares para liquidar essa dívida. A verdade é que, se você soubesse quem Jesus é e o valor do Filho de Deus, você saberia que Seu pagamento na cruz vale mais de um bilhão de dólares. Esse pagamento removeu os pecados de toda a sua vida — passada, presente e futura — de uma vez por todas! Não há mais um abismo de pecado separando você e Deus. Ele foi unido pela cruz manchada de sangue.

> ❖ *Não há mais um abismo de pecado separando você e Deus. Ele foi unido pela cruz manchada de sangue.*

Creia que Deus Não Está Bravo com Você

O capítulo 53 do livro de Isaías, no Antigo Testamento, trata do que Jesus realizou no Calvário — Sua obra na cruz foi tão eficaz, que Deus diz no capítulo seguinte:

> *Porque isto é para mim como as águas de Noé; pois jurei que as águas de Noé não mais inundariam a terra, e assim jurei que não mais me iraria contra ti, nem te repreenderia. Porque os montes se retirarão, e os outeiros serão removidos; mas a minha misericórdia não se apartará de ti, e a aliança da minha paz não será removida, diz o* SENHOR, *que se compadece de ti.*
>
> — Isaías 54:9-10

Amado, é tempo de você parar de ouvir o rugido do leão e começar a ver Deus como seu Pai celestial, que o ama com um amor incondicional e nunca o deixará nem o desamparará, aconteça o que acontecer.

Recebi esta carta de Lorraine, que mora em Louisiana. Vou deixá-la falar por si mesma enquanto você descobre em como uma pessoa pode ser totalmente transformada por crer nas coisas certas acerca do nosso Pai celestial. Tudo que posso dizer é: *Aleluia*!

> *Sou uma cristã nascida de novo há vinte e dois anos, desde que entreguei minha vida a Jesus na faculdade. Hoje, aos quarenta e quatro anos, tenho um marido maravilhoso e uma linha filha de um ano e meio. Eu amo a minha vida!*

Desde quando me lembro, sempre amei Jesus. Mas eu passara toda a minha vida sentindo-me culpada, acreditando que Deus estava sempre com raiva de mim. Sempre sentira que não poderia fazer coisas suficientemente "certas" ou "boas". Após entregar minha vida a Cristo, aquele sentimento de não ser suficientemente boa piorou, porque eu sentia uma maior responsabilidade de viver segundo um padrão mais elevado para estar bem com Deus. Estava sempre me arrependendo, sempre sentindo haver feito errado e que o meu melhor nunca era suficiente.

Ainda estou lendo o livro Destinados a Reinar e cheguei apenas ao capítulo 9. Tenho de ler esse livro muito, muito lentamente, para poder digerir seu conteúdo. Não consigo lhe dizer como minha vida se transformou desde que comecei a ler o seu livro.

Somente após começar a lê-lo, senti-me aliviada do peso de não ser suficientemente boa. Ele abalou o fundamento do meu mundo e dissolveu a insegurança que eu tinha em Jesus e Seu amor por mim.

Quarenta e quatro anos de minha forma de pensar e existência anteriormente dolorosa SE FORAM. Estou TRANSFORMADA para sempre. Estou perdoada. Não posso ler o restante desse livro sem parar para agradecer ao Senhor por você e por Ele lhe dar a mensagem da graça para ser difundida por todo o mundo.

Você não ama saber que, quando a crença correta se instala, anos de uma forma de pensar e uma existência dolorosa são apagados e uma mudança permanente e libertadora acontece?

É disso que estou falando, meu amigo. Vencer a batalha por sua mente diz respeito à sua libertação e liberdade em Cristo Jesus, seu Senhor e Salvador. Seja forte em Seu amor por você. Revista-se de toda a armadura de Deus e não permita que qualquer crença incorreta roube de você uma vida de enorme alegria e paz. Lembre-se de que Deus não está com raiva de você; Ele é louco por você.

> ❖ *Deus não está com raiva de você; Ele é louco por você.*

PARTE CINCO

PARE DE OLHAR PARA SI MESMO

CAPÍTULO 13

PARE DE OLHAR PARA SI MESMO

❖

Ao nos aprofundarmos no poder da crença correta, quero mostrar-lhe modos práticos pelos quais você pode ser transformado pela renovação da sua mente. Crer corretamente diz respeito a renovar a sua mente e desenraizar as crenças erradas que moldam seu pensamento e comportamento. É por isso que a Palavra de Deus diz: "Não vos conformeis com este século, mas transformai-vos pela renovação da vossa mente, para que experimenteis qual seja a boa, agradável e perfeita vontade de Deus" (Romanos 12:2). Gosto de como diz a Bíblia *New Living Translation*: "Não copie o comportamento e os costumes deste mundo, mas deixe Deus transformá-lo em uma nova pessoa, pela mudança da maneira de você pensar" (tradução livre).

❖ *"Deixe Deus transformá-lo em uma nova pessoa, pela mudança da maneira de você pensar" (NLT).*

É claro que, se desejamos desfrutar de liberdade em vez de escravidão, de alegria em vez de medo e de paz em vez de ansiedade, precisamos permitir que Deus nos transforme mudando a nossa maneira de pensar, para que nossas mentes sejam renovadas por meio do poder da crença correta.

Não se trata de modificação de comportamento, que é apenas externa. Estamos falando de sermos transformados pelo Senhor de dentro para fora. A modificação do comportamento é sustentada por sua própria disciplina, esforço próprio e força de vontade. Só funciona enquanto você continua trabalhando. Estamos falando da mudança que vem de uma transformação interna do coração, sustentada pelo poder e amor de nosso Senhor e Salvador, Jesus Cristo. Seu poder e graça operam melhor quando paramos de lutar e dependemos dele de todo o coração.

Renove Sua Mente — Olhe para Cristo

Deus quer mudar a maneira de pensarmos, transferindo nossos pensamentos acerca de nós mesmos para o pensamento acerca de Cristo. Nossa tendência humana é sermos focados em nós mesmos. Em outras palavras, somos propensos a uma excessiva introspecção e facilmente suscetíveis a nos tornarmos preocupados com nós mesmos, em vez de com Jesus.

Com muita frequência, nem sequer somos conscientes de sermos tão centrados em nós mesmos. Isso pode estar acontecendo com você agora mesmo. Você não acredita que tende a ficar voltado para si mesmo? Tudo bem; sempre que você olha para uma fotografia de um grupo de pessoas, incluindo você mesmo, quem você procura em primeiro lugar? Sua sogra? É claro que não. Você procura por si mesmo.

Quer gostemos ou não, em algum grau, todos nós somos assim. É claro que procurar a si mesmo primeiro na foto de um grupo de pessoas não é um problema grave; a maioria de nós faz isso. O problema ocorre quando nossos pensamentos estão centrados e preocupados com "eu", "eu", "eu" e mais "eu", enquanto Cristo está perceptivelmente ausente de nossos pensamentos.

Será que eu fiz o suficiente?

O que há de errado comigo?

Tenho tantas fraquezas e deficiências!

Creio que muitas de nossas maiores dores, lutas e aflições resultam de sermos centrados no "eu". Esse excesso de ocupação com nós mesmos é o motivo de muitos de nossos fracassos e derrotas. Quando as pessoas se tornam excessivamente voltadas para si mesmas, elas se tornam obcecadas, oprimidas e, inevitavelmente, deprimidas. A única maneira de sermos libertos da ocupação com nós mesmos é estarmos ocupados com Cristo. Precisamos estar voltados para Aquele que é maior do que nós e digno de todo nosso louvor e adoração.

❖ *A única maneira de sermos libertos da ocupação com nós mesmos é estarmos ocupados com Cristo.*

Foi por isso que Deus nos deu a Bíblia. Ela não é um livro de regras quanto ao que fazer e não fazer. Ela foi dada para revelar as belezas do Homem glorificado, Jesus Cristo, para que, quando nossos corações estiverem totalmente absorvidos e ocupados com Ele, encontremos paz, liberdade e descanso para nossas almas cansadas.

Jesus diz: "Vinde a mim, todos os que estais cansados e sobrecarregados, e eu vos aliviarei" (Mateus 11:28). Perceba que Ele não diz: "Vinde a mim após ter examinado o seu coração". Tudo que Ele diz é: "Vinde a mim... e eu vos aliviarei". Você não tem de ser perfeito para ir a Jesus. Ele quer que você vá a Ele exatamente como você é — com todas as suas escravidões, vícios e falhas, e Ele lhe dará repouso de todo o seu caos.

❖ *Jesus lhe dará repouso todo o seu caos.*

Quando estiver ocupado com Cristo, você se tornará cada vez mais intocado pelas coisas que mantêm o mundo em cativeiro. Realmente não importa mais o que alguém diz sobre você ou pensa a seu respeito. Você não é mais escravo da aprovação e opinião das pessoas quando está estabelecido e seguro na aprovação e na opinião do Deus Todo-poderoso, o Criador do universo.

O Problema de Pensar Demais em Si Mesmo

Sua mente é constantemente preenchida por pensamentos de como você falhou, como você perdeu e quão indigno você é? Isso é sintomático de uma pessoa claramente centrada em si mesma. Pensamentos como esses levam a desenvolver um complexo de inferioridade. As pessoas começam a se sentir como se não fossem tão boas quanto este irmão aqui ou aquela irmã ali. Estão constantemente se censurando, pensando: *Por que sou tão fracassado? Não consigo sequer controlar meus próprios pensamentos. O que há de errado comigo? Por que me sinto tão para baixo e deprimido o tempo todo?*

As pessoas que sofrem disso estão sempre prontas a se condenar. Suas mentes são obscurecidas por negatividade e pessimismo. Por exemplo, quando veem alguns de seus amigos conversando e rindo, pensam com seus botões: *Eles só podem estar fofocando e zombando de mim pelo erro que cometi na semana passada.* Na realidade, seus amigos estavam apenas falando de um filme engraçado que haviam visto no fim de semana. Entretanto, em função de geralmente abrigarem pensamentos de inferioridade, essas pessoas projetam seus pensamentos de inferioridade e insegurança em todas as situações em que estão envolvidas. Isso, por sua vez, afeta adversamente suas amizades e relacionamentos com as pessoas que as cercam.

O excesso de preocupação consigo mesmo não se manifesta somente na forma de um complexo de inferioridade. Pode também manifestar-se na outra extremidade da oscilação do pêndulo, como um complexo de superioridade. Há pessoas que pensam ser sempre melhores do que todas as outras. São dolorosamente arrogantes e pensam que suas perspectivas e opiniões estão sempre certas. Você conhece alguém assim? Bem, isso também é se concentrar em si mesmo. Quer você esteja se sentindo superior ou inferior, o seu foco ainda está em si mesmo e, no fim, isso lhe causa muito sofrimento, angústia e dor no coração.

Enquanto nossas mentes não estão voltadas para Cristo, todos nós podemos, certas vezes, nos sentir inferiores e, outras vezes, orgulhosos, arrogantes e superiores. Somente em Cristo você experimentará uma verdadeira transformação e caminhará nem com orgulho, nem com falsa humildade. Os dois extremos são frutos da nossa carne humana. Quando estamos ocupados demais com nós mesmos, nossa carne é fortalecida, e isso é horrível. Não admira o apóstolo Paulo dizer: "Em mim, isto é, na minha carne, não habita bem nenhum" (Romanos 7:18).

A boa notícia é que, quando você se volta para Cristo, a sua carne se torna irrelevante e você começa a manifestar inconscientemente todos os fascinantes, saudáveis e graciosos atributos de Jesus. O fruto do Espírito como amor, alegria, paz e bondade flui por seu intermédio sem esforço quando a sua mente é renovada e voltada para a pessoa de Jesus.

Algumas pessoas religiosas se sentem muito aflitas quando uso a palavra "sem esforço". "O que você quer dizer com não haver esforço?" Argumentam elas. Minha resposta é simples: uma árvore saudável dá bons frutos sem qualquer tensão, esforço ou estresse. Quando você está plantado no solo fértil da Palavra de Deus e de Sua graça, frutos de justiça se manifestarão sem esforço por causa do seu relacionamento com Ele. Isso é inevitável! Você não pode tocar a Sua graça e não se santificar, assim como não pode tocar a água e não se molhar.

> *Quando você está plantado no solo fértil da Palavra de Deus e de Sua graça, frutos de justiça se manifestarão sem esforço por causa do seu relacionamento com Ele.*

Transformação Sobrenatural

Quando nossas mentes estão voltadas para Jesus, não temos de tentar ser humildes. Na presença do Rei-Servo, nossos corações se tornam sobrenaturalmente transformados e portamos Seu coração de servo. Em outras palavras, quando você anda com Jesus, tudo que Ele é fica impresso em você. Seus pensamentos e suas palavras estarão cheios da fragrância de Sua doce presença e graça. Toda sua inferioridade e inseguranças se desvanecerão em Seu maravilhoso amor por você. As pessoas precisam estar realmente firmadas em Cristo para serem capazes de se curvar e servir os outros com genuína humildade.

De semelhante modo, quando você é corajoso e ousado *em Cristo* e em Seu amor por você, isso não se manifesta como orgulho e arrogância carnais, mas sim como total dependência do Deus Todo-poderoso. Pense em como o jovem Davi avançou pelo Vale de Elá e desafiou o gigante Golias, enquanto o restante dos homens bem treinados e adultos do exército de Israel se encolhia de medo. Aquela foi simplesmente uma demonstração de uma ousadia juvenil ou uma genuína dependência de Deus?

Para o olho destreinado, Davi poderia ter parecido um fedelho atrevido. Especialmente dado que o perdedor dessa batalha "cara a cara" escravizaria toda sua nação ao inimigo. O destino de toda a nação de Israel estava em jogo. Mas sabemos de onde veio esse enorme desplante quando essas corajosas palavras de um mero adolescente ressoaram por todo o vale: "Tu vens contra mim com espada, e com lança, e com escudo; eu, porém, vou contra ti em nome do SENHOR dos Exércitos, o Deus dos exércitos de Israel, a quem tens afrontado" (1 Samuel 17:45). A partir de suas palavras, descobrimos que o jovem Davi estava claramente voltado para o Senhor dos exércitos, não para ele mesmo ou suas habilidades.

Quando os seus pensamentos estão voltados para o Senhor, você se torna um matador de gigantes! Há em sua vida hoje gigantes que precisam ser mortos? Como o jovem Davi, volte sua mente para o Senhor, e Deus o encherá com a coragem e audácia necessárias para superar todas as suas adversidades. Ouça as palavras de Davi no Salmo 18:29: "Pois contigo desbarato exércitos, com o meu Deus salto muralhas". Deixe essas palavras de fé e ousadia se estabelecerem em seu coração. Com Deus ao seu lado, nada é impossível!

> ❖ *Quando os seus pensamentos estão voltados para o Senhor, você se torna um matador de gigantes!*

Mantenha Seus Olhos em Jesus

Manter sua mente ocupada com Cristo o torna ousado, mas não superior; humilde, mas não inferior. Isso não soa muito parecido com o nosso Senhor Jesus Cristo? Aqui, então, está o ponto-chave para ter seus pensamentos voltados para Cristo:

> *E todos nós, com o rosto desvendado, contemplando, como por espelho, a glória do Senhor, somos transformados, de glória em glória, na sua própria imagem, como pelo Senhor, o Espírito.*
>
> — 2 Coríntios 3:18

Quanto mais você mantiver sua mente, seus pensamentos e os olhos de seu coração em Jesus, mais você é transformado em Sua imagem de glória em glória.

> ❖ *Manter sua mente ocupada com Cristo o torna ousado, mas não superior; humilde, mas não inferior.*

Pare de olhar para si mesmo! Pare de se debruçar sobre pensamentos negativos sobre si mesmo e sobre se sentir péssimo. Desvie seu olhar de você e olhe para Jesus. A sua libertação de todo medo, ataque de ansiedade, escravidão e vício está na pessoa de Jesus.

Nos capítulos anteriores, falamos sobre como vencer a batalha por sua mente. Embora a guerra espiritual seja real e haja um demônio para acusar e condenar você em sua mente, quero também que você saiba que nem todo mau pensamento que você tem vem do diabo. Os cristãos carismáticos são notórios por isso — eles culpam o diabo por tudo. Eles dão uma topada no pé da cama quando se levantam de manhã e acham que é um ataque espiritual. Ora, por favor!

Há uma batalha espiritual, mas exerça um discernimento cristão e não pense que todo mau pensamento de sua mente vem do diabo. Ele é um inimigo derrotado e não exerce todo esse poder e influência sobre nossas vidas. Meu argumento é: embora seja necessário compreender que há uma batalha por sua mente e seja importante não ignorar os jogos mentais do diabo, ele nunca deve ser o nosso foco principal.

Nosso foco principal e central é Jesus e somente Jesus. Deus não nos quer voltados para o diabo ou para nós mesmos e a nossa carne. Ele quer que ocupemos nossas mentes com Jesus. Jesus é a resposta para a toda nossa dor, miséria e lutas.

Compreendendo a Carne

Nossa carne pode produzir toda uma gama de emoções e pensamentos — desde derrota, ciúme, ganância e luxúria até raiva, inferioridade, condenação e arrogância. Enquanto estamos neste corpo físico, a carne está ativa em nós.

Mas podemos nos alegrar porque a Palavra de Deus nos diz que, ao morrer na cruz, Jesus "condenou o pecado da carne". Todas as emoções tóxicas e os pensamentos negativos da carne já foram julgados e punidos na cruz. Hoje podemos vivenciar a vitória sobre a carne pelo poder da cruz.

Você pode ler tudo acerca da luta do apóstolo Paulo contra a carne em Romanos 7:18-19: "Porque eu sei que em *mim* (isto é, na *minha* carne) não habita bem nenhum, pois o querer o bem está em *mim*; mas não, porém, o *eu* efetuá-lo. Porque não *eu* faço o bem que *eu* prefiro, mas o mal que não *eu* quero, esse *eu* faço" (grifo do autor).

Você percebeu quantas vezes as palavras "eu", "mim" e "minha" são mencionados somente nos dois versículos acima? Tenho certeza que muitos de vocês conseguem se identificar com o apóstolo Paulo em sua luta contra a carne. Essa é a luta que todos nós enfrentamos quando estamos voltados para nós mesmos e em guerra com nossa carne. É uma vida de aflição, angústia, derrota e desespero.

Não é aí que Deus quer que você viva, meu amigo. Um crente não vive no capítulo 7 de Romanos. Por meio de Cristo Jesus, devemos estar vivendo no capítulo 8 de Romanos. Vamos ler e descobrir como Paulo se libertou dessa escravidão a si mesmo.

Apenas alguns versículos depois, Paulo clama: "Desventurado homem que eu sou! Quem me livrará do corpo desta morte?" (Romanos 7:24). A resposta, meu amigo, está em uma *pessoa*, e Paulo nos diz que essa pessoa é Jesus: "Graças a Deus por Jesus Cristo, nosso Senhor" (Romanos 7:25).

Só o nosso maravilhoso Salvador, Jesus Cristo, pode nos livrar da carne. E, em Cristo, podemos entrar no primeiro versículo do capítulo 8 de Romanos, que proclama: "Agora, pois, já nenhuma condenação há para os que estão em Cristo Jesus". Esse é o lugar onde nós, como crentes da nova aliança, devemos viver. Não no domínio de luta constante e desespero, mas no domínio de nenhuma condenação e vitória.

Toda vez que um mau pensamento, uma ideia maligna ou uma tentação vier à sua mente, veja-se em Cristo, em quem não há absolutamente qualquer condenação. Amo o capítulo 8 de Romanos porque começa com nenhuma condenação em Cristo e termina com nenhuma separação do amor de Cristo:

> *Quem nos separará do amor de Cristo? Será tribulação, ou angústia, ou perseguição, ou fome, ou nudez, ou perigo, ou espada?... Em todas estas coisas, porém, somos mais que vencedores, por meio daquele que nos amou. Porque eu estou bem certo de que nem a morte, nem a vida, nem os anjos, nem os principados, nem as coisas do presente, nem do porvir, nem os poderes, nem a altura, nem a profundidade, nem qualquer outra criatura poderá separar-nos do amor de Deus, que está em Cristo Jesus, nosso Senhor.*
>
> — Romanos 8:35, 37-39

Nada será capaz de separá-lo do amor de Cristo. É por isso que Deus não quer que você viva sob uma nuvem de culpa e condenação. Ele já fez de você mais do que vencedor em Cristo. A vitória já foi conquistada na cruz. Conforme demonstrado no capítulo 7 de Romanos, pensar excessivamente sobre si mesmo o impedirá de desfrutar a vida que Deus lhe deu. Isso o tornará perpetuamente consciente de como você ficou a dever e de onde você errou.

 *Nada será capaz de separá-lo do amor de Cristo.*

Libertação da Condenação

Você conheceu pessoas que estão sempre oprimidas e deprimidas? Elas podem estar no Havaí, cercadas por palmeiras, ondas e o mais belo pôr do sol, e ainda estar perdidas em seus próprios pensamentos depressivos.

Se você é assim, quero que saiba que Deus quer libertá-lo dessa existência dolorosa. Quando seu coração e sua mente estão cheios de Jesus, a carne não tem poder sobre você. Maus pensamentos, desejos e emoções podem tentar assediá-lo, mas quando seu coração e sua mente estão voltados para Jesus, esses pensamentos e emoções carnais não têm qualquer poder sobre você. Elas escorrem de você como água das costas de um pato!

Você nem sequer se sentirá culpado e condenado por ter esses pensamentos e emoções, porque você sabe que, em Cristo, a carne não é você. Jesus é a sua nova identidade, não a carne. Deixe-me citar passagens que sustentam isso. A Palavra de Deus declara: "Os que são de Cristo Jesus crucificaram a carne, com as suas paixões e concupiscências" (Gálatas 5:24).

A carne não é você porque foi crucificada com Cristo na cruz. Você é uma nova criatura em Jesus — o velho se foi e tudo se fez novo (ver 2 Coríntios 5:17). Sempre que os antigos desejos e pensamentos tentarem se infiltrar de volta em sua consciência, não os acolha. Olhe para Jesus e veja todas essas coisas já crucificadas. Receba novamente o presente da ausência de condenação.

Contemple o Cordeiro de Deus

Eu o incentivo a começar cada novo dia com este pensamento: *Deus me ama e deu Seu único Filho por mim. Hoje, Jesus é totalmente favorável a mim. Sou salvo, curado, favorecido e aceito em Cristo, o Amado.*

Comece seu dia voltando sua mente para Jesus. Durante um período da minha vida, antes mesmo de sair da cama, repetia várias vezes para mim mesmo: "Eu sou a justiça de Deus em Cristo". Certas manhãs, eu dizia isso mais de cinquenta vezes. Não queria que aquilo fossem apenas palavras em minha mente, mas que fosse uma revelação pulsando em meu coração. Queria ter uma crença inabalável de que Deus é por mim e está comigo, ainda antes de sair da cama. Posso lhe dizer, por experiência própria, que quando você voltar a sua mente para Jesus, toda luta, medo e escravidão em que você esteja envolvido perderá o poder sobre você!

❖ *Comece seu dia voltando sua mente para Jesus.*

Há uma linda imagem de Jesus oculta no Antigo Testamento. Deus sabia que, sob a antiga aliança da Lei, era impossível os filhos de Israel serem aperfeiçoados. Por isso, Ele providenciou uma saída. Deus lhes disse que, se eles pecassem, deveriam levar ao sacerdote um cordeiro sem defeito. E quando uma pessoa que pecava levava um cordeiro ao sacerdote, ele não examinava a pessoa para ver se ela era perfeita (sem pecado) — o sacerdote já sabia que aquela pessoa estava ali porque pecara. Por isso, o sacerdote examinava o cordeiro.

Se o cordeiro fosse realmente perfeito, a pessoa que havia pecado impunha as mãos sobre o cordeiro em um ato de transferência de seus pecados para o cordeiro inocente. Ao mesmo tempo, a inocência e a perfeição do cordeiro eram transferidas para a pessoa. Então, o cordeiro era morto, e a pessoa saía com sua consciência limpa e sua dívida de pecado perdoada. Ela ia embora sob um céu aberto de favor e bênção de Deus.

Você consegue ver Jesus nessa prática do Antigo Testamento instituída por Deus sob a Lei?

O cordeiro sem defeito é um retrato do perfeito Cordeiro de Deus, Jesus Cristo, que tira os pecados do mundo. O sacerdote é um retrato de Deus. Ele não o examina em busca dos seus pecados. Em vez disso, examina Jesus e, por Jesus ser gloriosamente perfeito, você pode viver hoje com a sua consciência limpa e sua dívida pelo pecado perdoada. Você pode caminhar sob um céu aberto e esperar o favor e as bênçãos de Deus em sua vida. Que linda imagem da abundante e generosa graça de Deus!

Ora, se Deus não o está examinando hoje, por que você ainda está lutando contra a preocupação consigo mesmo e examinando implacavelmente seus próprios pensamentos, emoções, falhas e defeitos? Confie em mim: quanto mais tempo você examinar a si mesmo, mais encontrará imperfeições, defeitos e fraquezas. Volte seus olhos para longe de si mesmo e pare com a introspecção! Olhe para Jesus, o Cordeiro de Deus, e veja a perfeição dele como sua. Veja a inocência dele como sua inocência, a justiça dele como sua justiça. Volte-se para Ele e seja transformado de dentro para fora.

CAPÍTULO 14

JESUS, SEJA O CENTRO DE TUDO

❖

Ao iniciarem sua viagem de onze quilômetros de Jerusalém até uma aldeia chamada Emaús, dois discípulos falavam, com o coração pesado, sobre os eventos ocorridos durante os últimos três dias. Entristecidos e em estado de choque, falavam sobre como Jesus, a quem eles muito estimavam, fora capturado pelos líderes religiosos, condenado à morte e crucificado.

Enquanto discutiam esses eventos, o Jesus ressuscitado se uniu a eles em sua caminhada até Emaús, mas os impediu de reconhecer quem Ele era. Vendo seus rostos turvos de tristeza e apreensão, Ele lhes perguntou: "O que vocês estão discutindo tão intensamente enquanto caminham? E por que estão tão tristes?"

Cleopas, um dos discípulos, ficou incrédulo por aquele estranho estar fazendo uma pergunta tão desinformada e retrucou: "Você tem vivido em uma caverna? Você deve ser a única pessoa de Jerusalém que não sabe sobre as coisas terríveis que acabam de acontecer".

Então, Cleopas passou a narrar os eventos que acabaram levando à crucificação de Jesus. Com desilusão em sua voz, Cleopas expressou como eles haviam esperado que Jesus fosse aquele que redimiria Israel. Ele também relatou a história curiosa que ouvira das mulheres que foram ao sepulcro de madrugada e o encontraram vazio. Ele chegou a repetir suas absurdas afirmações de terem visto anjos proclamando que Jesus estava vivo.

Ouvindo a incredulidade de Cleopas, Jesus corrigiu com brandura os dois discípulos: "Ó néscios e tardos de coração para crer tudo o que os profetas disseram!" (Lucas 24:25). Vendo a reação de surpresa deles, continuou: "Não devia o Cristo sofrer estas coisas, para entrar na sua glória?" (Lucas 24:26, NVI). Jesus estava se referindo às muitas profecias e imagens das Escrituras que prediziam a cruz — como o Messias sofreria e pagaria um alto preço pelos pecados e transgressões do homem.

Testemunhando em primeira mão a crença errada dos discípulos, Jesus "começando por Moisés, discorrendo por todos os Profetas, expunha-lhes o que a seu respeito constava em todas as Escrituras" (Lucas 24:27) enquanto caminhavam juntos onze quilômetros até Emaús.

Um Encontro Extraordinário

Amo a maneira complexa de o Espírito Santo registrar para nós esse encontro de Jesus com os dois discípulos no caminho de Emaús. Encontrá-los deve ter sido extremamente importante para Ele, pois esse encontro ocorreu no primeiro dia de Sua ressurreição. Esse foi também o primeiro registro de Seu ensino das Escrituras após ter vencido a morte.

Portanto, não foi um encontro comum, e Deus escondeu muitas pedras preciosas para nós nessa história. A Bíblia nos diz: "A glória de Deus é encobrir as coisas, mas a glória dos reis é esquadrinhá-las" (Provérbios 25:2). Então, mergulhemos nesse relato da viagem a Emaús e ouçamos as primeiras palavras do Cristo ressurreto.

Volte Seus Pensamentos para Jesus

Já estabelecemos o quão doloroso pode ser concentrar nossos pensamentos em nós mesmos, e como só podemos ser libertos de nós mesmos quando nos voltamos para Cristo. Ao longo dessa história, quero mostrar-lhe como concentrar de modo prático os seus pensamentos no seu amoroso Salvador, vendo-o na Palavra de Deus.

Primeiramente, perceba que os dois discípulos estavam presos à sua própria compreensão dos eventos ocorridos e aos seus pensamentos acerca da redenção de Israel. Como resultado, estavam abatidos, decepcionados e deprimidos. Isso é o que acontece quando a verdade sobre Jesus está ausente de nossas mentes.

Os discípulos esperavam que Jesus fosse aquele que redimiria Israel. Para eles, Jesus era simplesmente um meio para um fim. Eles davam mais importância à redenção de Israel do que ao próprio Redentor. Não admira que estivessem deprimidos! Jesus nunca pode ser simplesmente um meio para um fim, não importa quão nobre esse fim possa ser. Precisamos estar voltados para Ele e permitir que tudo gire em torno dele, pois Ele é o centro de nossas vidas.

Se você está se sentindo medroso, ansioso ou deprimido hoje, faça uma verificação rápida. O que está em sua mente? Para onde seu coração está voltado? Seus pensamentos estão cheios de fé em Jesus, o Pastor de sua vida, ou estão cheios de apreensões pelo futuro, temores de sua situação atual e excessiva introspecção?

❖ *Seus pensamentos estão cheios de fé em Jesus, o Pastor de sua vida, ou estão cheios de apreensões pelo futuro, temores de sua situação atual e excessiva introspecção?*

Os discípulos estavam abatidos porque não criam no que a Palavra de Deus profetizara acerca do sofrimento e da ressurreição de Jesus. Se tivessem crido e compreendido que todos os eventos dos últimos três dias haviam sido orquestrados por Deus e que a cruz era o Seu grande plano de resgate para salvar todos os homens, estariam se regozijando com fé, amor e esperança. Estariam antevendo grandemente seu reencontro com o Cristo ressurreto, em vez de tão introspectivos e desanimados. Mas, em função de suas crenças erradas, eles estavam desiludidos e mentalmente derrotados.

Não é surpreendente Jesus lhes ter dito: "Ó néscios e tardos de coração para crer tudo o que os profetas disseram!" (Lucas 24:25). Antes de continuar, deixe-me salientar que a palavra "néscio" aqui é a palavra grega *anoetos*, que significa "sem compreensão e sabedoria".[1] Em contrapartida, quando Jesus repreendeu os fariseus por serem insensatos em Mateus 23:17, a palavra grega usada ali foi *moros*, que significa "burro ou estúpido".[2] Esse é um termo muito mais duro que Ele reservou para os fariseus religiosos. Jesus não usou termos assim duros para descrever Seus discípulos ou os pouco favorecidos.

Então, Ele estava corrigindo brandamente os discípulos, dizendo: "Vocês que *não compreendem* e *não têm sabedoria*, que são *tardos de coração para crer...*". Acredito ser importante compreendermos que Jesus pronunciou essas palavras em tom amoroso, porque Ele também está dizendo as mesmas palavras para nós hoje. Ele está, brandamente, nos lembrando de que nós (Seus discípulos) temos uma inclinação para esses mesmos dois desafios: não compreender a Sua Palavra e ser lentos para crer nela.

Cuidado com o Zelo sem Entendimento

Atualmente há crentes que não conhecem ou entendem o que a Palavra de Deus realmente diz. Até mesmo nos casos em que não sabem o que Sua Palavra diz, são tardos de coração para crer.

Meu amigo, Jesus não quer que sejamos ignorantes da Sua Palavra e derrotados por nossa falta de entendimento. A razão pela qual estudamos a Palavra de Deus não é meramente para acumular conhecimento bíblico e fatos históricos: é para ter uma constante revelação de Jesus. E como fazemos isso? Podemos começar pedindo ao Espírito Santo. Muitas vezes, ao estudar a Palavra, eu fazia esta oração simples: "Espírito Santo, abra os meus olhos para ver Jesus na Palavra hoje". É tudo uma questão de *ver Jesus.*

> ❖ *A razão pela qual estudamos a Palavra de Deus não é meramente para acumular conhecimento bíblico e fatos históricos: é para ter uma constante revelação de Jesus.*

Há pessoas que leem a Palavra e, em vez de verem Jesus, tudo se torna Lei para elas e elas se tornam duras, legalistas e farisaicas. Paulo descreve esse fenômeno no livro de Romanos: "Eles têm zelo por Deus, porém não com entendimento" (Romanos 10:2). A que conhecimento o apóstolo se refere? Leia os versículos imediatamente seguintes: "Porquanto, desconhecendo a justiça de Deus e procurando estabelecer a sua própria, não se sujeitaram à que vem de Deus. Porque o fim da lei é Cristo, para justiça de todo aquele que crê" (Romanos 10:3-4).

Em outras palavras, elas leem a Palavra sem ver Jesus nela e se tornam zelosas da Lei. Elas acabam, sem saber, procurando se tornar justas pela Lei. O legalismo é muito sutil e insidioso. Muitos legalistas não sabem que estão presos no legalismo. Eles nunca admitiriam que são legalistas e podem até pregar fortemente contra o legalismo.

Há também pessoas que atacam o Evangelho da graça porque foram cegadas pelo seu zelo da Lei e de como o homem precisa se tornar melhor fazendo as coisas certas. Realmente acredito que muitas delas são genuínas e sinceras, mas ainda assim elas estão sinceramente erradas.

Cresça no Conhecimento da Graça de Deus

Você precisa saber, sem sombra de dúvida, que a Lei nunca poderá torná-lo justo. Jesus é o fim da Lei. Você se torna justo quando crê corretamente na pessoa de Jesus e em Sua justiça. É isso o que quero dizer com o poder de crer corretamente.

O apóstolo Paulo é a melhor pessoa para escrever acerca disso porque ele era o fariseu dos fariseus, o legalista dos legalistas. Houve em sua vida um tempo em que ele não sabia que estava ligado ao legalismo. Não se esqueça de que, quando ainda era conhecido como Saulo, Paulo não era zeloso do pecado; ele era zeloso da Lei de Deus. De fato, foi sua paixão pela Lei de Deus que o fez perseguir a igreja primitiva, arrastar muitos para a prisão e concordar com a matança de cristãos. Ele só parou de fazer tudo isso quando o próprio Jesus ressurreto começou a abrir seus olhos para a verdade no caminho de Damasco (ver Atos 9:1-8). Dedique um momento a analisar o encontro dramático que Saulo teve com Jesus:

> *"Saulo, Saulo, por que me persegues?"*
> *Saulo respondeu: "Quem és tu, Senhor?"*
> *"Eu sou Jesus, a quem tu persegues. Dura coisa é recalcitrares contra os aguilhões."*

Meu amigo, quando os outros se opuserem a você em virtude do que você crê no que diz respeito à graça de Deus, não tente discutir com eles nem convencê-los. Ame-os e ore para que Deus abra os olhos deles para verem Jesus. A Lei é um véu e ela cega. Entretanto, quando o véu é removido, como quando os olhos de Paulo foram abertos para a verdade sobre Jesus, não há como voltar atrás. Apenas veja o que aconteceu a Paulo — ele se tornou o apóstolo da graça de Deus e seu zelo já não era mais desprovido de entendimento.

Portanto, não considere os ataques contra você como pessoais. As pessoas da graça carregam consigo um espírito de graciosidade. Aqueles que o perseguem por crer na graça de Deus terão de encontrar Jesus quando Ele lhes perguntar "Por que me persegues?" A graça, afinal de contas, não é um ensinamento: é uma Pessoa. Se eles decidem atacar a graça, estão atacando a pessoa de Jesus. É por isso que recomendo fortemente que você os ame e os mantenha em suas orações. Lembre-se disto, e vale a pena repetir: as pessoas da graça carregam consigo um espírito de graciosidade.

Seja Rápido em Crer

Em muitos lugares, há crentes que ainda pensam que Deus está zangado com eles sempre que falham. Eles simplesmente não têm uma revelação do Evangelho da graça e do significado do amor incondicional de Deus. Como os dois discípulos do caminho de Emaús, tais crentes não têm discernimento nem sensatez.

Há também os crentes que conhecem o Evangelho da graça e até sabem que Deus os ama incondicionalmente. Todavia, esse conhecimento está apenas em suas mentes. Mesmo tendo o conhecimento da graça, quando falham, ainda têm medo de ir com ousadia ao trono da graça de Deus para receber misericórdia, favor, cura e restauração.

Qual é o problema nesse caso? Isso mesmo, eles são tardos de coração para crer na promessa de Deus de graça abundante e de Seu presente de justiça para reinarem nesta vida. Conhecer intelectualmente as verdades de Deus e do Evangelho da graça não é suficiente. Você tem de ser rápido em crer em tudo que Jesus realizou na cruz por você, especialmente quando está lutando contra o fracasso, a culpa e o medo. Deus não o quer derrotado em função de uma falta de conhecimento de Sua graça. Ao mesmo tempo, Ele quer que você seja rápido em crer em Suas promessas para você.

Deus não o quer derrotado em função de uma falta de conhecimento de Sua graça. Ao mesmo tempo, Ele quer que você seja rápido em crer em Suas promessas para você.

Você já aprendeu muitas coisas acerca do amor de Deus por você neste livro. Se você quiser ver o poder da crença correta operar em todas as dimensões de sua vida, eu o desafio a crer em Sua graça, amor, justiça, perdão e Sua obra concluída. Prometo que você será transformado além da sua mais rica imaginação se você se atrever a se apoiar em Seu amor por você. O amor dele nunca falha!

Incendeie Seu Coração

Quero lhe mostrar outro aspecto interessante da história de Emaús. A palavra "Emaús" significa "banhos quentes",[3] e fiz essa caminhada até Emaús com alguns de meus pastores. Naturalmente, não fizemos a caminhada completa, de onze quilômetros. Descemos do ônibus de excursão a aproximadamente 1,6 quilômetro de distância de Emaús porque sou misericordioso para com meus pastores. Afinal, eles não são tão "fortes" e "jovens" quanto eu. Estou apenas brincando.

Falando agora mais seriamente, quando você pensa nisso, onze quilômetros é uma longa distância. De fato, se você ler a história inteira, os dois discípulos não andaram apenas onze quilômetros. No mesmo dia, eles caminharam de volta de Emaús a Jerusalém, perfazendo um total de 14 milhas ou 22,5 quilômetros. Quando foi a última vez em que você andou 22,5 quilômetros no mesmo dia?

Como foi que os discípulos não ficaram cansados ou exaustos, especialmente dada a sua disposição ao partirem em viagem? Algo deve ter acontecido com os corpos dos discípulos enquanto caminhavam com Jesus. Seus corpos físicos foram vivificados, fortalecidos e revigorados. Com toda a certeza, sua juventude foi renovada, pois a Palavra de Deus promete que "os que esperam no SENHOR renovam as suas forças; sobem com asas como águias, correm e não se cansam, caminham e não se fatigam" (Isaías 40:31).

O que aconteceu na estrada? O que fez os corpos dos discípulos experimentarem tal explosão de energia e vida? Ouça como os discípulos descreveram um para o outro o que sentiram ao caminhar com Jesus: "Porventura, não nos ardia o coração, quando ele, pelo caminho, nos falava, quando nos expunha as Escrituras?" (Lucas 24:32).

É aí que reside o ponto-chave! Quando as Escrituras lhe forem abertas e as coisas referentes a Jesus forem reveladas, seu coração será incendiado e queimará dentro de você, como aconteceu com aqueles dois discípulos! Não se esqueça do que Jesus fez quando ouviu a crença incorreta deles e sua conversa de derrota: "Começando por Moisés, discorrendo por todos os Profetas, expunha-lhes *o que a seu respeito* constava em todas as Escrituras" (Lucas 24:27, grifo do autor).

Em outras palavras, começando com os primeiros cinco livros de Moisés (Gênesis, Êxodo, Levítico, Números e Deuteronômio, conhecidos coletivamente como a Torá), Jesus expôs tudo que se referia a Ele. Então, prosseguiu revelando-se nos livros dos profetas Samuel, Reis, Isaías e Jeremias.

Uau! Que viagem deve ter sido! Não admira que os corações dos discípulos foram incendiados e ardiam dentro deles. Como o nome da aldeia para onde eles estavam viajando, seus corações foram continuamente imersos em um banho quente enquanto Jesus lhes abria os olhos para vê-lo em todas as Escrituras.

Para o Que Você Está Olhando?

No primeiro dia de Sua ressurreição, Jesus estabeleceu para nós um precedente sobre como devemos ler e estudar a Bíblia hoje. Ele não quer que busquemos a Palavra para descobrir o que temos de fazer e depois saiamos com um monte de leis. Absolutamente não! Jesus quer que abramos a Bíblia para vê-lo. Vê-lo em tudo, desde Gênesis até Apocalipse. Quanto mais você o vir, mais estará livre de todas as formas de ocupação consigo mesmo e será transformado de glória em glória.

> *Jesus quer que abramos a Bíblia para vê-lo. Quanto mais você o vir, mais estará livre de todas as formas de egocentrismo.*

Quando você olha para si mesmo — suas fraquezas, falhas, erros e até mesmo pontos fortes e atos de justiça — não há esperança, alegria ou paz duradoura. O apóstolo Paulo considerou todas as suas realizações como "esterco" (Filipenses 3:8, NVI), enquanto o profeta Isaías afirma que "todas as nossas justiças [são] como trapo da imundícia" (Isaías 64:6).

Jesus nos mostra que a maneira de se tornar completamente voltado e absorvido por Ele é afastar-se dos seus próprios pensamentos sombrios e conversas deprimentes, e abrir as Escrituras para vê-lo. Esteja voltado para Jesus, preencha os seus pensamentos com a Sua bondade e encha o seu coração com o Seu amor.

Abra a Bíblia e veja Jesus nos tipos e sombras existentes no Antigo Testamento. Todo sacrifício, toda festa e até mesmo o tabernáculo e os sacerdotes apontam para Jesus. No Novo Testamento, veja Jesus amando e perdoando aqueles que o mundo desprezava, como a mulher apanhada em adultério. Veja-o curando o cego, o coxo e todos os que eram oprimidos com doenças e enfermidades. Veja Jesus multiplicando a provisão para os necessitados. Eu lhe prometo que o seu coração arderá, seu corpo será renovado e sua mente será preenchida com a Sua alegria, integridade e paz completa. Eu lhe prometo que pecado, vícios, maus hábitos, medo, culpa, ansiedade, depressão e condenação sairão de sua vida quando você estiver absorvido e ocupado com a pessoa de Jesus. Eles simplesmente não podem coexistir em sua vida quando você está voltado para Cristo e não para si mesmo.

Vícios, medo e culpa não podem coexistir em sua vida quando você está voltado para Cristo e não para si mesmo.

Abra as Escrituras para Ver Cristo

Muitos anos atrás, ao estudar a história de Emaús, perguntei ao Senhor por que Ele escolheu impedir os olhos dos dois discípulos de reconhecê-lo. Perguntei-lhe: "Não teria sido melhor que eles o vissem com Suas mãos perfuradas pelos cravos?" Raciocinei comigo mesmo que aqueles cravos devem ter sido enormes e seria possível ver a luz passando através daqueles ferimentos. Não teria sido melhor se Jesus tivesse caminhado pelas ruas mais movimentadas de Jerusalém, levantando as mãos e gritando: "Ei, todos vocês! Vejam isto!"

Mas Jesus não fez isso. Ele sabia que fazer isso não produziria fé verdadeira. Ele me revelou que era mais importante os discípulos o verem na Palavra do que o verem em pessoa. Uau, essas palavras trouxeram muita esperança e encorajamento ao meu coração. Se a fé dos discípulos se baseasse em eles verem Jesus fisicamente em carne, que esperança teríamos hoje? Mas Jesus, propositadamente, impediu seus olhos para que eles pudessem vê-lo primeiramente nas Escrituras. Isso coloca você e eu *em igualdade* com os dois discípulos, e com a *mesma oportunidade* deles. Jesus quer que todos o vejamos na Palavra.

A Palavra de Deus nos diz que "a fé vem por se ouvir a mensagem, e a mensagem é ouvida mediante a palavra de Cristo" (Romanos 10:17, NVI). Isso significa que, quanto mais você ouvir Jesus revelado, explicado e apontado na Bíblia, mais a fé será transmitida ao seu coração para crer em tudo que a Palavra de Deus diz sobre você. Será que o motivo de muitos crentes ainda estarem vivendo em derrota de hoje é por Jesus não lhes ter sido revelado nas Escrituras?

Parece haver uma fome espiritual no mundo de hoje, uma escassez de ensino e pregação que revelem a pessoa de Jesus de uma maneira que faça com que o coração das pessoas arda como se estivessem em um banho quente. Em vez disso, o que frequentemente ouvimos são ensinamentos sobre fazer o bem repetidamente. Minha pergunta é: isso é o Evangelho? Jesus está sendo revelado?

O Evangelho diz respeito a Jesus. Não se trata de fazer o bem. Crer corretamente em Jesus é o que faz a diferença na vida das pessoas. O apóstolo Paulo diz: "Porque não me envergonho do evangelho de Cristo, pois é o poder de Deus para salvação de todo aquele que crê, primeiro do judeu e também do grego. Porque nele se descobre a justiça de Deus de fé em fé, como está escrito: Mas o justo viverá da fé" (Romanos 1:16-17).

O Evangelho é o Evangelho de Cristo e trata de Jesus. Ele não é o Evangelho da moralidade e do caráter, e definitivamente não é o Evangelho do dinheiro e da prosperidade. Mas você sabe o que o Evangelho faz? Ele produz todas essas coisas. O verdadeiro Evangelho de Jesus Cristo sempre produz piedade, santidade, moralidade, caráter, provisão, saúde, sabedoria, amor, paz, alegria e muito mais. Tudo isso flui do Evangelho de Jesus Cristo.

O verdadeiro Evangelho de Jesus Cristo sempre produz piedade, santidade, moralidade, caráter, provisão, saúde, sabedoria, amor, paz, alegria e muito mais.

Esse é o Evangelho do qual não me envergonho. É por isso que o que faço todos os domingos, e em todo lugar onde falo, é pregar mensagens que revelam Jesus. Sei que, quando Ele for central na vida das pessoas, seus medos, culpas e vícios não mais serão centrais. Quando a justiça de Deus (não a sua própria justiça) for revelada, elas viverão de fé em fé. Viverão de um nível de crença correta até o próximo nível de crença correta, e de um nível de libertação até o próximo nível de libertação.

Romanos 1:17 diz que o justo viverá *pela fé*. Essa passagem não diz que o justo viverá por suas próprias obras. A essência da fé cristã se fundamenta nesse versículo. Foi esse versículo que lançou a Reforma. Martinho Lutero recebeu a revelação de que um crente é justificado pela fé, não pelas obras da Lei. Em outras palavras, os justos viverão pela crença correta em tudo que Jesus realizou por eles no Calvário, não por suas próprias realizações. De fato, a fé diz respeito a crer que você é justo por meio da obra consumada de Jesus! A centralidade do Evangelho se baseia em crer corretamente, não em fazer corretamente. A verdade é que, quando você crer corretamente, acabará vivendo bem. Crer corretamente sempre leva a viver corretamente.

Quando você crer corretamente que a sua justiça vem de Jesus, a Palavra de Deus diz: "Mas a vereda dos [inflexivelmente] justos é como a luz da aurora, que vai brilhando mais e mais [mais brilhante e mais clara] até ser [atingir sua máxima força e glória no] dia perfeito [estar preparado]" (Provérbios 4:18, AMP).

Sabemos que só Jesus é inflexivelmente justo e reto. Que esperança temos você e eu se o brilho de nossos caminhos se basear na nossa própria justiça? Mas, por termos sido feitos justos por meio da Sua obra consumada, Deus garante que nossos caminhos brilharão mais e mais ao sermos transformados de glória em glória.

Em Cristo, o seu futuro é abençoado. É repleto do Seu favor e repleto de todas as oportunidades, promoções e portas certas abertas. Nele você pode esperar o bem, a vitória, o favor e o sucesso. Conforte-se hoje sabendo que as suas melhores mudanças não estão no seu passado, mas no seu futuro. Jesus está levando-o a um lugar tão bom que está além do que você possa sequer pedir, pensar ou imaginar.

> ❖ *Em Cristo, o seu futuro é abençoado. Ele é repleto do Seu favor e repleto de todas as oportunidades e promoções e portas certas abertas.*

Como Ver Jesus na Palavra

De Gênesis ao Apocalipse, a Bíblia aponta para a pessoa de Jesus. Tenho certeza de que, quando caminhou com os dois discípulos, Jesus deve ter falado do capítulo 22 de Gênesis. Esse é o trecho no qual Deus diz a Abraão para oferecer seu filho, seu único filho, o filho a quem ele amava.

Medite nessa história durante um momento. É a história de um filho que está subindo o Monte Moriá carregando madeira a caminho de ser sacrificado. Muitas pessoas não compreendem essa história. Por que Deus pediu que o filho de Abraão fosse sacrificado? Toda a passagem do capítulo 22 de Gênesis é, realmente, a história do Evangelho. O próprio Deus enviou Seu Filho, Seu único Filho, o Filho a quem Ele amava. Seu Filho subiria a mesma montanha carregando uma pesada cruz de madeira. Mas Ele iria até o pico mais alto, conhecido como Monte Calvário, e sacrificaria a Si mesmo como pagamento pelos pecados de toda a humanidade.

Essa é uma bela imagem de Jesus! Você consegue vê-lo?

Agora, imagine-se no lugar de Abraão: você está subindo a montanha com seu filho Isaque. Quando você chega ao local do sacrifício, seu menino se vira para você com seus grandes e belos olhos e, inocentemente, pergunta: "Papai, eu vejo o fogo e vejo a lenha, mas, onde está o cordeiro?"

Estou certo de que essa pergunta deve ter partido o coração de Abraão. Contendo sua emoção, ele olhou o menino nos olhos e disse: "Meu filho, Deus proverá para si um cordeiro". Pela fé, Abraão disse essas palavras proféticas do que Deus faria.

Mas quando Abraão estava prestes a sacrificar seu filho, Deus disse: "Não estendas a mão sobre o rapaz". Abraão olhou para trás e viu um carneiro preso pelos chifres entre os arbustos (ver Gênesis 22:12-13). Acredito que, ao se virar e olhar, Abraão não só viu o carneiro preso em um matagal, mas também teve uma visão profética do verdadeiro Cordeiro de Deus, Jesus Cristo, com uma coroa de espinhos (não muito diferente dos arbustos em que os chifres do carneiro estavam presos) circundando Sua testa. Ele viu o Cordeiro fixado à cruz com pregos grossos.

Como eu sei disso? Porque Jesus disse aos fariseus: "Abraão alegrou-se por ver o meu dia". E eles zombaram dele, dizendo: "Você não tem sequer cinquenta anos de idade e afirma ter visto Abraão?" Ele respondeu enfaticamente: "Antes que Abraão existisse, EU SOU" (ver João 8:56-58).

O que fez Abraão se alegrar? Naquele dia, no Monte Moriá, Abraão viu uma imagem profética de Jesus na cruz e se alegrou ao ver o Seu dia! Ele viu que Deus daria, de fato, a Si mesmo como o Cordeiro sacrificial e, por isso, chamou o lugar *Yehovah Yireh* (Javé Jirê), que significa "O Senhor providenciará"[4] ou "O Senhor proverá" (Gênesis 22:14). Meu amigo, Deus viu nossa desesperada necessidade de uma oferta e ofertou o Seu próprio Filho amado como o sacrifício por todos os homens.

Deus disse a Abraão: "Agora sei que temes a Deus, porquanto não me negaste o filho, o teu único filho" (ver Gênesis 22:12). Você sabe por que Ele disse isso? Para que hoje possamos crer e dizer com segurança em nossos corações: "Querido Deus, agora eu sei que Tu me amas, porque Tu não me negaste o Teu filho, Teu único Filho, o Filho a quem Tu amas tão profundamente, mas o entregaste na cruz por mim".

Mergulhe em Seu Amor e Graça

Meu amigo, você nunca saberá quanto Deus o ama se não compreender quanto Deus amava Jesus e, mesmo assim, o entregou para resgatá-lo. Deus não tinha de enviar Seu Filho para sofrer na cruz, mas escolheu fazê-lo por causa do Seu infinito amor por você.

> ❖ *Você nunca saberá quanto Deus ama você se não compreender quanto Deus amava Jesus e, mesmo assim, o entregou para resgatá-lo.*

Não se esqueça de que, no caso de Abraão, Deus o impediu de sacrificar Isaque. No caso de Jesus, ninguém interrompeu o sacrifício. Ninguém poupou o coração de Deus. Ninguém amenizou a tristeza do Pai. Foi um enorme sacrifício feito por um coração amoroso.

A história de Abraão oferecendo Isaque fala da imensidão do amor de Deus por nós. A história nos revela a angústia, a dor e o sofrimento que o próprio Deus iria enfrentar. Como Pai, Ele ofereceu Seu próprio precioso e amado Filho, Jesus Cristo, para nos redimir dos nossos pecados. Deus não trata o pecado com leviandade. A única maneira de nos salvar era permitir que o castigo pelo pecado recaísse completamente sobre Seu próprio Filho. Jesus é o "carneiro" que se permitiu ser pego em um "arbusto" como pagamento por todas as nossas transgressões.

Quando você vir Jesus revelado nas Escrituras, quando você vir Seu amor, sofrimento e sacrifício assim revelado na Bíblia, seu coração arderá com o calor de Seu amor, como os corações dos dois discípulos que o ouviram expor, a partir das Escrituras, todas as coisas referentes a Ele. Inconscientemente, o desânimo, as preocupações e todas as suas apreensões irão embora quando Seu amor incondicional inflamar a esperança e a fé em seu coração.

Deus quer que você se volte para Jesus e fique livre da ocupação consigo mesmo ao ver Seu Filho na Palavra. Encha sua mente com Seu amor e poder, e seu coração encontrará descanso em Seu generoso amor por você. Oro para que você vivencie a sua própria caminhada pela estrada de Emaús ao abrir as Escrituras e permita que a Sua Palavra banhe seu coração no calor de Sua amorosa graça e doce misericórdia. Tudo se trata, realmente, de Jesus!

CAPÍTULO 15

ADORE COM AS PALAVRAS DE DAVI

❖

Ao continuarmos a aprender como podemos ser libertos dos pensamentos a nosso próprio respeito, deixe-me compartilhar com você a caminhada de Barbara, uma senhora do Texas, que descobriu que Jesus era a resposta às suas lutas.

Caro Pastor Prince,

Fui salva quando pequena, mas, em decorrência de pecados, cometidos por mim e contra mim, nunca me senti digna. Ataques de ansiedade, enxaquecas e outros sintomas físicos me atormentaram durante anos, piorando ao longo do tempo. Recentemente, cheguei ao fundo do poço quando as mentiras do acusador me fizeram passar de temer toda vez que saía de casa, a ter fortes ataques de ansiedade em minha própria casa. Eu despertava do sono tendo esses ataques. Sabia que algo precisava mudar, mas não sabia por onde começar.

Eu lutava contra tomar a medicação que o médico receitou. Orava e pedia à minha mãe para orar, mas faltava alguma coisa. Estava determinada a ficar curada, então comprei livros de autoajuda, incluindo um livro "cristão". Eu cria que Deus estava disposto a me curar e que Jesus morreu por minha cura, mas tinha de "fazer a minha parte" para minha cura se manifestar. Li o livro "cristão" para ser liberta, a fim de obter cura espiritual, mental e física, mas isso só me fez reviver e recontar todo o meu passado e me trouxe maior tormento mental.

O acusador começou a me atacar ainda mais. Eu me sentia pior do que nunca enquanto ele me atormentava com coisas que haviam acontecido havia vinte anos. Cheguei a pensar que havia experimentado um pouco do sabor do inferno, sendo atormentada dia e noite. Até pensei que aquilo era o que eu tinha de passar para obter minha cura. Pelos meus próprios esforços falhos batalhei com afinco pela redenção, tentando ser boa e fazer o bem nos últimos anos. Mas meus esforços só davam resultado durante pequenos períodos de tempo, então a ansiedade e o medo voltavam como uma vingança.

Mas, graças a Deus, tenho uma mãe que ora e adquiri seus livros e ensinamentos e recebi a revelação da graça e do presente da justiça. Os recursos anteriores exigiam os meus próprios esforços, o que só piorou as coisas, mas, felizmente, me levaram ao fim de tentar resolver isso por mim mesma.

Por intermédio da verdade de suas mensagens e livros acerca da graça e da pessoa de Jesus, estou curada. Parei de olhar para mim e comecei a olhar para Ele. Todos os dias me abasteço das águas vivas de Jesus. Dia após dia, torno-me mais semelhante a Ele, porque "tal como Ele é, assim sou eu neste mundo".

Agradeço a Deus pelas revelações que tive e que continuo a receber por meio de seu ministério. Pela primeira vez, percebo o que realmente significa ser a justiça de Deus por meio de Cristo Jesus e compreendo o poder real e verdadeiro do sangue de Jesus e de Sua obra consumada na cruz.

Estou empolgada por ter um relacionamento real com meu Papai celestial. Estou ansiosa por viver o resto de minha vida desfrutando das bênçãos de Deus por meio de Seu favor imerecido e inconquistado. Eu pedi cura, mas Ele me deu muito mais!

Todo louvor e toda glória a Jesus! Não é surpreendente ver o que acontece quando as pessoas simplesmente deixam de olhar para si mesmas e se voltam para Jesus?

Amo a maneira de Barbara descrever seu modo de exercitar a presença de Jesus em sua vida diária: "Parei de olhar para mim e comecei a olhar para Ele. Todos os dias me abasteço das águas vivas de Jesus. Dia após dia, torno-me mais semelhante a Ele, porque 'segundo Ele é, também eu sou neste mundo'."

Tudo que ela fez foi deixar de olhar para si e olhar para Jesus. E, ao abastecer-se diariamente de Suas águas vivas, ela se viu cada vez mais semelhante a Ele — íntegra, estável e com mente e corpo sãos.

O Desafio de uma Semana

Posso incentivá-lo a começar a fazer o que Barbara fez? Toda vez que você se sentir derrotado, exercite ser consciente de Jesus em sua vida. A despeito do que você esteja sentindo, veja-o amando você, estando com você, segurando a sua mão e guiando-o para longe de todo medo, dor, dúvida e adversidade. Não seja tardo de coração para crer; seja rápido para crer que Jesus está com você.

❖ *Seja rápido para crer que Jesus está com você.*

Antes de desistir e decidir que as coisas nunca mudarão em sua vida, tenho uma tarefa para você. Você tentaria exercitar a presença de Jesus durante apenas uma semana? Isso é tudo que estou pedindo — uma semana do seu tempo. Ao longo dessa semana, no momento em que você tiver pensamentos de fracasso, culpa, medo, ansiedade e derrota, ocupe imediatamente a sua mente com pensamentos positivos de seu Salvador, Jesus Cristo! A palavra-chave aqui é *imedia-*

tamente. Trata-se de ser rápido para crer, por isso precisa acontecer rápido! Imediatamente, veja Jesus na sua situação. Imediatamente, volte sua mente para pensamentos sobre o Seu amor, paz, mão amorosa sobre a sua vida e Sua obra consumada.

Ao final dessa semana, escreva para mim no e-mail *praise@josephprince.com* e compartilhe comigo o que você vivenciou. Espero sinceramente que você assuma esse desafio e estou ansioso para receber notícias suas.

Como Estar Voltado para Jesus

Você percebeu que, quando está sentindo dor em seu corpo, é extremamente difícil pensar em qualquer outra coisa? Por exemplo, se você tiver uma forte dor de dente, não ficará pensando nas crianças famintas do mundo e suas necessidades. Não, você será consumido pela dor em sua própria boca e nada mais realmente importará. A dor é tudo que você sente e tudo em que você consegue pensar.

Do mesmo modo, quando estamos passando por um momento difícil ou lidando com uma grande carga de estresse, ansiedade, medo ou condenação, é extremamente desafiador parar de olhar para si mesmo e olhar para Cristo, porque estamos preocupados com os nossos próprios problemas. Como a forte dor de dente, nossos problemas constituem tudo em que conseguimos pensar. Assim é a ocupação com nós mesmos. É dolorosa e mantém a sua atenção em si mesmo.

Então, como fazemos a mudança de paradigma — passar de estarmos voltados para os nossos próprios problemas e para nós mesmos para estarmos voltados para Jesus?

A fim de responder a essa pergunta, deixe-me lhe mostrar como Davi se fortalecia no Senhor sempre que estava com medo, ansioso ou deprimido. Aprendamos com alguém a quem Deus descreve como um "homem segundo o meu coração" (Atos 13:22). A Palavra de Deus nos revela que, sempre que Davi estava em apuros, ele adorava ao Senhor com belos salmos, hinos e louvores. Em vez de chafurdar em sua própria derrota e tatear no escuro, Davi voltava os olhos para os céus e levantava sua voz ao Rei dos reis.

Em seus anos finais, quando Absalão, seu próprio filho, tentou usurpar o trono, Davi poderia ter escolhido retaliar, enviando suas tropas leais contra Absalão. Entretanto, ele não tinha coragem de lutar contra seu próprio filho. Então, em vez de lutar contra Absalão, a quem ele amava imensamente, Davi fugiu de Absalão, com lágrimas nos olhos e o coração partido. Imagine o quão destruído Davi deve ter sido, traído por sua própria carne e sangue.

Mas em vez de ser dominado pelas circunstâncias extremamente dolorosas que o cercavam, Davi olhou para o Senhor e o adorou com estas palavras eternas ao subir o Monte das Oliveiras: "Porém tu, SENHOR, és o meu escudo, és a minha glória e o que exaltas a minha cabeça. Com a minha voz clamo ao SENHOR, e ele do seu santo monte me responde" (Salmos 3:3-4).

Não é maravilhoso saber que Deus nos escuta quando clamamos a Ele em adoração? Quando Davi adorou ao Senhor, Deus transformou suas circunstâncias para o seu bem. Deus permitiu que uma pessoa do acampamento de Absalão lhe desse maus conselhos e, como resultado, o golpe de estado de Absalão fracassou.

Adore a Jesus no seu Vale das Tribulações

Estou lhe dizendo que, independentemente de qual seja o seu problema hoje, aprenda a adorar a Jesus em seu vale de tribulações e louve o Seu adorável nome. Veja-o como o seu escudo. Veja-o como a glória e aquele que exalta a sua cabeça. Seja envolvido por Jesus e Ele virará as suas circunstâncias a seu favor. Deixe seu coração encontrar descanso e paz na segurança do Seu amor.

❖ *Aprenda a adorar a Jesus em seu vale de tribulações.*

Algumas pessoas pensam que, quando adoram a Deus, estão *dando* algo a Ele. Ao contrário, acredito que quando nós o adoramos e louvamos, *Ele está nos dando,* transmitindo Sua vida, sabedoria e poder às nossas vidas. Nossas mentes estão sendo renovadas e acredito que nossa juventude e nossos corpos físicos também estão sendo renovados em Sua doce presença.

Pense nisso durante um momento. Deus não precisa de que o adoremos e louvemos. Ele tem todo um exército de anjos que pode cantar para Ele e louvá-lo vinte e quatro horas por dia, sete dias por semana. E, diferentemente de você e de mim, esses anjos não se cansam e nunca cantam fora do tom! Deus não é um megalomaníaco, que exige adoração e louvor de nós. Absolutamente não! Quer você o adore e louve ou não, Ele ainda é Deus.

Então, a adoração é uma resposta de nossa parte ao Seu amor por nós. Não temos de fazê-lo, mas, quando experimentamos Seu amor e graça em nossas vidas, queremos fazê-lo. É uma resposta nascida de uma revelação, em nossos corações, de quão grande, quão impressionante, quão majestoso e quão totalmente desejável nosso Senhor e Salvador realmente é. Quando o adoramos e nos entregamos totalmente em Seu magnífico amor por nós, algo acontece. Somos mudados e transformados para sempre em Sua presença. Todos os medos, preocupações e ansiedades vão embora quando Jesus é exaltado em nossa adoração.

Quando adoramos e nos tornamos totalmente perdidos em Seu magnífico amor por nós, somos mudados e transformados para sempre em Sua presença.

O Poder da Adoração

Nossa equipe ministerial recebeu esta carta de Emma, da Alemanha, e acredito que ela irá ajudá-lo a ver o que a adoração é capaz de fazer por você:

> *Tenho sessenta e dois anos de idade. Sempre que o diabo tentava me atacar com sintomas de uma doença, eu ouvia os seus CDs de adoração e adorava a Jesus, meu Senhor, meu Salvador e meu Redentor. Frequentemente, também participava da Sagrada Comunhão escutando as canções de adoração. Após alguns minutos, todos os sintomas desapareciam!*
>
> *Após vivenciar esses milagres, comecei a levar as canções de adoração ao lar de idosos em que trabalho. Nesse lar havia alguns idosos que choravam durante toda a noite. Nenhum medicamento conseguia ajudá-los e era possível ouvi-los chorando das oito da noite até as seis da manhã. Trabalho no turno noturno e, certa noite, coloquei o CD player no corredor de seus quartos e toquei o seu CD de adoração* A Touch of His Presence *(Um Toque de Sua Presença). Naquela noite, nenhum daqueles idosos chorou. Todos ficaram em silêncio e dormiram serenamente durante a noite toda.*
>
> *Havia também uma senhora na casa que sofria de esquizofrenia. Certa noite, ela estava muito agitada e ficava falando em voz alta consigo mesma. Sua vizinha, uma senhora com demência, estava cantando com voz estridente. Peguei meu iPod e toquei as músicas de* A Touch of His Presence *para elas. Após três minutos, as duas mulheres caíram em sono profundo.*
>
> *As duas colegas que estavam comigo ficaram atônitas com o que haviam testemunhado e pediram para ter um leitor de CD no dormitório feminino, para que as outras senhoras pudessem ouvir as canções de adoração. Até hoje esses idosos já não choram mais para dormir à noite.*

> *Quanto a mim, tenho ouvido as canções de adoração em meu iPod durante meu intervalo no trabalho e, toda vez, a glória de Deus invade esse lar de idosos e os abençoa. Todos os louvores a Jesus!*

Amo esse testemunho. Ele realmente mostra quão poderosa a adoração pode ser!

O CD mencionado por Emma faz parte de uma coleção de adoração, *A Touch of His Presence* (Volumes 1 e 2). Essa não é uma gravação comum de canções. As músicas foram compiladas a partir de cultos ao vivo e todas são canções de adoração espontâneas que fluíram do meu espírito durante tempos íntimos de adoração, quando simplesmente nos ocupávamos com a pessoa de Jesus. Eu cantava o que Deus estava colocando em meu coração, e Ele manifestava a Sua presença amorosa. Então, os dons do Espírito operavam e ocorriam curas entre as pessoas da congregação.

No conhecido *site* de música digital *iTunes*, que disponibiliza essa coleção, alguém compartilhou como o fato de tocar as músicas de *A Touch of His Presence* ao adorar ao Senhor ou enquanto estava deitado na cama simplesmente trazia a doce presença do Senhor. Esses tempos foram tão fundamentais para ancorá-lo e firmá-lo, que ele os incorporou à sua rotina diária.

Outro irmão descreveu como essa música de adoração o libertou do medo e de problemas de sono crônicos. Durante alguns anos, todas as noites, um medo irracional e paralisante o despertava do sono mais ou menos a cada trinta minutos e o deixava em meio a um terror ainda maior. Apesar de orar por paz, esse pobre homem descobriu que não conseguia dormir com as luzes apagadas.

Certo dia, enquanto tocava as músicas em seu quarto, de repente ele sentiu a presença tangível da calma e paz do Senhor. E, ao ouvir a música, pela primeira vez em muito tempo ele dormiu como um bebê. Ele estava tão feliz, que tudo que conseguia fazer era agradecer ao Senhor e chorar! Agora, ele escuta o CD todas as noites e fez o *download* dele para ouvir no carro pelo *iPod*.

Quis compartilhar esses testemunhos com você porque acredito que algumas pessoas querem adorar a Deus, mas podem não saber por onde começar quando estão sozinhas em casa. Se esse é o seu caso, comece por adquirir música cristã ungida que possa preencher o seu quarto com a presença do Senhor. Permita que a música simplesmente se derrame sobre você como rios de águas vivas. Deixe Sua presença expulsar todo medo e toda ansiedade. Deixe Seu amor remover as preocupações que pesam sobre você. Deixe Jesus ser magnificado e glorificado, e veja-o virar todas as coisas a seu favor!

Aprenda com o Doce Salmista

Muito antes de o inimigo conseguir roubar a sua vitória, ele rouba a sua canção. Muito antes de ele conseguir roubar a sua alegria, ele rouba o seu louvor. Antes que você perceba, começa a se tornar crítico, pessimista, mal-humorado e deprimido. Não permita que ele faça isso. Que os louvores estejam continuamente em seus lábios e que você esteja sempre consciente da presença do Senhor, de Seu favor, bondade e bênçãos em sua vida.

Não sabe o que cantar? Não há ninguém melhor para aprendermos do que Davi, o doce salmista de Israel. Houve um rei depois de Davi chamado Ezequias, que fez exatamente isso. Veja como a Bíblia descreve esse rei em 2 Reis 18:5, 7: "Confiou no SENHOR, Deus de Israel, de maneira que depois dele não houve seu semelhante entre todos os reis de Judá, nem entre os que foram antes dele... Assim, foi o SENHOR com ele; para onde quer que saía, lograva bom êxito".

O rei Ezequias levou avivamento ao seu povo e restaurou o louvor e a adoração à casa de Deus. Ele também devolveu a soberania ao seu país após seu pai, o Rei Acaz, mergulhar o reino em adoração pagã e colocar a nação sob maldição (ver 2 Reis 16; 18-19).

Em 2 Crônicas 29:25-26,30 consta que Ezequias "estabeleceu os levitas na Casa do SENHOR com címbalos, alaúdes e harpas, segundo mandado de Davi... os levitas em pé com os instrumentos de Davi... Então, o rei Ezequias e os príncipes ordenaram aos levitas que louvassem o SENHOR com as palavras de Davi...".

Você não está feliz por Deus ter nos dado o livro de Salmos da Bíblia, para que, como o rei Ezequias, possamos adorar ao Senhor com as palavras de Davi? Davi escreveu grande parte dos salmos, e Deus é revelado de uma maneira especial quando cantamos com as palavras de Davi. Ele deu a Davi um dom especial para escrever canções que revelam Seu amor e coração.

Certamente, não somos capazes de melhorar as palavras que Davi escreveu; então juntemo-nos a ele para exaltar o nome do Senhor e permitir que Ele se torne nossa rocha e fortaleza quando nos sentirmos sitiados pelos problemas da vida. Vamos enaltecer o Senhor e observá-lo nos dar livramento. Vamos segui-lo e permitir que Ele seja o nosso pastor. Vamos deixá-lo nos fazer repousar em pastos verdejantes e nos levar para junto das águas de descanso.

Como Jesus Definiu o Temor de Deus

Algo acontece quando você canta usando as palavras de Davi. Seus medos começam a ir embora. Você não consegue intimidar o medo parecendo confiante ou agressivo. Talvez até mesmo ao estar lendo isto agora, sua mente esteja tomada pelo medo do futuro, ou medo da falta ou perda de sua juventude. Talvez você esteja com medo de alguma doença ou de perder seus entes queridos para alguma doença. Talvez você seja atormentado diariamente pelo medo de rejeição. Meu amigo, o único temor que Deus quer que você tenha é um salutar temor do Senhor, que o próprio Jesus define como a *adoração* a Deus.

Ao tentar Jesus no deserto, o diabo disse: "Tudo isto (todos os reinos do mundo e sua glória) te darei se, prostrado, me adorares".

Citando o livro de Deuteronômio, Jesus respondeu: "Retira-te, Satanás, porque está escrito: ao Senhor, teu Deus, adorarás, e só a ele darás culto" (Mateus 4:9-10).

Ora, se você verificar rapidamente o que Jesus citou do livro de Deuteronômio, o texto realmente diz: "O SENHOR, teu Deus, temerás..." (Deuteronômio 6:13). Então, Jesus definiu o "temor" de Deus como a "adoração" a Deus. Em outras palavras, o único "temor" que você deve ter em sua vida é a adoração a Deus. Adore-o e todos os seus medos desaparecerão à luz de Sua glória e graça.

Adore-o e todos os seus medos desaparecerão à luz de Sua glória e graça.

O Salmo do Pastor

O salmo mais citado da Bíblia, o Salmo 23, foi escrito por Davi. Você pode estar familiarizado com estas palavras que Deus preservou em Sua Palavra para aprendermos de Seu amor e bondade para conosco: "O SENHOR é o meu pastor; nada me faltará" (v. 1). O Salmo 23 é incrível para você memorizar e meditar toda vez em que enfrentar um desafio.

Um irmão de Maryland me escreveu para compartilhar como ele foi curado de dor crônica no ombro simplesmente meditando em Salmos 23. John havia lido um de meus devocionais diários acerca de meditar na Palavra de Deus, onde demonstrei como fazer isso com o Salmo 23. Em seu caminho do trabalho para casa naquele mesmo dia, John começou a meditar sobre "O Senhor é o meu pastor; nada me faltará". Ele colocou o foco em quanto o Senhor é bom por querer ser o nosso pastor e como Ele tem realmente provido todas as nossas necessidades. John viu o Senhor protegê-lo na estrada, curá-lo de sua dor e conceder-lhe favor no trabalho. Ao chegar em casa, descobriu que a dor que o atormentava havia dois anos e restringia os seus movimentos havia passado totalmente!

Meu amigo, quero que você saiba que o poder de curá-lo exatamente onde você está se encontra na Palavra de Deus. Há poder de cura nos salmos! Eles não são apenas canções escritas para preencher páginas da sua Bíblia. Algo acontece ao seu corpo físico e às circunstâncias externas quando você memoriza as palavras de Davi, medita nelas e adora a Deus, utilizando-as.

Salmo 34 — Escolha Bendizer ao Senhor

Outro belo salmo é o Salmo 34, escrito por Davi na caverna de Adulão. Acho realmente interessante Davi ter escrito um dos salmos mais poderosos durante um dos períodos mais difíceis de sua vida. Em algumas traduções da Bíblia, como a *New King James Version*, a introdução do salmo o descreve como "um Salmo de Davi quando fingiu loucura diante de Abimeleque, que o expulsou, e ele partiu".

Não precisamos de um grande esforço de imaginação para perceber que esse foi um dos pontos mais baixos da vida de Davi. Davi estava fugindo do rei Saul e buscou refúgio com o rei de Gate (citado como "Abimeleque" na introdução ao salmo). Você se lembra de Gate? Golias, o gigante que aterrorizara os filhos de Israel, era de Gate. E agora, Davi estava em tal estado de confusão, que buscava asilo no rei de Golias! Ah, como o poderoso havia caído!

Quando Davi estava em Gate, os servos do rei de Gate o reconheceram e disseram: "Este não é Davi, o rei da sua terra?" Provavelmente, eles o reconheceram como aquele que matou seu campeão Golias e cortou sua cabeça. Afinal, aquela era uma grande derrota que não seria facilmente apagada de suas mentes. Então, eles lembraram seu rei: "Não é a este que se cantava... 'Saul feriu os seus milhares, porém Davi, os seus dez milhares?'" (1 Samuel 21:11).

Quando Davi ouviu as palavras deles, o temor tomou seu coração e ele ficou com muito medo do que o rei de Gate poderia fazer a ele. A Bíblia nos diz que ele "se contrafez diante deles, em cujas mãos se fingia doido, esgravatava nos postigos das portas e deixava correr saliva pela barba" (1 Samuel 21:13). Você consegue imaginar o estado mental em que Davi se encontrava? O campeão de Israel agora rastejava no chão com saliva em toda a barba!

Enfurecido por seus servos terem trazido um "louco" à sua presença, o rei de Gate expulsou Davi. Então, no versículo seguinte, a Bíblia registra para nós que "Davi retirou-se dali e se refugiou na caverna de Adulão" (1 Samuel 22:1).

Agora que compreende o contexto, você pode valorizar as palavras escritas das profundezas daquela caverna. Após um episódio tão degradante, Davi poderia ter se escondido na caverna e se entregado à autopiedade e condenação, mas, em vez disso, cantou estas palavras:

> *Bendirei o* SENHOR *em todo o tempo, o seu louvor estará sempre nos meus lábios. Gloriar-se-á no* SENHOR *a minha alma; os humildes o ouvirão e se alegrarão. Engrandecei o* SENHOR *comigo, e todos, à uma, lhe exaltemos o nome. Busquei o* SENHOR, *e ele me acolheu; livrou-me de todos os meus temores.*
>
> — Salmos 34:1-4

Em seu momento mais tenebroso, Davi escolheu não ser derrotado por suas circunstâncias. Em vez disso, escolheu bendizer o Senhor e deixar que os louvores do Senhor estivessem continuamente em sua boca. Ele estava com medo? Definitivamente! É por isso que ele estava escondido em uma caverna. Todavia, apesar de seu medo de que o rei Saul o capturasse ou que o rei de Gate o matasse para vingar Golias, ele buscou o Senhor em adoração; e Deus, em Sua fidelidade, o livrou de todos os seus medos.

De Exército 3D a Guerreiros Destemidos

Meu amigo, quero que você veja que Davi entrou na caverna desesperado, mas algo aconteceu quando ele adorou ao Senhor. E aquilo não apenas o transformou, como também transformou todos os homens que estavam reunidos com ele. A Bíblia nos diz que, quando Davi estava na caverna: "Ajuntaram-se a ele todos os homens que se achavam em aperto, e todo homem endividado, e todos os amargurados de espírito, e ele se fez chefe deles; e eram com ele uns quatrocentos homens" (1 Samuel 22:2).

Chamo isso de exército 3D, já que todos os que se encontravam em **d**ificuldade, **d**ívida ou **d**escontentamento se reuniram a Davi. E, no salmo, Davi incentivou todos aqueles quatrocentos homens a cantarem em voz alta na caverna e a engrandecerem ao Senhor com ele (Salmos 34:3). Quando eles o fizeram, seus rostos se tornaram "iluminados" e eles não se envergonhavam (Salmos 34:5).

Assim, aqueles homens não permaneceram como o exército 3D. Eles foram transformados de glória em glória e se tornaram conhecidos como os valentes de Davi. Você pode ler tudo acerca de suas proezas em 2 Samuel 23:8-39. Eles se tornaram guerreiros destemidos, matadores de gigantes por seu próprio mérito, e os homens fiéis que serviram a Davi todos os dias de suas vidas.

Da mesma maneira hoje, quando escolher adorar ao Senhor em meio às suas provações, você será inevitavelmente transformado. Você pode começar com dificuldade, dívida ou descontentamento. Mas a sua história não termina aí. Ao manter seus olhos no Rei dos reis, *Ele* o exaltará e fará com que você se torne poderoso!

Mantenha seus olhos no Rei dos reis. Ele o exaltará e fará com que você se torne poderoso!

Do Medo à Fé

Analisemos de perto o que aconteceu a Davi. No Salmo 34, ele escreveu: "Clamou este aflito" (obviamente referindo-se a si mesmo) e prosseguiu, "e o SENHOR o ouviu e o livrou de todas as suas tribulações" (v. 6). Davi estava se escondendo de seus inimigos, mas, ao adorar, vemos uma transformação de seu estado de espírito.

Ele começou apavorado, mas vemos como ficava afastando seus pensamentos de si mesmo e de seus próprios medos. Vemos como ele continuou praticando o poder de crer corretamente, declarando em seu salmo como o Senhor o escutara e livrara. No fim, ele parou de ver a si mesmo como solitário e sitiado. Em vez disso, declarou com ousadia que "o anjo do SENHOR acampa-se ao redor dos que o temem e os livra" (v. 7).

Em outras palavras, quando adorava ao Senhor, Davi não sentia mais medo de seus inimigos. O anjo do Senhor se tornou mais real para ele do que o rei Saul ou o rei de Gate. E Davi, que acabara de escapar fingindo loucura e rebaixando-se diante do povo de Gate, agora podia gloriar-se no Senhor e proclamar isso com confiança: o anjo do Senhor acampa-se ao redor e envolve os que o adoram, e Ele certamente os livrará.

Você crê nisso hoje? Não importa se você está com medo, se você está em dificuldade, dívida ou descontentamento. Creia corretamente. Creia que, quando você buscar o Senhor em adoração, como fizeram Davi e seus homens, o Senhor realmente o ouvirá e o livrará de todos os seus problemas. A adoração é uma das maneiras mais fáceis, contudo mais poderosas, de estar livre da ocupação consigo mesmo. Deixe de olhar para os sintomas dolorosos ou as circunstâncias terríveis que o estão incomodando, e adore a Jesus. Esteja voltado para Ele e tudo cooperará para o seu bem.

❖ *A adoração é uma das maneiras mais fáceis, contudo mais poderosas, de estar livre da ocupação consigo mesmo.*

Você me faria um favor? Gostaria que você visitasse josephprince.com/power, onde incluí um vídeo de adoração em que conduzo minha igreja a cantar as palavras de Davi no Salmo 34. Isso não é algo que eu possa fazer em um livro, mas quero lhe demonstrar, por meio do vídeo, como a adoração é uma das maneiras mais rápidas de você colocar o foco em Jesus e superar os seus sentimentos de derrota.

Acredito que, ao adorar ao Senhor, você estará totalmente livre de qualquer problema ou área de derrota com a qual esteja lutando hoje. Concordemos juntos que seu corpo será curado, que todos os seus medos desaparecerão e que todos os vícios cessarão no poderoso nome de Jesus.

Venha engrandecer ao Senhor comigo, venha adorar a Jesus com as palavras de Davi e experimentar Sua bondade e libertação!

PARTE SEIS

ESPERE CONFIANTEMENTE O BEM

CAPÍTULO 16

A BATALHA PERTENCE AO SENHOR

❖

Quando os exércitos de saqueadores de Moabe, Amom e do monte Seir se abateram contra Jerusalém, Josafá, o rei de Judá, convocou um estado de emergência e reuniu todo Judá para buscar a ajuda do Senhor. Todos os homens de Judá, com suas mulheres e filhos, colocaram-se diante da casa do Senhor, com rostos sombrios, esperando ansiosamente para ouvir o que seu rei tinha a dizer. Eles sabiam que os exércitos de seus inimigos eram muito maiores que o seu, e o medo de perder tudo que tinham esmagava seus espíritos. Algumas das mulheres choravam incontrolavelmente, temendo pela vida de seus maridos na batalha iminente. Seus filhos, que nunca haviam testemunhado seus pais e familiares tão atemorizados e abatidos, apenas esperavam o rei falar com uma tranquilidade atípica.

Você já esteve em uma situação como essa, em que as circunstâncias parecem totalmente sem esperanças? Situações em que você se sentiu imobilizado e oprimido pelos desafios à sua volta, sem saída ou sequer um alívio temporário à vista?

Foi exatamente isso o que aconteceu com a pequena tribo de Judá quando foi cercada em todas as frentes por três exércitos poderosos e sanguinários, que avançavam rapidamente em direção a eles (ver 2 Crônicas 20:1-4). Com seus inimigos impiedosamente empenhados em aniquilá-los e a todos os habitantes de Jerusalém, a situação era desoladora e sem esperança, e parecia que eles se dirigiam a um fim trágico.

Esperança para Tempos de Desesperança

Em nossas vidas pode haver épocas em que parece que nossos desafios chegam a nós simultaneamente de todas as direções e estamos totalmente inundados por problema após problema. Talvez a tensão de uma dificuldade financeira tenha levado a rupturas em seu casamento, bem como o desenvolvimento de um problema médico e uma forte opressão mental. Sob o peso acumulado de tudo isso vindo contra você de uma só vez, você se sente como se toda a sua vida estivesse fora de controle e desmoronando. Dia após dia, as circunstâncias parecem estar se deteriorando rapidamente, apesar de seus esforços para resgatar as coisas.

Nesses tempos de desespero, o que você faz quando, honestamente, não sabe o que fazer?

Acredito que a resposta pode ser encontrada no relato bíblico da batalha de Josafá. Ali há muitas pérolas preciosas e práticas de sabedoria das quais você e eu podemos nos beneficiar, especialmente no tocante a enfrentar uma grande pressão e sentir-se paralisado pela simples grandeza das adversidades que nos rodeiam.

Superando o Medo

Só quero chamar a sua atenção para o fato de que, ao ser informado de que uma grande multidão estava vindo contra ele, Josafá temeu. É isso mesmo, a primeira reação de Josafá foi o medo! Não sei sobre você, mas isso me dá esperança! Sou muito grato porque a Palavra de Deus não censura os detalhes pouco gloriosos. Ela nos dá um retrato autêntico de quem Josafá era. Ele não era um valente rei guerreiro, sempre cheio de fé e dotado de uma dose desproporcional de coragem impetuosa, sempre pronto para derrubar seus inimigos. Não, ele era um sujeito comum. Ele era como nós. Quando ouviu o relato negativo acerca de seus inimigos, ele fez o que você e eu teríamos feito: entrou em pânico.

Mas o que diferenciou Josafá foi que, mesmo quando estava com medo, a primeira coisa que ele se pôs a fazer foi "buscar o Senhor" (2 Crônicas 20:3). Isso é algo que você e eu também precisamos aprender a fazer sempre que estivermos com medo. Em vez de se lançar no abismo da derrota, saiba que, quando você está se sentindo sobrecarregado pelas circunstâncias, esse é o momento de buscar ao Senhor. Certamente não é o momento de fugir de Deus ou de ficar amargo, irritado, frustrado e decepcionado com Ele. Ei, Deus não é o autor dos seus problemas. Ele é o autor e consumador da sua fé, vitória e sucesso.

❖ *Deus não é o autor dos seus problemas. Ele é o autor e consumador da sua fé, vitória e sucesso.*

Josafá nos mostra que não há problema em ter medo. Todos nós experimentamos crises de medo de vez em quando. Deus não o condena quando você está com medo. Mas quando você receber um relatório médico negativo ou algumas más notícias sobre sua família ou empresa, determine-se a buscar o Senhor. Jesus é a sua resposta! Seu amor perfeito por você irá lançar fora todo o medo.

Tendo uma Verdadeira Esperança Bíblica

Depois de haver reunido todo o Judá com ele, Josafá ficou diante do povo na casa do Senhor e orou: "Ah! SENHOR, Deus de nossos pais, porventura, não és tu Deus nos céus? Não és tu que dominas sobre todos os reinos dos povos? Na tua mão, está a força e o poder, e não há quem te possa resistir" (2 Crônicas 20:6).

O que você vê nas palavras da oração de Josafá? Em vez de reafirmar seus medos ao Senhor e lamentar-se de quão inferior em poderio bélico era sua pequena tribo em relação aos seus inimigos, Josafá centrou sua oração e pensamentos sobre quão grande e poderoso seu Deus verdadeiramente é. Ele proclamou corajosamente que ninguém é capaz de resistir ao Senhor. Ninguém, nem mesmo os poderosos guerreiros de Moabe, Amom e do monte Seir! Em meio a uma situação desesperadora, Josafá *esperou* no Senhor.

Chamo isso de esperança bíblica! A esperança é uma bela palavra na Bíblia. No Novo Testamento, esperança é a palavra grega *elpis*, definida como uma "expectativa favorável e confiante" ou "a feliz expectativa do bem".[1] Isso significa que, quando você espera no Senhor, há uma alegria em seu semblante (dito de maneira simples, um sorriso em seu rosto). Há em seu coração uma confiante segurança de que, por mais sombrias que as circunstâncias pareçam ser, ainda não acabou.

Diga em voz alta agora: "Não acabou!"

> *Esperança no Senhor é uma confiante segurança de que, por mais sombrias que as circunstâncias pareçam ser, ainda não acabou.*

Deus está agindo nos bastidores em seu favor e transformando a situação à sua volta para o seu bem (ver Romanos 8:28). Ele está preparando uma mesa para você na presença dos seus inimigos (ver Salmos 23:5). Todos os Seus abundantes recursos celestiais, Seu poder, cura, restauração, livramento, provisão, favor, ajuda, conforto e amor estão com você e do seu lado, esperando para serem liberados sobre você. O Senhor, seu Deus, abrirá as janelas do céu sobre a sua vida e derramará sobre você uma bênção tal, que não haverá espaço suficiente para recebê-la! Quando toda nossa esperança e confiança estão nele, podemos contar com Suas promessas a nós. Ele repreenderá o devorador pelo nosso bem e não permitirá que o inimigo tome o que nos pertence por direito.

Infelizmente, a maneira como a palavra "esperança" é utilizada em nosso vocabulário moderno é totalmente diferente e, às vezes, até mesmo oposta à maneira como a Bíblia a define. Quando usamos a palavra "esperança" hoje, dizemos coisas como: "espero conseguir esse emprego" e "espero que não chova amanhã". O modo como usamos a palavra tem uma conotação de incerteza, dúvida e ambivalência. Muitas vezes, chegamos a usar a palavra "esperança" em sentido negativo, como se esperássemos o pior. Por exemplo, podemos dizer: "espero que o relatório médico não seja ruim", em um tom cheio de medo, apreensão e insegurança. Essa não é a esperança da Bíblia.

A Esperança que Não Decepciona

A Palavra de Deus declara que "a esperança não confunde, porque o amor de Deus é derramado em nosso coração" (Romanos 5:5). A versão NVI diz: "A esperança não nos decepciona, porque Deus derramou seu amor em nossos corações, por meio do Espírito Santo que ele nos concedeu". Nós podemos ter verdadeira esperança — uma clara, alegre e confiante expectativa do bem — quando cremos corretamente no quanto Deus nos ama! Há uma correlação direta e proporcional entre a esperança e a crença correta no amor de Deus por você. A esperança brota em seu coração quando você crê que Deus o ama. Você pode ter uma confiante expectativa do bem porque tem um Deus bom, que nunca o deixará na mão!

> *Você pode ter uma confiante expectativa do bem porque tem um Deus bom, que nunca o deixará na mão!*

Não importa quão adversa sua situação possa parecer hoje, deposite a sua confiança no Senhor. O homem pode nos decepcionar e desapontar, mas Deus nunca falha. O Salmo 118:8-9 nos diz isso com clareza: "Melhor é buscar refúgio no SENHOR do que confiar no homem. Melhor é buscar refúgio no SENHOR do que confiar em príncipes". Observe os resultados quando fazemos isso — apesar de ser atacado em todas as frentes, o salmista é capaz de declarar corajosamente: "Todas as nações me cercaram, mas em nome do SENHOR as destruí" (Salmos 118:10).

Você quer saber por que o salmista podia depositar sua confiança no Senhor em vez de no homem? O segredo é revelado na maneira como esse salmo começa e termina. O primeiro versículo é um enfático "Rendei graças ao SENHOR, porque ele é bom, porque a sua misericórdia dura para sempre"; e o salmo termina de modo idêntico: "Rendei graças ao SENHOR, porque ele é bom, porque a sua misericórdia dura para sempre" (v. 29).

Meu amigo, espere no Senhor porque *Ele* é bom e Seu amor por você dura para sempre! Independentemente de quão difícil, impossível ou terrível a situação atual possa ser, você pode ter uma expectativa positiva, otimista e confiante do bem, por você saber e crer que o seu Deus é bom e que o Seu amor por você permanece por toda a eternidade. Você é a menina dos Seus olhos! Essa esperança nunca decepciona, o que significa que as suas maiores vitórias estão por vir.

❖ *Espere no Senhor porque Ele é bom e Seu amor por você dura para sempre!*

Fique Parado

Após Josafá ter buscado ao Senhor e orado perante toda a congregação de Judá, o Espírito do Senhor veio sobre Jaaziel e ele falou as palavras do Senhor:

> *Dai ouvidos, todo o Judá e vós, moradores de Jerusalém, e tu, ó rei Josafá, ao que vos diz o SENHOR. Não temais, nem vos assusteis por causa desta grande multidão, pois a peleja não é vossa, mas de Deus... Neste encontro, não tereis de pelejar; tomai posição, ficai parados e vede o salvamento que o SENHOR vos dará, ó Judá e Jerusalém. Não temais, nem vos assusteis; amanhã, saí-lhes ao encontro, porque o SENHOR é convosco.*
>
> — 2 Crônicas 20:15, 17

Ao ouvir essas palavras de esperança, todo o Judá se humilhou perante o Senhor, curvando-se diante dele e adorando-o.

Hoje o Senhor está lhe dizendo as mesmas palavras na sua situação. Espere nele porque Ele o ama! Você não tem de viver com medo e desânimo quando sabe que a batalha não é sua, mas do Senhor. Fique parado e veja o livramento do Senhor. A batalha é dele e você não terá de lutar nela.

O que você faz quando não sabe o que fazer? A melhor coisa que pode fazer é *ficar parado*.

Fique parado e veja o livramento do Senhor na situação que o aflige.

Mas, pastor Prince, se eu ficar parado, nada acontecerá!

Meu amigo, ficar parado não é inatividade ou fazer nada. É uma postura de esperança e envolve manter a sua esperança ancorada na pessoa de Jesus e ter uma expectativa certa e confiante do bem. Quando os exércitos saqueadores de Faraó estavam atacando os filhos de Israel, obcecados por aniquilá-los, Moisés simplesmente declarou aos israelitas aterrorizados: "Não temais; aquietai-vos e vede o livramento do SENHOR" (Êxodo 14:13). A palavra hebraica para livramento é *yeshua*, que é, de fato, o nome de Jesus. Assim, a salvação é a pessoa de Jesus e Ele está com você.

Quando você se encontrar em uma situação desesperadora, aprenda a se posicionar, fique parado e veja o poder libertador da obra de Jesus para o seu bem. Ele nunca o deixará nem o desamparará (ver Hebreus 13:5). E quando você centralizar a si mesmo, seus pensamentos, crenças e esperanças em Jesus, Ele irá conduzi-lo quanto ao que fazer, assim como conduziu Josafá a uma vitória triunfante sobre seus inimigos.

> ❖ *Quando você se encontrar em uma situação desesperadora, aprenda a se posicionar, fique parado e veja o poder libertador da obra de Jesus para o seu bem.*

Creia no Senhor

Estamos prestes a chegar ao clímax da história. Você está pronto para ler a respeito da batalha de Josafá?

A Bíblia nos diz: "Pela manhã cedo, se levantaram e saíram ao deserto de Tecoa; ao saírem eles, pôs-se Josafá em pé e disse: Ouvi-me, ó Judá e vós, moradores de Jerusalém! Crede no SENHOR, vosso Deus, e estareis seguros; crede nos seus profetas e prosperareis" (2 Crônicas 20:20).

Quero incentivá-lo a memorizar essa passagem simples e poderosa. Chamo isso de visão 20/20, porque esse versículo se encontra no capítulo 20, versículo 20. Ter visão 20/20 é ter o que os oftalmologistas consideram uma acuidade visual saudável. Isso significa que você não sofre de miopia ou falta de visão e é capaz de ver com clareza quando fica a seis metros de distância do cartão de letras do teste.

Se você deseja ter acuidade visual espiritual e uma visão 20/20 do bem que Deus tem para você em seu futuro, creia no Senhor e nas palavras dos Seus profetas (os pastores e pregadores que Deus colocou em sua vida)! Esse é o poder da crença correta. Não seja míope e preso aos seus desafios atuais, correndo por aí desnorteado, tentando resolver seus problemas por sua própria força. Deus não quer que você viva em um perpétuo estado de incerteza, ansiedade, estresse e medo.

Creia no Senhor, o seu Deus, e você será estabelecido.

Creia nos Seus profetas e você prosperará.

Creia que as batalhas que você está enfrentando pertencem ao Senhor.

Creia que as batalhas que você está enfrentando pertencem ao Senhor.

Quando você crer corretamente, experimentará a verdadeira esperança da Bíblia e começará a viver com uma expectativa segura, alegre e confiante do bem, independentemente das suas circunstâncias atuais.

Muitos estão lutando porque não creem no Senhor. Não creem na Sua Palavra e não creem nos Seus profetas. A crise deles é uma crise de crença! Por isso é tão essencial compreender o poder da crença correta. Crer corretamente sempre produzirá viver corretamente. Se você conseguir mudar aquilo em que crê, conseguirá definitivamente mudar sua vida e começar a viver com esperança, alegria e confiança.

A Estratégia Militar Incomum de Josafá

Pouco antes de o exército de Judá marchar em direção ao campo de batalha, Josafá consultou o povo. Então, ele fez uma coisa muito incomum. Nomeou adoradores para cantar louvores ao Senhor à frente do exército! Essa foi uma estratégia militar muito peculiar, para dizer o mínimo. Pergunte a qualquer especialista em guerra. Ninguém o aconselharia a enviar seus músicos ao campo de batalha, muito menos posicioná-los bem na frente — a menos que você deseje a morte deles.

Do pouco que sei sobre estratégias de guerra, você precisa enviar suas forças de elite em primeiro lugar, como as do Exército ou da Marinha, para reunir informações ou atacar alvos-chave. E eles devem operar camuflados para obter vantagem tática contra o seu inimigo. Um grupo de adoradores louvando a Deus na mais alta voz e entregando sua própria posição ao inimigo soa mais como uma missão suicida do que como uma boa estratégia militar.

Mas lembre-se de que essa não era uma batalha comum. A batalha pertencia ao Senhor e a Palavra registra que, "tendo eles começado a cantar e a dar louvores, pôs o Senhor emboscadas contra os filhos de Amom e de Moabe e os do monte Seir que vieram contra Judá, e foram desbaratados" (2 Crônicas 20:22).

Deus causou confusão entre os acampamentos dos inimigos e, em vez de irem contra Judá, os soldados de Amom e de Moabe formaram uma aliança para "matar e destruir totalmente" os habitantes do monte Seir. Então, após aniquilá-los totalmente, eles se voltaram uns contra os outros e começaram a destruir uns aos outros até que todos estavam mortos (ver 2 Crônicas 20:23).

Em todo esse tempo, enquanto seus inimigos estavam destruindo uns aos outros, os adoradores de Judá estavam louvando a Deus, alheios ao que se passava entre os seus inimigos. Então, ao chegarem ao local com vista para o campo de batalha, eles se prepararam para um ataque total das forças combinadas de três diferentes inimigos.

Imagine seus rostos ao verem, em vez disso, os cadáveres daqueles que seriam os seus executores espalhados por todo o vale. A destruição de seus inimigos foi tão completa que a Bíblia registra: "Sem nenhum sobrevivente" (2 Crônicas 20:24).

Louve ao Senhor porque Ele É Bom

Judá não desembainhou uma única espada naquele dia, mas a batalha foi vencida. De fato, ela foi vencida antes mesmo de as tropas de Judá sequer chegarem ao local.

Você percebeu *quando* o Senhor começou a armar emboscadas contra os inimigos deles? Foi quando eles *começaram* a cantar louvores a Deus. Quando ouço essa história ser contada no púlpito, a ênfase é geralmente em como o louvor derrota os nossos inimigos. Esse é um grande ensinamento. Mas hoje eu quero levá-lo um passo adiante. Quero lhe mostrar que as palavras de louvor utilizadas são igualmente importantes, se não ainda mais importantes. Você pode louvar ao Senhor por diferentes razões, mas, nos períodos em que pressões, desafios e problemas vêm a você de todos os lados, o que você faz quando não sabe o que fazer? Em tempos de grande adversidade, como você mantém uma expectativa confiante do bem e continua a ter esperança no Senhor?

Você já deve saber que uma de minhas frases favoritas é: "Não há detalhes insignificantes na Bíblia". Deus registra deliberadamente para nós as palavras que o povo de Judá usou para louvar enquanto marchava para a batalha. E é por isso que sabemos que eles estavam cantando: "Rendei graças ao SENHOR, porque a sua misericórdia dura para sempre" (2 Crônicas 20:21). Parece familiar? Falamos disso anteriormente neste capítulo, quando estudamos como o Salmo 118 começa e termina com esse mesmo refrão. Mas essa frase não aparece só no livro de Salmos. De fato, esse refrão está tão perto do coração de Deus, que se revela muito proeminentemente em muitos momentos-chave da história de Israel.

Por exemplo, a Bíblia narra que, no mesmo dia em que Davi finalmente trouxe a arca da aliança de volta a Jerusalém, ele entregou nas mãos de Asafe um salmo que continha este refrão: "Rendei graças ao SENHOR, porque ele é bom; porque a sua misericórdia dura para sempre" (ver 1 Crônicas 16:7, 34). A Bíblia também registra que depois, no dia da dedicação do templo que Salomão, filho de Davi, construiu para Deus, todos os filhos de Israel "adoraram, e louvaram o SENHOR, porque é bom, porque a sua misericórdia dura para sempre" (2 Crônicas 7:3). Mais uma vez ouvimos esse poderoso refrão.

Meu amigo, penso ser óbvio que há algo muito especial acerca dessas duas singelas linhas de louvor. Acredito que Deus quer que meditemos nele e o louvemos com essas palavras singelas, mesmo quando nos sentimos desanimados, oprimidos ou temerosos. Em tais momentos, ainda podemos louvá-lo porque Ele é bom e a Sua misericórdia dura para sempre. Você acredita nisso hoje? Louve-o com essas palavras até crer nelas em seu coração, e eu lhe prometo que a esperança brotará de dentro de você.

Hoje, muitos estão lutando por não crerem que Deus é bom e que a Sua misericórdia dura para sempre. Aqui, a palavra "misericórdia" é a palavra hebraica *hesed*, muito poderosa, que fala da graça, do amor, da compaixão e da misericórdia de Deus.[2] Independentemente de quantas vezes você falhou e deixou a desejar, e mesmo que os problemas que o cercam sejam uma consequência de seus próprios atos, você se voltaria para o Senhor hoje e o louvaria por Sua bondade e *hesed* (Sua graça)?

Eu mesmo experimentei Sua bondade e *hesed* (Sua graça) dessa maneira. Alguns anos atrás, quando passei por um momento difícil em minha vida, Deus me deu uma música celestial e estas palavras simplesmente fluíram do meu espírito: "Louvado seja o Senhor porque Ele é tão bom e seu amor dura para sempre. Louvado seja o Senhor porque Ele é tão bom e sua misericórdia dura para sempre". Era uma música muito simples e nada complicada, e eu apenas a cantei repetidamente até que todos os meus medos, ansiedades e preocupações desapareceram e eu me senti totalmente livre.

Louve ao Senhor porque Ele é bom, porque Sua *hesed* (graça, amor, compaixão e misericórdia) em sua vida dura para sempre. Adore-o com essas palavras e, enquanto você o louva, Ele emboscará todos os seus inimigos, problemas, medos, desafios e vícios. Acredito que, quando você chegar ao seu campo de batalha, os seus inimigos estarão todos caídos. Nem um só de seus adversários escapará, porque o próprio Senhor trava as suas batalhas.

❖ *Louve ao Senhor porque Ele é bom, porque Sua hesed (graça, amor, compaixão e misericórdia) em sua vida dura para sempre.*

O Vale da Bênção

Você sabe como termina a história da batalha de Josafá? Josafá e seus homens passaram três dias inteiros reunindo os despojos de guerra que encontraram entre os cadáveres de seus inimigos. Eles recuperaram "riquezas em abundância e objetos preciosos" (2 Crônicas 20:25). No quarto dia, eles se reuniram com todos os seus despojos no vale de Beraca, e ali adoraram e deram graças ao Senhor (2 Crônicas 20:26). Foi muito apropriado, portanto, eles darem ao vale o nome "Berachah", que significa "bênção".[3]

A Bíblia nos diz que, depois disso, "voltaram todos os homens de Judá e de Jerusalém, e Josafá, à frente deles, e tornaram para Jerusalém com alegria, porque o SENHOR os alegrara com a vitória sobre seus inimigos" (2 Crônicas 20:27). Deus transformara seu medo em regozijo; sua tristeza em alegria e seus problemas em bênçãos.

Isso é o que acontece quando esperamos no Senhor. Louve-o porque Ele é bom e Sua *hesed* (Sua graça) dura para sempre. Você pode ter uma expectativa confiante no bem, porque o seu Deus é um Deus bom. Como o povo de Judá, que significa "louvor" em hebraico (ver Gênesis 29:35), você não precisará lutar, porque a batalha pertence ao Senhor. Aleluia!

CAPÍTULO 17

DEUS AMA QUANDO VOCÊ PEDE COISAS GRANDES

❖

Quero começar este capítulo fazendo-lhe o seguinte desafio: peça a Deus coisas grandes! O que você deseja ver em sua vida — em sua família, saúde, finanças e carreira? Peça essas coisas a Deus! Jesus disse que o inimigo não vem senão para roubar, matar e destruir, mas Ele veio para que você possa ter vida, e vida em abundância (ver João 10:10). Jesus veio para que você possa viver uma vida que não é marcada por falta, mas por abundância; não por desespero, mas pela plenitude de Seu amor, alegria e paz.

Você deseja viver livre de medo, culpa e vícios? Então, peça ao Deus da graça e da vida abundantes.

Você deseja ver seu corpo forte e saudável e sua juventude renovada como a da águia (ver Salmos 103:5)? Peça ao Deus que é bom.

Você deseja ver seu casamento, filhos e entes queridos abençoados em todos os sentidos? Peça ao Deus cujo amor por você dura para sempre.

Você deseja uma carreira ou um negócio pelo qual possa ser apaixonado e no qual possa exercer todos os dons que Deus colocou em sua vida? Peça ao Deus que é mais do que suficiente.

Dedique um momento a isso e não se apresse. O que você pediria a Deus se soubesse, sem sombra de dúvida, que Ele é bom e que o Seu amor por você dura para sempre?

O que você pediria a Deus se soubesse, sem sombra de dúvida, que Ele é bom e que o Seu amor por você dura para sempre?

O Que Você Pediria?

Quero que você faça algo agora. Você pode colocar este livro de lado por um momento e pegar o seu diário?

Gostaria que você escrevesse o que você pediria a Deus se soubesse que Ele ouve as suas orações. Quais são seus sonhos, esperanças e aspirações? O que você gostaria de ver acontecer em sua vida? Contra o que você está lutando hoje? Em que área de sua vida você gostaria de ver o poder de Deus operar? Escreva. Escreva tudo. Escreva o que você quer ver acontecer, tendo em seu coração a esperança bíblica de que Ele o ouvirá e proverá. Escreva com uma determinada, alegre, positiva e confiante expectativa do bem.

Não peça a Deus apenas coisas pequenas. Peça-lhe coisas grandes! Por exemplo, não lhe peça apenas um emprego. Peça-lhe uma posição de influência. Não apenas peça a Ele para restaurar a sua saúde. Peça-lhe uma vida longa e saudável repleta de muitos dias bons. Aumente sua fé para crer na bondade de Deus. Ele se agrada quando nossa fé é grande. Ele não fica ofendido quando lhe pedimos coisas grandes.

Deus não fica ofendido quando lhe pedimos coisas grandes.

Você faria isso agora mesmo? Dedique alguns momentos a escrever seus pedidos para Deus — Deus, que é Todo-poderoso e mais poderoso do que jamais poderemos imaginar. Deus, que colocou os planetas em seus lugares e ordenou o mundo com a Sua palavra. Deus, que conduziu Seu povo com uma coluna de nuvem de dia e uma coluna de fogo à noite. Deus, que fez chover maná do céu e fez sair água de uma rocha seca. Deus, que ajudou Judá a vencer seus inimigos sem o desembainhar de uma única espada sequer. Deus, que transformou água insípida no melhor vinho. Deus, que fez os coxos andarem, os cegos verem e os surdos ouvirem. Deus, que multiplicou cinco pães e dois peixinhos para alimentar cinco mil homens. Deus, que repreendeu o vento e transformou uma tempestade em uma grande calmaria. Deus, que ressuscitou os mortos e venceu a sepultura.

Peça o que você precisa a Deus, que o ama com um amor eterno!

Deus Ama Quando Você lhe Pede Algo

A Bíblia conta que havia um homem chamado Jabez. Seu nome era bastante infeliz. Significava *tristeza*,[1] porque sua mãe disse: "Porque com dores o dei à luz" (1 Crônicas 4:9). Que nome para se ter! Mas Jabez clamou a Deus: "Oh! Tomara que me abençoes e me alargues as fronteiras, que seja comigo a tua mão e me preserves do mal, de modo que não me sobrevenha aflição!" (1 Crônicas 4:10).

Conheci alguns pregadores que afirmam que os crentes não devem fazer orações "egoístas" para serem abençoados. A oração de Jabez provavelmente cairia em sua definição de "oração egoísta", pois nela ele pedia a Deus para abençoá-lo, ampliar seu território, ser com ele e protegê-lo. Mas você sabia que Deus não repreendeu Jabez por lhe pedir essas bênçãos? Sem qualquer alarde, no mesmo versículo a Bíblia simplesmente registra que "Deus lhe concedeu o que lhe tinha pedido". De fato, a Bíblia também diz que "Jabez foi mais ilustre do que seus irmãos" (1 Crônicas 4:9), porque pediu a Deus o que necessitava, em vez de lutar por aquilo.

Isso foi tudo. Sem drama, sem uma longa lista do que Jabez tinha de fazer ou não fazer. É realmente simples assim. Deus ouviu sua oração e concedeu o seu pedido! Sem censura, sem instruções, sem algo do tipo: "Jabez, se quiser que Eu o abençoe, você precisa primeiro fazer isso". Não, Deus honrou a fé do homem e transformou a *tristeza* em *alegria* e sua dor em bênçãos; tudo porque ele tinha uma inabalável confiança no quanto Deus é bom e pediu coisas grandes!

Meu amigo, tenha uma boa opinião sobre Deus. Ele não está no seu encalço. Ele o ama e deseja liberar Seu favor em todas as áreas da sua vida. Ele ama quando você o invoca. E Ele prometeu responder quando você o fizer. Simplesmente veja-o declarando-lhe Jeremias 33:3: "Invoca-me, e te responderei; anunciar-te-ei coisas grandes e ocultas, que não sabes".

❖ *Tenha uma boa opinião sobre Deus. Ele não está no seu encalço. Ele o ama e deseja liberar Seu favor em todas as áreas de sua vida.*

Será que não estamos vendo muitos avanços porque, com nossa retórica religiosa e legalista, fizemos do ato de pedir coisas grandes a Deus um tabu? Será que simplesmente não estamos vendo muitas bênçãos porque não estamos pedindo a Deus e buscando-o com uma expectativa confiante no bem?

Deixe-me lhe mostrar o que Jesus disse sobre pedir a Deus:

Pedi, e dar-se-vos-á; buscai e achareis; batei, e abrir-se-vos-á. Pois todo o que pede recebe; o que busca encontra; e, a quem bate, abrir-se-lhe-á. Ou qual dentre vós é o homem que, se porventura o filho lhe pedir pão, lhe dará pedra? Ou, se lhe pedir um peixe, lhe dará uma cobra? Ora, se vós, que sois maus, sabeis dar boas dádivas aos vossos filhos, quanto mais vosso Pai, que está nos céus, dará boas coisas aos que lhe pedirem?

— Mateus 7:7-11

Meu amigo, seu Pai celestial sente grande alegria quando você lhe pede algo. É o Seu prazer abençoar você e a sua família (ver Lucas 12:32). Pare de ser contido por crenças errôneas acerca de Deus e comece a lhe pedir tudo que está em seu coração hoje!

❖ *Pare de ser contido por crenças errôneas acerca de Deus e comece a lhe pedir tudo que está em seu coração hoje!*

Deus Honra a Nossa Fé

Josué, o sucessor de Moisés que conduziu os filhos de Israel à terra prometida, era alguém que se atrevia a pedir coisas grandes. Em meio à batalha contra seus inimigos e vendo que o sol estava quase se pondo, Josué gritou: "Sol, detém-te em Gibeão, e tu, lua, no vale de Aijalom" (Josué 10:12). A Bíblia prossegue, registrando: "E o sol se deteve, e a lua parou até que o povo se vingou de seus inimigos... porque o Senhor pelejava por Israel" (Josué 10:13-14).

Amo essa história. Quando meus líderes e eu estávamos nas planícies onde essa batalha ocorreu, pudemos ver o sol sobre Gibeão de um lado e a lua sobre o vale de Aijalom do outro lado. O sol e a lua podiam ser vistos ao mesmo tempo desse local. Em pé ali, eu podia apenas imaginar Josué em meio à batalha, erguendo a voz e apontando para o sol, de um lado, para ficar parado e, em seguida, voltando-se para a lua para emitir o mesmo comando. Josué estava pedindo a Deus mais luz do dia porque a dinâmica da batalha lhe dava vantagem. Ele queria derrotar totalmente seus inimigos e não lhes dar tempo para se reagrupar.

Quando você pensa no que Josué pediu, percebe que era um pedido audacioso e também impreciso! Se você prestou atenção às aulas de ciências na escola, sabe que a Terra orbita em torno do Sol, e não o Sol em torno da Terra! Então, tecnicamente, quando Josué pediu que o sol e a lua ficassem parados, Deus fez, em vez disso, a *terra* ficar parada! O pedido de Josué era cientificamente impreciso; mesmo assim, Deus honrou a fé audaciosa de Josué! Ele entendeu que o que Josué precisava era de mais luz do dia e fez isso acontecer.

Não é encorajador saber que Deus não corrigiu Josué nem lhe deu resumos didáticos sobre como o sistema solar que Ele construiu realmente funciona? Sou grandemente motivado ao saber que, mesmo quando nossas profissões de fé possam nem sempre ser perfeitas, Deus ainda honra nossa esperança e fé nele. Ele ama quando lhe pedimos coisas grandes. Meu amigo, você pode lhe pedir sabendo que a batalha verdadeiramente pertence ao Senhor, e que Ele lutará por você como lutou por Israel, porque você é Seu filho da aliança.

Uma História da Bondade de Deus

Analisamos a Palavra de Deus e vimos como Ele honrou aqueles que tiveram uma expectativa positiva e confiante no bem e se atreveram a lhe pedir coisas grandes em suas vidas. Jabez clamou ao Senhor para abençoá-lo, e Deus o fez. No calor da batalha, Josué pediu que o sol parasse e, embora cientificamente errado, Deus respondeu à sua oração. Você está pronto para esperar no Senhor, ter uma boa opinião sobre Ele e uma expectativa confiante no bem para sua vida e futuro?

Permita-me incentivá-lo ainda mais com a extraordinária história de uma senhora, hoje reconhecida como uma das mais destacadas empresárias do mundo. Essa senhora teve um começo difícil na vida. Diferentemente da maioria dos bebês, recebidos com sorrisos e abraços de seus amorosos pais à medida que acolhem seu pacotinho de alegria vindo ao mundo, seus pais biológicos a abandonaram quando ela nasceu.

Felizmente, uma viúva analfabeta a quem ela carinhosamente se refere como sua "avó" a adotou. Juntamente com outros quatro órfãos, ela foi criada em uma pequena cabana improvisada com um telhado de zinco gotejante, sem água corrente nem eletricidade, em uma pequena aldeia de Perak, na Malásia.

Com apenas nove anos de idade, ela começou a trabalhar para ajudar no orçamento da família. Enquanto outras crianças riam e brincavam após a escola, ela ficava de cócoras em uma fábrica empoeirada, puxando rígidas tiras de vime para tecê-las formando sacolas. Seus dedos macios ficaram muitas vezes em carne viva e sangrando por causa desse árduo trabalho, mas ela não tinha escolha, já que só seria paga pelas sacolas que estivessem firmes e adequadamente tecidas.

Os quinze centavos malasianos (pouco menos de cinco centavos americanos) que lhe pagavam por sacola podiam ser uma soma irrisória, mas significava que sua família não teria de ficar sem alimentos. E esse foi apenas um dos muitos trabalhos que ela teve a fim de ganhar a vida. Ela ainda se lembra da alegria que sentiu ao segurar uma nota de cinco dólares pela primeira vez. Antes de entregar aquela nota suada à sua avó para as despesas da casa, ela a passou a ferro até ficar perfeitamente lisa e a manteve em seu livro para poder olhar para ela durante todo o dia enquanto estava na escola.

Quando Não Parece Haver Esperança

Tendo sido abandonada ao nascer e em face dos escassos meios de sua avó adotiva, toda a expectativa humana indicaria que ela estava destinada a ficar presa a um ciclo de pobreza. Então, como Deus mudou sua situação em face de tais circunstâncias para as quais não havia esperança?

Ao compartilhar seu testemunho, quero incentivá-lo a ver que o que importa não é como ou com o que você começa. Você pode ter nascido em circunstâncias terrivelmente desafiadoras, ou talvez seus pais sejam separados, ou você pode até ter sofrido abuso quando estava crescendo. Meu amigo, estou aqui para lhe dizer que, com Deus em sua vida, esse *não* é o fim da estrada! Você pode ter esperança de algo bom, mesmo quando em sua vida parece não haver esperança.

Apesar de ter sido muito desafiador viver dentro daquele orçamento escasso, essa senhora me contou que, mesmo quando criança, ela sempre sentiu que havia um Deus em algum lugar, um Deus que estava cuidando dela, protegendo-a e abençoando-a. Ela contou que, quando garotinha, costumava "conversar" com esse Deus e até mesmo escrevia para Ele em um pequeno diário. Ela também se lembrava de fazer uma oração simples e inocente a esse Deus desconhecido, dizendo: "Se tu és o Deus verdadeiro, por favor, vem e olha para mim, para que eu possa vir a te conhecer".

Hoje, ao olhar para trás, ela se enche de gratidão para com o Senhor, a quem ela declara ter conhecido quando ainda estava no ventre de sua mãe. Ela sabe que foi Deus quem colocou as pessoas certas em seu caminho e a protegeu tantas vezes de perigos, antes mesmo de ela ter chegado a conhecê-lo.

Quando a ouvi compartilhar sua história, lembrei-me da promessa da Bíblia que diz que Deus é um Pai para os órfãos (ver Salmos 68:5). Seus próprios pais biológicos podem tê-la abandonado no nascimento, mas seu Pai no céu tinha um plano surpreendente para sua vida. Da mesma maneira, Ele tem um plano maravilhoso para a sua vida. Agarre-se à Sua promessa registrada em Sua Palavra para você:

> *Eu é que sei que pensamentos tenho a vosso respeito, diz o* SENHOR; *pensamentos de paz e não de mal, para vos dar o fim que desejais.*
>
> — Jeremias 29:11

Ela acabou indo tão bem na escola que o vice-diretor a incentivou a continuar os estudos em Singapura, porque as oportunidades em sua cidade natal eram comparativamente limitadas. Com a bênção de sua avó e apenas dez dólares malasianos no bolso, ela se dirigiu a Singapura.

Apesar de precisar ter de aceitar empregos variados para se sustentar, assim como à sua avó, ela continuou a prosperar em suas atividades acadêmicas, foi para uma das melhores universidades locais e formou-se com mérito em química. Então, conseguiu um emprego bem remunerado em uma empresa multinacional. Após três anos e meio, porém, decidiu aventurar-se a construir seu próprio negócio, no ano de 1989.

No ano 2000, Deus honrou a oração que ela fizera quando criança, quando um amigo a convidou para ir à igreja *New Creation Church*, em Singapura. Tendo ouvido coisas diferentes sobre Deus ao longo dos anos, ela recorda a liberdade que sentiu ao saber pela primeira vez, por meio de minha pregação sobre a graça, que Deus a amava muito mais do que ela jamais conseguiria amá-lo.

Ela parou de ver Deus como alguém distante, então teve um encontro pessoal com o Deus que ela sabia ter cuidado dela todos aqueles anos. Ela compartilhou comigo que, quando encontrou o amor de Jesus, começou a ir fielmente ao culto todos os domingos, apesar das longas filas em que tinha de esperar para entrar em nosso auditório.

Algum tempo depois, ela sentiu o Senhor orientá-la a abrir o capital de sua empresa, a fim de mantê-la competitiva. Ela buscou a ajuda de um banco para elaborar a tentativa de sua empresa de fazer uma oferta pública inicial (IPO). O gerente do banco a quem ela apresentou seu plano de negócios a dispensou, explicando que não era o momento certo para tentar fazer uma IPO, devido à expectativa do mercado estar desanimadora e o índice Dow Jones estar em forte queda. Ao despedir-se, o gerente do banco disse: "Se o Dow

Jones começar a subir hoje, você pode voltar amanhã e poderemos conversar de novo".

Ela compartilhou comigo que, ao sair do banco, lembrou-se de uma mensagem que eu havia pregado acerca de ser ousado e pedir a Deus coisas grandes. Ela disse: "Você nos disse para não insultarmos a Deus pedindo apenas coisas pequenas. Você disse: 'Peça a Deus coisas grandes, louve-o e tenha uma expectativa positiva e confiante do bem'". Então, ela foi para casa e, antes de ir para a cama, decidiu dar um passo de fé e pedir a Deus para fazer uma coisa grande por ela. Ela acreditava que Ele poderia mover o mercado a seu favor e simplesmente orou: "Deus, Tu és Todo-poderoso. Certamente Tu podes influenciar o mercado dos Estados Unidos e fazer o índice Dow Jones subir, em nome de Jesus".

Ora, Singapura está doze horas à frente de Nova Iorque, de modo que o mercado abre quando é noite em Singapura. Por volta das quatro horas da manhã, essa senhora se sentiu impelida a sair da cama para verificar como o Dow Jones estava... e descobriu que o índice havia contrariado a tendência de queda e estava começando a subir! No espaço de apenas quatro horas, o Dow Jones havia subido surpreendentes 18%, devido a um pronunciamento inesperado de Alan Greenspan, então presidente do Federal Reserve.

O Poder de Ter uma Expectativa Confiante no Bem

Pastor Prince, Deus pode fazer coisas como essa?

É claro que Ele pode. Deus fez isso por essa senhora, não fez? Esse é o poder da crença correta!

Tudo é possível para quem crê em Deus e tem uma expectativa confiante no bem. Ela teve a ousadia de pedir a Deus para abençoá-la e mudar as coisas para ela, como fez Jabez, e Deus respondeu ao seu pedido. Peça a Deus coisas grandes em sua vida e espere o bem. Ele é um Deus bom.

Tudo é possível para quem crê em Deus e tem uma expectativa confiante no bem.

Essa senhora tinha uma boa opinião acerca de Deus. De fato, ela compartilhou que um dos versículos da Bíblia que a sustentaram muitas vezes era João 10:10, que diz: "Eu vim para que tenham vida e a tenham em abundância".

Mesmo quando sua empresa enfrentava dificuldades, ela declarava que o seu Deus abundante proveria. Ela se firmava em Sua promessa de que ela era a justiça de Deus em Cristo e o que quer que ela fizesse seria abundantemente abençoado. Quando os tempos ficavam difíceis e a economia passava por um período difícil de recessão, ela mantinha uma expectativa confiante no bem e olhava para o Deus que é bom e que veio para nos trazer vida abundante.

O que quero que você veja é que nem tudo nessa vida se tornará um mar de rosas no momento em que você começar a ter esperança em Deus. Jesus disse: "No mundo, passais por aflições; mas tende bom ânimo; eu venci o mundo" (João 16:33). Haverá problemas, desafios e questões a lidar neste mundo. Mas você pode descansar em Jesus, ser encorajado nele, continuar a esperar nele e saber, sem sombra de dúvidas, que Ele o livrará de todas as suas adversidades. Ele já venceu o mundo! De sua parte, determine-se a ter bom ânimo, alegre-se sempre no Senhor e continue a ter uma expectativa confiante no bem.

No dia seguinte, ela caminhou para o escritório do gerente do banco e lhe mostrou o incrível crescimento do índice Dow Jones registrado em apenas um dia! O gerente do banco argumentou que isso poderia ser simplesmente um aumento temporário e listou outras condições que ela teria de cumprir. Destemida e sabendo que o seu Deus certamente a abençoaria, ela rapidamente ligou para seus antigos colegas e professores para conseguir apoio, e foi capaz de apresentar ao gerente do banco, naquele mesmo dia, uma longa lista de investidores compromissados.

O gerente foi finalmente convencido, impressionado por ela conseguir reunir tanto apoio e interesse em uma única tarde. É claro que ele não entendeu que esse era o favor do Senhor em ação! O banco fez um compromisso firme de subscrever a IPO e ajudá-la a abrir o capital da empresa.

No exato momento em que ela lançou a IPO da empresa, o governo de Singapura lançou uma iniciativa para destacar a importância de reciclar águas residuais para fazer água potável e noticiou uma grande licitação para construir a primeira unidade de reciclagem e tratamento de águas residuais do país.

Assim, a mídia ficou alvoroçada com o valor e a importância estratégica da água para a nação de Singapura. Ninguém poderia ter orquestrado isso. Ela não tinha ideia de que a água, exatamente o seu ramo de negócio, seria o assunto em pauta no mesmo ano em que abriu o capital de sua empresa ao seguir a inspiração do Senhor para fazê-lo. Ela não sabia absolutamente nada sobre esse projeto e estava apenas mantendo os olhos em Jesus. Mas Deus estava operando nos bastidores. Não obstante, as pessoas começaram a especular que ela devia saber, o tempo todo, sobre essa grande licitação do governo, e o interesse pela abertura de capital de sua empresa continuou a aumentar.

Com todo o comentário, publicidade e empolgação da mídia acerca da água, a IPO de sua empresa se tornou um sucesso sensacional e teve uma procura sete vezes superior à oferta. Sua empresa, a Hyflux, se tornou a primeira empresa de tratamento de água com ações negociadas na Bolsa de Singapura.

Ela compartilhou comigo muitos outros testemunhos surpreendentes de como o Senhor continuou a abrir portas de favor e bênçãos para ela na China, na Índia e no Oriente Médio após a abertura do capital de sua empresa. Quando se inscrevia em licitações para projetos multimilionários de infraestrutura para construção de usinas de águas residuais, ou de algumas das maiores instalações de destilação de água do mar por membrana no mundo todo, ela era como o pequeno Davi entre os Golias da indústria. Contudo, ela chegou ao topo e, muitas vezes, conquistou os projetos. Isso, meu amigo, se chama *favor* de Deus. Seu favor é inegável na vida dela, e ela continua a ser consciente do bom Deus que está cuidando dela, independentemente de quão duro, adverso e desafiador o clima dos negócios possa estar.

Em 2011, em um campo competitivo com quase cinquenta dos maiores empresários de todo o mundo, Olivia Lum foi agraciada com o importante prêmio Empreendedor Mundial do Ano da Ernst & Young, em Monte Carlo. Em seu discurso, ela agradeceu ao seu Senhor Jesus Cristo. Sem que soubesse naquela época, ela foi a primeira mulher a ser reconhecida com essa honraria nos onze anos de história desse prestigioso prêmio.

Como uma menina abandonada ao nascer evoluiria de tecer sacolas de vime por cinco centavos de dólar à construção de uma empresa de capital aberto de bilhões de dólares? Meu amigo, esse é o poder da crença correta. A história de Olivia é surpreendente e fala da bondade, do favor, da graça e do poder do nosso Deus.

Oro para que você seja encorajado a ver que nada é impossível quando você crê corretamente na pessoa de Jesus e em Seu amor e bondade. Peça a Deus coisas grandes. Ele nos ama e costuma fazer muito mais, e abundantemente além, daquilo que podemos pedir, pensar ou sequer imaginar (ver Efésios 3:20).

> *Deus nos ama e costuma fazer muito mais, e abundantemente além, daquilo que podemos pedir, pensar ou sequer imaginar.*

CAPÍTULO 18

ENCONTRANDO ESPERANÇA QUANDO PARECE NÃO HAVER NENHUMA

❖

Ela havia ouvido muitas histórias maravilhosas acerca do carpinteiro da pequena cidade de Nazaré. De como Ele andou por toda a Galileia ensinando a respeito de um Deus a quem carinhosamente se referia como Seu "Pai". De como Ele ensinou a respeito do amor de Deus Pai. De como milagres foram realizados por suas mãos. De como Ele curou todos os que foram a Ele.

Os cegos saíam de Sua presença vendo. Os coxos, pulando. Os leprosos, sãos. Os mantidos cativos por demônios, totalmente libertos.

Os relatos de testemunhas oculares de reuniões com esse homem eram contados e recontados em detalhes vívidos: como Seus olhos e voz transmitiam tanto calor, ternura e humildade, que até mesmo os cobradores de impostos desprezados, os leprosos imundos, os criminosos desajustados e as prostitutas rejeitadas — de fato, todos os que costumavam se esconder nas sombras — se aventuravam a segui-lo aonde quer que fosse.

Assim como eles, ela sabia o que era ser uma excluída. Sabia o que era receber condenação e repreensão sempre que aparecia em público, especialmente daqueles que ensinavam de modo legalista a respeito de Deus e Suas leis. Mas todos os outros excluídos pareciam concordar que aquele mestre carpinteiro era diferente. Ela observou como seus rostos brilhavam sempre que falavam daquele homem.

Ela se lembrou de como um deles exclamara: "Ele fala de um Deus que se preocupa até mesmo com os pássaros e as flores, um Deus que nos ama tão intensamente que até controla o número de cabelos em nossas cabeças!" Ela via seus olhos cintilarem ao compartilharem animadamente como Ele fez com que se sentissem seres humanos novamente. E, com um calor estranho em seu coração, ela os ouvia contar como a dignidade, a afirmação e a graça que Ele lhes proporcionava transformaram suas crenças em Deus e mudaram suas vidas para sempre.

Quem era esse homem a quem chamavam de amigo dos pecadores?

Ela devorava história após história, já que era uma excluída como eles. Durante doze longos anos, ela vinha sofrendo de uma hemorragia que havia devastado seu corpo, arruinado suas finanças e impedido praticamente qualquer interação social com sua própria comunidade. E mesmo tendo gasto todo o seu dinheiro consultando todos os médicos desde Jerusalém até a Galileia, seu quadro continuava a se deteriorar.

Mas tudo que ela ouviu falar daquele homem lhe deu um novo alento e a encheu de algo que, até então, lhe era estranho: esperança. Pela primeira vez em muitos anos, ela se sentiu confiante em seu futuro. Ela sabia que, finalmente, as coisas mudariam definitivamente.

Quando soube que aquele homem, Jesus, passaria em sua rua a caminho da casa de Jairo para orar por sua filha, seu coração deu um salto. Depois de mais de uma década sendo expulsa cada vez que tentava aparecer em público, ela ficara genuinamente receosa das multidões. Mas ela disse a si mesma: "Se eu apenas lhe tocar as vestes, ficarei curada" (Marcos 5:28).

Esse pensamento se fortalecia a cada passo que ela dava procurando por Jesus, até finalmente vê-lo em meio a uma multidão que se dirigia a Ele. Ela avançou por trás, recusando-se a se intimidar pela massa de pessoas que se acotovela. Ela esticou o braço na direção dele e sentiu seus dedos rasparem na bainha de Suas vestes.

E um milagre aconteceu. No momento em que seus dedos fizeram contato com as microscópicas fibras de Seu manto de linho, o poder inundou imediatamente seu corpo. O sangramento incessante, que fora seu companheiro constante, cessou instantaneamente e ela estava totalmente curada.

O Que Você Tem Ouvido Sobre Jesus?

Talvez, como essa mulher (cuja história você pode ler em Marcos 5:25-34), você esteja enfrentando uma situação sem possibilidade de esperança em sua vida. Talvez você esteja lutando contra uma doença debilitante, um problema conjugal, uma crise financeira ou uma dificuldade prolongada. No natural, o futuro parece sombrio e não parece haver qualquer razão para ter esperança. Se você está assim, quero encorajá-lo a acreditar que você também pode experimentar o tipo de libertação que essa mulher experimentou.

Imagine: durante doze longos anos ela assistiu sem esperança a seu estado de saúde ir de mal a pior, independentemente do que ela tentasse. A maioria de nós teria jogado a toalha e desistido da esperança.

Como essa mulher encontrou esperança em meio às circunstâncias desesperadoras?

Qual foi o momento decisivo para ela? O que lhe deu a coragem para ter esperança novamente?

Acredito que o segredo de sua fé pode ser encontrado nas primeiras cinco palavras desse versículo: "Tendo ouvido a fama de Jesus, vindo por trás dele, por entre a multidão, tocou-lhe a veste" (Marcos 5:27).

Tudo que a Palavra de Deus registra para nós é que ela havia ouvido falar de Jesus.

O que você pensa que ela ouviu falar de Jesus?

Essa é uma questão importante, porque o que quer que ela tenha ouvido falar desse Jesus lhe transmitiu um audacioso senso de esperança bíblica e confiança. E isso a imbuiu de ousadia e tenacidade para arriscar tudo só para tocar a orla de Suas vestes. Ela conhecia bem as leis religiosas referentes a pessoas impuras como ela, por isso lutara contra o pensamento de que, se fosse reconhecida ou descoberta, seria submetida à humilhação pública e, muito possivelmente, violência.

Então, para que ela se aventurasse a sair e abrir caminho entre a multidão para chegar até Jesus, claramente ela não deve ter tido em seu coração dúvida alguma de que seria completamente curada no momento em que tocasse a orla das Suas vestes.

Agora, lembre-se de que ela não esperava ser curada de um resfriado comum ou de uma dor de cabeça passageira. Ela acreditava que seria totalmente curada de uma doença que a afligira durante doze anos e que todos os médicos consultados haviam considerado incurável.

A Bíblia não entra em detalhes *acerca* do que ela ouviu falar de Jesus, mas sugiro que ela deve ter ouvido história após história de como Jesus curava os doentes aonde quer que fosse, como Ele não desprezava nem mesmo os leprosos imundos que foram até Ele e quão bom e gracioso Ele era para com os destituídos. O que ela ouviu falar de Jesus produziu esperança. Aquilo produziu nela uma positiva e confiante expectativa do bem, que podemos ver no que ela declarou: "Se eu apenas lhe tocar as vestes, ficarei curada". Então, essa esperança resultou em uma fé sem esforço.

A fé, tal como é definida na Palavra de Deus, é "a certeza de coisas que se esperam, a convicção de fatos que se não veem" (Hebreus 11:1). Em outras palavras, a esperança que ela teve na bondade de Jesus se transformou em fé, e essa fé lhe deu a ousadia para abrir caminho na multidão e receber a cura de Jesus.

Ouvir Corretamente Leva a Crer Corretamente

A audição desempenha um papel enorme na crença correta. Você não pode crer corretamente se não estiver ouvindo corretamente. Opa, essa foi boa! Não quero que você perca isto. *Você não pode crer corretamente se não estiver ouvindo corretamente.* Acredito que a mulher do fluxo de sangue começou a crer corretamente quando começou a ouvir corretamente. A Palavra de Deus nos diz que "a fé vem por se ouvir a mensagem, e a mensagem é ouvida mediante a palavra de Cristo" (Romanos 10:17, NVI).

❖ *Você não pode crer corretamente se não estiver ouvindo corretamente.*

O que você ouve é vital. Se você crê que Deus produzirá um avanço em sua vida, preste atenção ao que tem ouvido. Você tem ouvido mensagens repletas das boas-novas de Jesus? Após ouvir essas mensagens (ou ler esses argumentos), você é preenchido com a forte sensação do que *precisa fazer*? Ou você é preenchido com a sensação de fortalecimento de quem Jesus é em sua vida e tudo que *Ele fez por você* na cruz?

❖ *O que você ouve sobre Deus é vital.*

Certamente, aquela mulher não ouviu falar da Lei. A Lei teria drenado toda sua esperança e fé. A Lei a teria exposto e enfatizado o quão suja, indigna e desqualificada ela era. Se ela não tivesse ouvido dizer que Jesus era diferente dos fariseus religiosos de sua época, de modo algum teria tido uma expectativa positiva do bem, muito menos a iniciativa de abrir caminho na multidão para tocar Jesus. Com base na Lei, uma pessoa impura estaria decretando sua sentença de morte ao apenas se misturar com o restante da sociedade, o que não dizer de tocar na roupa de uma pessoa limpa.

Sob a Lei, quando o impuro toca o limpo, o limpo se torna impuro. Sob a graça, quando o impuro toca o limpo (Jesus), o impuro se torna limpo! Aquela mulher não contaminou Jesus com sua imundícia quando estendeu a mão e tocou Suas vestes. Nem o leproso, a quem Jesus tocou após pregar o Sermão do Monte (ver Mateus 8:3). Ao contrário, os dois foram contagiados com a saúde e a integridade de Jesus. Os dois foram totalmente curados. Ah, a beleza e a profundidade da maravilhosa graça de Deus!

O que você tem ouvido sobre Jesus? Você tem ouvido falar de um Jesus duro, legalista e religioso que é exigente, ríspido e implacável? Ou está ouvindo a verdadeira boa-nova de Seu amor, graça, benignidade e misericórdia para com você?

Você tem ouvido falar de um Jesus duro, legalista e religioso que é exigente, ríspido e implacável? Ou está ouvindo a verdadeira boa-nova de Seu amor, graça, benignidade e misericórdia para com você?

O verdadeiro Evangelho da graça sempre lhe transmite esperança e fé para crer em Jesus. Porque quando você ouvir corretamente sobre quem Jesus realmente é, saberá que Ele não olha para você para envergonhá-lo e destacar todas as suas impurezas, vícios e pecados. Não, Ele o vê como alguém precioso, como alguém que Ele ama pessoalmente, intimamente e infinitamente. Ele o vê como alguém por quem Ele sofreu e morreu na cruz. Quando você crer nisso e vir Seu amor, graça e bondade para com você, isso construirá esperança em seu coração. Portanto, mantenha-se ouvindo, mas ouvindo a boa-nova de Jesus!

Não importa há quanto tempo você venha se esforçando ou há quanto tempo não veja qualquer resultado, quero incentivá-lo a encher seus ouvidos, seus olhos e sua mente com a boa-nova de Jesus. Confie em mim: quando inclinar o seu ouvido às mensagens que tratam da Sua graça, você inevitavelmente começará a ter uma expectativa positiva e confiante no bem. Quando o seu coração estiver cheio de esperança por ter ouvido todas as histórias surpreendentes sobre Jesus, como a da mulher, você estenderá suas mãos com fé. Amado, estenda a mão e receba seu milagre e sua liberdade de seu amoroso Salvador!

O Poder de Ouvir Corretamente sobre Jesus

Não muito tempo atrás, recebi um *e-mail* de George, que mora na Califórnia. Ele compartilhou ter sido diagnosticado com a síndrome de Evans, uma rara doença autoimune em que os anticorpos de uma pessoa atacam suas próprias hemácias e plaquetas. Em dado momento, esse irmão teve de ser levado às pressas ao pronto-socorro, porque corria o risco de hemorragia espontânea. Sua contagem de plaquetas no sangue caíra drasticamente para apenas 4.000/mcL. A faixa normal para uma pessoa saudável é entre 150.000 e 400.000 por microlitro.[1] Eis o que ele escreveu:

> *Os médicos administraram transfusões de derivados do sangue e doses altíssimas de esteroides. Os esteroides, aos quais reagi muito mal, me deixaram tão deprimido que, em dado momento, tive de dizer à minha mulher para esconder as armas que havia em casa, porque, numa perda da razão, eu poderia ter o terrível pensamento de usá-las em mim mesmo.*
>
> *Por causa dos esteroides, eu não conseguia pensar ou sequer conversar normalmente. Eu chorava constantemente. Nossos*

três filhos não sabiam o que pensar sobre o que estava acontecendo com seu pai. Foi muito difícil para a nossa família. Até comecei a dizer às pessoas que Deus estava me punindo por coisas que eu havia feito.

Toda vez que eu recebia uma transfusão e os médicos aumentavam minha dose de esteroides, minhas plaquetas subiam até uma faixa normal, mas o quadro nunca durava muito tempo. Meu sistema imunológico continuava atacando e destruindo minhas plaquetas, independentemente do tratamento que eu recebesse. Meu sangue era constantemente coletado e analisado para ver qual era a minha contagem, e eu estava permanentemente ciente de todos os sintomas que a doença de Evans causava e dos efeitos colaterais dos esteroides.

Então, em algum momento em meio a tudo isso, o Espírito Santo me levou ao seu ministério na televisão. Pela graça de Deus, acabei assistindo a um canal que eu nunca antes sintonizara e vi a Grace Capsule (Cápsula da Graça). A senhora ao telefone me disse que demoraria de uma a três semanas para chegar, mas adivinhe? Ela chegou em dois dias! Ela chegou imediatamente antes de minha mulher e eu termos de fazer outra viagem ao hospital que, de carro, ficava a três horas de distância.

Vou lhe dizer que sua Cápsula da Graça foi um presente de Deus. Por intermédio dos seus ensinamentos, Deus Pai me mostrou o Seu amor. Deixei de me sentir condenado, como se Deus estivesse me punindo, e comecei a contemplar a obra consumada de Jesus na cruz. Milagrosamente, Ele tirou todas as escravidões da minha vida — cigarro, pornografia, maconha, tudo contra o qual eu lutara.

Tive dores nas costas e refluxo ácido durante anos, mas, escutando repetidas vezes suas pregações e ouvindo-as constantemente — em casa ou no hospital, durante toda a noite — a dor e o refluxo ácido se foram. Já se passaram quatro meses e, LOUVADO SEJA JESUS, eu não voltei a ter refluxo ácido ou dor nas costas!

Três meses atrás, meu baço foi removido com a esperança de que a síndrome de Evans desaparecesse ou, pelo menos, abrandasse. Mas mesmo após a cirurgia, minha contagem caiu novamente. As duas únicas opções para o tratamento nos deixaram mais preocupados, sendo uma delas a quimioterapia. A essa altura, eu já ouvia a Cápsula da Graça havia cerca de um mês e, finalmente, decidi entregar a síndrome de Evans a Deus. Deixei de fazer hemogramas, deixei de dar importância a todos os meus sintomas e comecei a agradecer ao Senhor pela minha cura total.

Agora, Jesus me restaurou completamente, melhor do que era antes. Ele me deu mais força, mais energia e muito mais amor. Antes, eu pensava compreender o amor, mas agora sei o que é o amor verdadeiro graças ao amor do meu Pai e ao amor de Jesus por mim. Não faço contagem alguma há meses. Minha esposa e eu tomamos a Ceia do Senhor todos os dias. Agradecemos a Jesus todos os dias por nos curar com os açoites que Ele levou por nós.

O Senhor está usando minha mulher e eu para alcançar outras pessoas; o Espírito Santo tem feito coisas surpreendentes por intermédio de seus materiais e da transformação drástica que as pessoas veem em mim sem qualquer esforço meu, porque Jesus fez tudo por mim. Todos os louvores a Ele!

Uau, toda a glória a Jesus! Não consigo expressar o quão empolgado fiquei ao ler a respeito da incrível jornada de George. Independentemente de quão triste e sem esperança seja a sua situação, quero incentivá-lo a ouvir a saída de todos os seus problemas, como fez esse irmão. Você não é capaz de eliminar seus problemas preocupando-se, mas acredito que pode, certamente, eliminar seus problemas ouvindo.

George ouviu de forma radical. Ele se manteve ouvindo repetidamente as mensagens sobre Jesus até melhorar. A fé vem, de fato, pelo ouvir, e ouvir a boa-nova de Cristo!

A Luta para Ouvir

Você pode estar se perguntando o que é a *Grace Capsule* ou *Cápsula da Graça*. Ela é um *MP3 player* pré-carregado com mais de setenta horas de mensagens que selecionei pessoalmente de minha biblioteca de mensagens. Cada mensagem é repleta da pessoa de Jesus e de Sua graça. Acredito que todas as inovações tecnológicas — sejam *MP3 players*, *smartphones*, *downloads* digitais ou *podcasting* — são ferramentas que podemos usar para adquirir o hábito de ouvir sobre Jesus e a surpreendente graça de Deus. Hoje, podemos fazer muitas coisas com nossos dispositivos móveis. Mas embora seja ótimo jogar, ouvir música ou ler as notícias nesses dispositivos modernos, quero incentivá-lo a fazer do ouvir a boa-nova de Jesus uma prioridade diária.

❖ *Faça do ouvir a boa-nova de Jesus uma prioridade diária.*

Escute, eu sei que há uma luta envolvida nas tantas coisas que clamam por nossa atenção no momento em que abrimos os nossos olhos. Há sempre um telefonema que precisamos fazer, um *e-mail* que temos de responder, algum lugar onde precisamos estar e alguma outra coisa que precisamos fazer. Antes que percebamos, o dia acabou e não ouvimos nada sobre Jesus. A Bíblia permanece na prateleira, os aplicativos da Bíblia em nossos telefones permanecem sem abrir, e ficamos imaginando por que, no fim do dia, nos sentimos vazios, estressados, preocupados, temerosos e deprimidos.

Meu amigo, Jesus é o pão da vida e a água viva. Independentemente de quão ocupados estamos, é prudente não negligenciar o alimentar-se da Sua pessoa. Sei que, no natural, isso pode parecer simplista. Você pode estar se perguntando: "Como o simples ouvir sobre Jesus pode mudar as coisas em minha vida e circunstâncias?" A verdade é que as coisas de Deus não são realmente complicadas. Apenas pense na mulher que sofria de hemorragia havia doze anos. O simples ouvir sobre Jesus e Sua graça lhe deu tanta esperança, fé e coragem, que ela foi capaz de receber a cura na qual havia começado a acreditar. Não subestime o poder de ouvir sobre Jesus só porque parece simples.

Não subestime o poder de ouvir sobre Jesus só porque parece simples.

Resgate Todo o Tempo Perdido

Nos salmos há um lindo versículo que diz: "Ensina-nos a contar os nossos dias, para que alcancemos coração sábio" (Salmos 90:12). Você quer saber o segredo de contar os seus dias e não permitir que um único dia de sua vida seja posto a perder? A chave se encontra no versículo 14, que diz: "Sacia-nos de manhã com a tua benignidade" (Salmos 90:14). Aqui, a palavra "benignidade" é a palavra hebraica *hesed*, que significa graça de Deus.[2] Deus está nos dizendo para nos satisfazermos com a Sua graça todos os dias.

Isso significa que, antes de fazer qualquer coisa — ler os jornais, verificar seus *e-mails*, começar a cumprir sua lista de coisas a fazer ou até mesmo tomar seu café da manhã —, comece o dia com Jesus, saciando-se com a Sua graça. Você pode ler um devocional a respeito da graça de Deus, alimentar-se do amor do Pai, meditar em Sua graça, ouvir uma mensagem referente a Jesus e abrir a Sua carta de amor a você: a Sua Palavra. Comece o seu dia saciando-se com a Sua graça.

Antes de fazer qualquer coisa, comece o dia com Jesus, saciando-se com a Sua graça.

Mas, pastor Prince, quanto tempo eu gasto fazendo isso? Você não sabe quão loucas as coisas ficam na parte da manhã! Quanto devo ler, ouvir ou orar?

Meu amigo, a chave é não ser legalista a respeito disso. Se o período da manhã não funciona para você, encontre um horário que se acomode melhor à sua agenda. Poderá ser durante o seu intervalo de almoço ou um pouco antes de ir dormir. O princípio-chave aqui é saciar-se diariamente com a Sua graça. Alimente-se de Jesus até seu coração estar cheio e satisfeito com a Sua graça. Alguns dias poderão ser mais longos; outros, mais curtos. Não se trata realmente da duração, mas do seu nível de satisfação.

Há dias em que meu coração está perturbado, e apenas estar na presença do Senhor e pensar em Seu amor por mim enchem meu coração de paz e alegria inexplicáveis. Nesses momentos, são necessários apenas alguns segundos para meu coração estar satisfeito com a Sua graça. Em outros dias, sinto que o Senhor quer me mostrar algo em Sua Palavra e acabo estudando-a durante um longo tempo até sentir uma liberação. Isso significa que você e eu não podemos ser legalistas acerca do nosso relacionamento com Deus. Deus não quer que tenhamos rituais rígidos com Ele. Na nova aliança, Ele está mais interessado em ter um relacionamento conosco. Então, desfrute da Sua presença diariamente — é assim que você redime o tempo que perdeu e nunca desperdiça outro dia em cativeiro, medo, culpa ou vício.

O salmista diz: "Pois um dia nos teus átrios vale mais que mil; prefiro estar à porta da casa do meu Deus, a permanecer nas tendas da perversidade" (Salmos 84:10). Em outras palavras, um dia passado na presença de Deus e saciado com a Sua graça é melhor do que mil gastos em outro lugar.

Pense nisso durante um momento. Há 365 dias em um ano; então, mil dias são quase três anos de sua vida. O significado disso é que, independentemente de quanto tempo você pense ter perdido sendo escravo do medo ou preso a um vício, Deus pode resgatar esses dias para você através da Sua graça. Um dia na graça de Deus é equivalente a mil dias lutando com seus próprios esforços. Portanto, comece todos os dias saciando-se com a Sua graça e Deus lhe restaurará todos os anos que os gafanhotos comeram e roubaram de você (ver Joel 2:25).

Um dia na graça de Deus é equivalente a mil dias lutando com seus próprios esforços.

Tenha uma expectativa alegre, positiva e confiante no bem, porque há muitos dias bons à sua frente — dias de bênçãos, dias de favor e dias de grande graça. Supere toda crença errada conectando-se e ouvindo acerca das boas-novas de Jesus. A esperança virá como uma enxurrada, mesmo quando tudo à sua volta parecer sem esperança. Quando você ouvir corretamente, começará a crer corretamente!

PARTE SETE

ENCONTRE DESCANSO NO AMOR DO PAI

CAPÍTULO 19

RECEBA O AMOR DO PAI POR VOCÊ

❖

Ele se sentava na varanda da frente todos os dias, olhando para o horizonte em busca de algum sinal de movimento. Fazia isso fielmente, embora os dias se transformassem dolorosamente em semanas e, depois, meses. Quando seus amigos vinham para convencê-lo a desistir e seguir em frente, ele apenas sorria, acenava despedindo-se deles e persistia inflexivelmente. Mantendo seu olhar nas colinas ao redor, esperava resoluta e pacientemente pelo retorno de seu filho. Enquanto esperava, ensaiava em sua mente incessantemente o que faria no momento em que o visse. E, todos os dias, enquanto procurava resolutamente pelos campos, ele se perguntava se aquele seria o dia.

Certa noite, a silhueta familiar de uma figura solitária apareceu na distância. Reconhecendo seu filho, ele externou sem hesitação o que fizera mil vezes antes em sua mente: levantou seu manto, deixou de lado toda a dignidade e correu para o filho com toda a sua força. Ele podia sentir seu coração batendo descontroladamente e seus pulmões expandindo-se e contraindo-se enquanto cada pé tentava correr mais do que o outro ao longo do campo. Lágrimas escorriam pelo seu rosto enquanto, a cada passo, seu filho crescia à sua vista. E, antes que qualquer palavra pudesse ser trocada, ele já saltara à frente, abraçara o jovem e o cobrira de beijos.

Essa inesperada recepção alegre do pai desestruturou o jovem. Ele esperava ser repudiado e até já tinha um discurso ensaiado para pedir a seu pai para torná-lo um dos seus empregados. Como poderia saber que seu pai tinha um plano preconcebido? Sem esperar para ouvir o discurso ensaiado do filho, seu pai ordenou aos servos que trouxessem a melhor roupa para ele, e lhe colocassem um anel no dedo e sandálias nos pés. O jovem pensou ter perdido o direito de ser chamado de filho em decorrência das más escolhas que havia feito, que resultaram em vergonha e perda para a família. Mas seu pai deixou claro que não foi assim e até fez uma festa para celebrar o regresso de seu amado filho ao lar.

Revelando o Coração do Pai

Que história surpreendente e comovente! Jesus compartilhou essa parábola, que considero uma das mais belas parábolas da Bíblia. É uma parábola que Jesus usou, habilmente, para revelar a nós o verdadeiro coração do nosso gracioso e amoroso Pai celestial.

Comentaristas bíblicos lhe deram o nome de parábola do filho pródigo, mas o verdadeiro herói dessa história não é o filho, e sim o pai. Essa é uma história acerca do pai e de seu amor por seus dois filhos. Você já deve ter ouvido essa parábola ser contada centenas de vezes, mas quero que você a analise novamente para ver como ela expõe as crenças erradas que, nos dias de hoje, muitos crentes ainda têm em relação ao seu Pai celestial.

Considere durante um momento: qual é a sua opinião acerca de Deus, especialmente quando você cometeu um erro? Você o vê como um juiz Todo-poderoso, distante e insensível que fica com raiva sempre que você falha e que constantemente tem de ser apaziguado? Ou você o conhece como o seu Papai, o seu *Aba* Pai para quem você pode correr a qualquer momento, mesmo quando deixou a desejar?

Enquanto eu estudava a Palavra, o Senhor me revelou que muitos crentes chegaram a um lugar onde se esqueceram de seu Pai celestial.

Eles se esqueceram de Seu amor, graça e bondade. Eles se relacionam com Deus de uma maneira imparcial e transacional.

Hoje, muitos crentes se colocam diante dele com apreensão e tremor, apresentando-lhe suas falhas e saindo rapidamente antes de receberem a punição e condenação que *pensam* justamente merecer. Eles o percebem *exclusivamente* como um Deus de santidade, juízo e justiça; Seu rosto rígido e severo, Seus poderosos braços cruzados de insatisfação e desaprovação. Eles veem um Deus que fica facilmente descontente, é rápido em irar-se, está perpetuamente decepcionado com eles e espera impacientemente por ser aplacado.

Essa crença errada acerca de quem Deus realmente é tem levado muitos a medo, culpa, depressão e insegurança. E é por isso que é tão vital vermos o coração do Pai conforme foi revelado por Jesus nessa parábola atemporal.

> ❖ *Uma crença errada acerca de quem Deus realmente é tem levado muitos a medo, culpa, depressão e insegurança.*

Não muito tempo atrás, Lydia, uma irmã da África do Sul, escreveu para mim. Acredito que muitos de vocês seriam capazes de se identificar com o que ela compartilhou de sua luta em se relacionar com Deus como seu Pai:

> *Caro Pastor Prince,*
>
> *Cresci com uma autoestima muito baixa, tendo sido rotulada a "criança problema" de minha família. Fui um bebê não planejado e meus pais já tinham um filho, uma menina, então eles realmente queriam um menino. Ficaram desapontados por eu ser menina e consideraram até me entregar a um membro da família de meu pai que não tinha filhos.*

Meu pai vem de uma família muito fria e austera, e tem um temperamento muito ruim, então eu cresci naturalmente com medo dele e sempre me senti como se estivesse pisando em ovos com ele. Minha mãe também cresceu em uma família na qual não recebeu amor. Os dois são extremamente perfeccionistas e muito organizados. Além de tudo disso, eles nos criaram com disciplina militar e nenhuma compaixão. Era sua própria culpa se você se machucasse — você buscara aquilo.

Assim, nunca consegui me relacionar com Deus como um Pai. Deus era inacessível e estava sentado com um raio pronto para lançá-lo sobre mim sempre que eu não fosse suficientemente boa, não orasse o suficiente ou não fosse suficientemente obediente. Eu tinha a impressão de que Deus só ficava contente comigo quando eu obedecia à Lei. Sendo também perfeccionista, eu sentia que nunca corresponderia às Suas expectativas e estava sempre me sentindo condenada.

Desde que encontrei seus recursos de ensino, o véu em minha vida foi rasgado. Pela primeira vez, estou livre. Já não ando sob o pesado fardo da condenação. Aprendi que Deus nos amou primeiro e agora posso ter um relacionamento amoroso com meu Pai celestial e Jesus.

Experimentei a vitória sobre o medo e o pecado que me mantiveram em cativeiro durante anos, não por tentar ser obediente, mas apenas por aprender que meus pecados já foram perdoados na cruz. E não estou pecando mais agora. Estou realmente superando mais e pecando menos, e tenho um coração grato pelo que Cristo fez na cruz.

Você se sente da mesma maneira que Lydia se sentia a respeito de Deus?

Você sente que nunca é suficientemente bom, nunca consegue fazer o suficiente e ser suficientemente obediente para que Deus o ame e aceite?

Você se sente como se sempre estivesse vivendo em condenação perpétua?

Talvez você não consiga se relacionar com Deus como um Pai amoroso porque nunca experimentou o amor de seu pai terreno ou porque seu próprio pai o feriu terrivelmente.

Meu amigo, oro para que, ao estudarmos juntos a Palavra de Deus, você experimente sobrenaturalmente o amor íntimo de seu Pai celestial de uma maneira profunda e pessoal como nunca antes. Oro para que essa experiência cure, renove, restaure e transforme você de uma maneira espetacular, porque o Seu amor por você é nada menos do que espetacular.

Veja o Perfeito Amor do Pai

Há um vazio em nossos corações que só pode ser preenchido pelo amor do Pai. Então, pare de tentar encontrar amor e aprovação em todos os lugares errados e de ficar preso a todos os tipos de medos, inseguranças e vícios. Acredito que se você permitir que o Pai entre em seu coração hoje e o encha com o Seu perfeito amor, você encontrará a alegria, confiança, satisfação e liberdade que tem procurado na vida.

Permita que o Pai entre em seu coração hoje e o encha com o Seu perfeito amor.

A preciosa Palavra de Deus declara: "No amor não existe medo; antes, o perfeito amor lança fora o medo. Ora, o medo produz tormento; logo, aquele que teme não é aperfeiçoado no amor. Nós amamos porque ele nos amou primeiro" (1 João 4:18-19).

Hoje, sob a nova aliança da Sua maravilhosa graça, nosso Pai celestial não está querendo julgá-lo por suas falhas, porque Ele já julgou cada falha, erro e pecado no corpo de Seu próprio Filho, Jesus Cristo. O nome que Jesus veio para revelar na nova aliança da graça é "Pai". Hoje, Deus quer chegar até você como um pai carinhoso e amoroso.

Você conhece o Seu coração amoroso por você?

Você sabe que foi ideia dele enviar Jesus para ser punido na cruz por você?

Leia a mais famosa passagem da Bíblia e personalize-a de modo a conseguir ver o coração de Deus por *você*: "Porque Deus amou *você* de tal maneira que deu o seu Filho unigênito, para que *você* que nele crê não pereça, mas tenha a vida eterna. Porquanto Deus enviou o seu Filho a *você*, não para que julgasse *você*, mas para que *você* fosse salvo por ele" (João 3:16-17). Saiba hoje, sem sombra de dúvida, que o seu Pai ama *você* e enviou Seu próprio Filho para *salvá-lo*.

Entenda que não estamos menosprezando a obra de Jesus na cruz quando falamos do Pai e de Seu amor por você. A verdade é que Jesus veio para revelar o amor do Pai por você. Deus o amou tanto, que enviou Seu único Filho para pagar na cruz o alto preço de purificá-lo de todos os seus pecados.

Você sabe que Deus ama muito Jesus? Jesus é o Filho querido de Deus, a menina dos Seus olhos. Ora, se o seu Pai celestial não poupou Seu precioso Filho, Jesus Cristo, e sacrificou-o por você, quanto você pensa que Ele o ama? Você não conseguirá compreender a intensidade e magnitude do amor do Pai por você enquanto não perceber o quanto o Pai ama Jesus, porque Ele entregou Jesus para resgatá-lo.

Espero que você esteja começando a sentir e ver por si mesmo quão amado você é pelo Pai e quão precioso você é para Ele! Não tema — veja o coração do amor de seu Pai revelado por meio da cruz do Calvário.

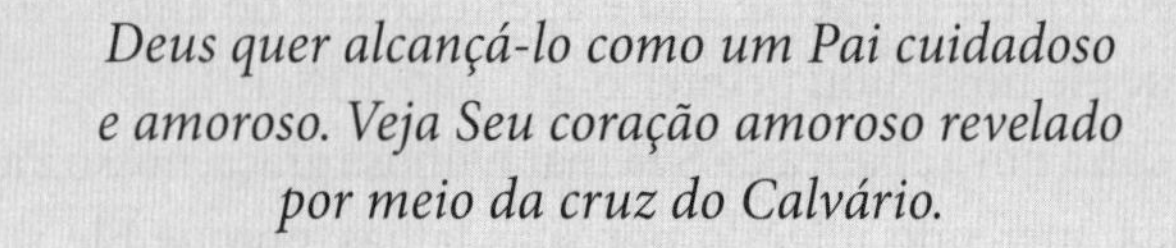

Deus quer alcançá-lo como um Pai cuidadoso e amoroso. Veja Seu coração amoroso revelado por meio da cruz do Calvário.

Não Importa o Que Você Fez

Mas, pastor Prince, você não compreende meu passado e todos os erros que cometi.

Você está absolutamente certo. Eu não compreendo.

Porém, o Pai celestial com certeza compreende, e Aquele que o conhece perfeitamente o ama perfeitamente.

Bem no início da parábola do filho pródigo, o filho mais novo foi ao seu pai e exigiu a sua parte da herança. Na cultura judaica, isso equivalia ao jovem dizer a seu pai para "cair morto". Ele estava, efetivamente, dizendo: "Dê-me a minha parte da herança agora mesmo. Não posso esperar que você morra". Foi uma bofetada dolorosa no rosto de seu pai. O jovem humilhou e desonrou totalmente seu pai ao fazer um pedido tão insolente.

Precisamos entender isso porque, se não formos capazes de compreender até que ponto esse jovem rejeitou totalmente seu pai e escolheu o seu próprio caminho, não conseguiremos valorizar a extensão do amor e da graça de seu pai ao recebê-lo de volta em casa como seu filho. Da mesma maneira, hoje, se não percebermos o quanto rejeitamos o Pai com nossos pecados, não conseguiremos compreender, valorizar e responder plenamente à imensa graça que Ele nos estende ao nos perdoar totalmente. Aqueles que pensam que pecaram pouco e, assim, são pouco perdoados, amam pouco. Mas aqueles que sabem que são muito perdoados, amam muito (ver Lucas 7:47). Lembre-se de *quem* contou essa parábola: nosso redentor Jesus, e Ele conhece em primeira mão o coração amoroso do Pai.

Voltando à história, a pedido de seu filho mais novo, o pai dividiu com seus dois filhos o que lhes era devido. Sabemos que, então, o filho mais novo gastou toda a sua herança em uma vida desregrada e, quando houve uma grande fome na terra, ficou sem dinheiro e teve de se limitar a alimentar porcos em uma fazenda.

Está registrado para nós que ele estava tão faminto, que até as alfarrobas com as quais ele alimentava os porcos lhe pareciam deliciosas. Atentemos ao que ele diz em seu momento de maior angústia: "Quantos trabalhadores de meu pai têm pão com fartura, e eu aqui morro de fome! Levantar-me-ei, e irei ter com o meu pai, e lhe direi: Pai, pequei contra o céu e diante de ti; já não sou digno de ser chamado teu filho; trata-me como um dos teus trabalhadores" (Lucas 15:17-19).

Apesar de Sua Motivação Oculta

Deixe-me lhe fazer uma pergunta. Com base no que você acabou de ler, foi o amor do filho por seu pai o que o fez voltar para casa?

Você pensa, em algum momento, que ele estava verdadeiramente arrependido? Ou que ele sequer se importava por ter despedaçado o coração de seu pai?

Penso que não! Ele foi claramente motivado por seu estômago. Ele quis ir para casa porque se lembrou de que até mesmo os empregados da casa de seu pai tinham mais comida do que ele! As palavras que ele planejou dizer ao seu pai — "pequei contra o céu e diante de ti" — eram o que ele pensava ser a retórica religiosa e dramática correta para garantir que lhe fossem permitidos *alguns benefícios* por voltar para casa. Você e eu sabemos que ele não estava genuinamente cheio de remorso. O que estamos ouvindo é seu estômago falando, não seu coração. Então, não foi arrependimento o que o levou para casa. Foi seu estômago e, talvez, até mesmo seu sentimento de orgulho de que ele merecia, pelo menos, o que os servos de seu pai estavam recebendo.

Quando eu era jovem, ouvia as pessoas ensinarem que o filho se arrependeu e decidiu voltar para casa por seu pai. A verdade é que não houve arrependimento aqui. O jovem começou a caminhada para casa porque estava morto de fome. Ele estava até preparado para se dar o trabalho de dizer palavras como "já não sou digno de ser chamado teu filho; trata-me como um dos teus trabalhadores" com a única intenção de encher o estômago, pois raciocinara que "os empregados têm pão suficiente e de sobra".

Ele nunca expressou qualquer amor pelo pai ou disse que sentia falta da presença e do amor do pai. É importante notarmos isso, porque Deus quer que saibamos que, mesmo quando nossas motivações são erradas, mesmo quando temos uma motivação oculta (normalmente egocêntrica) e nossas intenções não são totalmente puras, Ele ainda corre para nós em nosso momento de necessidade, exatamente como o pai correu para o jovem e derramou sobre ele seu favor imerecido e inconquistado.

Ah, quão insondáveis são as profundezas de Seu amor e graça para conosco! Nunca será o nosso amor por Deus. Sempre será o Seu magnífico amor por nós. A Bíblia deixa isso claro: "Nisto consiste o amor: não em que nós tenhamos amado a Deus, mas em que ele nos amou e enviou o seu Filho como propiciação pelos nossos pecados" (1 João 4:10). O herói dessa parábola é o pai. Ela fala do amor perfeito do pai por seu filho imperfeito.

Nunca será o nosso amor por Deus. Sempre será o Seu magnífico amor por nós.

Algumas pessoas pensam que a comunhão com Deus só pode ser restaurada quando você estiver perfeitamente arrependido e tiver confessado perfeitamente todos os seus pecados. Pensam que você deve pedir perdão a Deus antes que Ele possa ser apaziguado. Por favor, entenda que não tenho nada contra dizer "me perdoe" a Deus ou confessar os nossos pecados. Tudo que estou dizendo é que não somos tão importantes quanto nos fazemos parecer. A iniciativa foi do *pai*. Antes de o filho sequer pensar em voltar para casa, o pai *já* tinha sentido saudade dele, já estava procurando por ele e já o havia perdoado. Antes que o filho conseguisse proferir uma única palavra de seu pedido de desculpas ensaiado, o pai já correra para ele, o abraçara e acolhera em casa.

É Tudo Sobre o Amor de Deus

Nós não somos os heróis dessa história. Nunca será sobre os nossos pedidos de perdão a Deus, nosso arrependimento, nossas ações, nosso amor, nossas confissões ou nossa obediência. Por nós mesmos, nossos atos, mesmo os melhores, são adornados com imperfeições e motivos impuros. Essa parábola abalará a teologia daqueles que acreditam que é preciso pedir perdão antes de a comunhão com Deus poder ser restaurada.

Leia você mesmo a parábola, em Lucas 15:11-32. Perceba como o filho nunca chegou a concluir o seu discurso ensaiado. Ele tentou, mas foi totalmente dominado pela reação jubilosa de seu pai ao seu retorno. Por mais impuras que fossem as suas intenções ou motivações ao voltar para casa, o pai o inundou de favor imerecido e inconquistado.

É tudo sobre o coração de graça, perdão e amor do nosso Pai. Nosso Deus Pai cobre todas as nossas imperfeições, e o verdadeiro arrependimento vem em decorrência da Sua bondade. Nosso Pai é o herói — não nós. Façamos com que tudo se refira a Ele, não a nós!

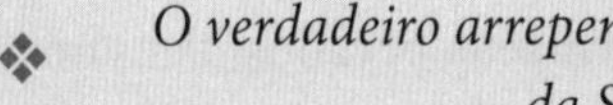

O verdadeiro arrependimento vem em decorrência da Sua bondade.

Eu peço "perdão" a Deus e confesso meus pecados quando deixei a desejar e falhei? Claro que sim. Mas faço isso não para ser perdoado, porque *sei* que *já* estou perdoado por meio da obra consumada de Jesus. A confissão transborda do meu coração porque experimentei a Sua bondade e graça, e porque sei que, como Seu filho, sou eternamente justo por meio do sangue de Jesus. Ela brota de uma consciência da justiça, não da consciência do pecado; de ser consciente do perdão, não consciente do julgamento. Existe uma gigantesca diferença.

Sabe, alguém pode insistir na necessidade de pedir "perdão" antes de podermos ser perdoados. Mas todos nós sabemos que podemos pedir "perdão" da boca para fora, mas, no fundo de nossos corações, não haver arrependimento verdadeiro. É como a criança na escola que, juntamente com seu colega, é enviada à diretoria por mau comportamento. Quando lhe mandam se sentar, ele se senta, mas sussurra ao amigo: "Dentro de mim, estou de pé!" É como o relato de Judas, que traiu Jesus. Está registrado para nós que ele "tocado de remorso... [disse]: Pequei, traindo sangue inocente... E [atirou] para o santuário as moedas de prata" (Mateus 27:3-5). Mas não houve arrependimento verdadeiro, pois foi apenas externo. Sabemos disso porque "tocado de remorso" aqui é a palavra grega *metamelomai*, que expressa o desejo de alguém de que o que foi feito possa ser desfeito, mas não é acompanhado por uma efetiva transformação do coração.[1]

É por isso que nós não estamos interessados no exterior. Vamos nos aprofundar na essência do nosso relacionamento com Deus e realmente experimentar o Seu amor quando tivermos falhado. Se você compreender isso, começará a experimentar novas dimensões em sua caminhada de amor com o Pai. Você perceberá que tudo sobre o seu Papai Deus tem a ver com um relacionamento, não com um protocolo religioso. Ele ama estar com você. Sob a graça, Ele não exige de você perfeição; Ele o *supre* de perfeição por meio da obra consumada de Seu Filho, Jesus Cristo. Portanto, independentemente de quantos erros você cometeu, não tenha medo dele. Ele ama você. Seu Pai está correndo em sua direção para abraçá-lo!

❖ *Tudo sobre Deus tem a ver com um relacionamento, não com um protocolo religioso.*

Deus Não Quer Empregados

A crença errada do filho mais novo era que ele queria voltar e ganhar seu próprio sustento como empregado. Ele não queria receber a provisão de seu pai por graça ou favor imerecido. Em seu próprio orgulho egocêntrico, ele queria trabalhar como empregado e ganhar a sua própria comida na casa do pai, juntamente com os demais empregados. O pai, é claro, não aceitaria isso.

Você é incapaz de merecer, por seus próprios esforços, o favor e as bênçãos de Deus. Eles só podem ser recebidos como presentes por meio da Sua graça. Ele não quer você como Seu empregado. A sua identidade é a de um filho — filho de Deus. Ele tem um exército de anjos celestiais como Seus servos. O que Ele deseja de você é um relacionamento. Em vez de temê-lo e pensar que você precisa pisar em ovos em Sua presença, Ele quer que você se aproxime dele confiantemente.

❖ *A sua identidade é a de um filho — filho de Deus. O que Ele deseja de você é um relacionamento.*

Seu pai quer que você saiba que, como Seu filho amado, lavado pelo sangue de Jesus, você pode "[achegar-se], portanto, confiadamente, junto ao trono da graça" a qualquer momento para obter misericórdia e encontrar graça para socorrê-lo em seu momento de necessidade (Hebreus 4:16). Para um filho de Deus sob a nova aliança, não há um trono de julgamento; há um trono de graça.

Você acredita na graça de Deus?

Você acredita que o sangue de Jesus lavou todos os seus pecados?

Você acredita que o seu Pai celestial o ama?

Então, achegue-se confiadamente à Sua presença sempre que você falhar. Vá como você está para receber misericórdia e encontrar graça. Em Sua Palavra, Ele prometeu que irá ajudá-lo no seu momento de necessidade. Qual é a sua necessidade hoje? Converse com seu Pai acerca disso. Que dificuldades, medos e vícios o oprimem hoje? Coloque tudo diante do seu Pai celestial e deixe-o ajudá-lo.

Meu amigo, você não é mais um escravo do pecado, você é um filho de Deus. A Palavra diz: "Porque não recebestes o espírito de escravidão, para viverdes, outra vez, atemorizados, mas recebestes o espírito de adoção, baseados qual clamamos: Aba, Pai" (Romanos 8:15). A palavra "adoção" é mais precisamente traduzida como "filiação".[2] Por intermédio de Jesus, você recebeu o Espírito de filiação, pelo qual você clama: "Aba, Pai". Você percebeu que o Espírito Santo se recusou a traduzir a palavra "Aba" para o português? A palavra aramaica original *Aba* é mantida. Você sabe por quê? É porque, para os judeus, *Aba* é a forma mais íntima pela qual você pode se dirigir ao seu pai.

Clame "Aba, Pai!"

Amo quando estou em Israel e ouço criancinhas correndo nos parques gritando "Aba! Aba!" e pulando para receber o abraço de seu pai. É uma linda imagem. Nos braços de *Aba*, uma criança é mais segura, protegida e amada. Nenhum inimigo pode arrancar uma criança dos braços fortes de seu *Aba*. Essa é a imagem que Deus quer que tenhamos quando oramos a Ele e o chamamos de "Aba". É claro que você pode chamá-lo de "Papai", "Pai" ou qualquer termo que o ajude a ver Deus como um acolhedor, amoroso e cuidadoso Pai.

A menos que consiga vê-lo como o seu *Aba* Pai, você continuará a ter um "espírito de escravidão para viver outra vez atemorizado"

(Romanos 8:15). Esse espírito de escravidão se refere ao temor de Deus do Antigo Testamento. É um medo característico do escravo, de julgamento e punição que o leva à escravidão e o deixa com medo de Deus. Mas Deus não quer que você tenha medo dele. Ele quer que você tenha um Espírito de filiação! Um número excessivo de crentes está vivendo com espírito de órfão, sem pai. Se você está enredado em todos os tipos de medo, culpa e preocupação hoje, o que você precisa é de uma boa dose celestial do amor do Pai por você!

❖ *Se você está enredado em todos os tipos de medo, culpa e preocupação hoje, o que você precisa é de uma boa dose celestial do amor do Pai por você!*

Algo surpreendente acontece no seu espírito quando você vê Deus como seu Pai. Se minha filha Jessica tem um pesadelo, tudo o que ela tem a fazer é gritar: "Papai!" E o papai está lá! E se houver um monstro debaixo de sua cama, aquele monstro estará prestes a ser feito em pedaços pelo papai! Jessica não precisa dizer: "Ó Pai, que vives e habitas na sala ao lado, rogo-te que venhas até mim neste momento de perigo, para que possas resgatar-me deste pesadelo!" Tudo que ela tem a fazer é gritar: "Papai!" E eu estou lá.

Do mesmo modo, em seus momentos de fraqueza, você não precisa se dirigir a Deus com orações perfeitas. Você apenas clama: "Papai!" E seu Pai celestial corre para você! Você não está se apresentando a um juiz. Você está indo diante de seu Pai, o seu Papai Deus, que o abraça e ama exatamente como você é.

Dedique um tempo para ir ao encontro de seu Aba Pai hoje. Creia que Ele o ama incondicionalmente hoje. Veja-o recebendo-o com um sorriso no rosto e os braços estendidos. Corra para o Seu abraço, se entregue em Seu amor perfeito por você e deixe-o eliminar toda preocupação, medo e insegurança. Quando você crer e receber o amor de seu Pai por você, isso dará paz e força inabaláveis ao seu coração!

❖ *Quando você crer e receber o amor de seu Pai por você, isso dará paz e força inabaláveis ao seu coração!*

CAPÍTULO 20

SEJA TRANSFORMADO PELO AMOR DO PAI

❖

Quando preguei em minha igreja uma série de mensagens acerca do amor do Pai, um jovem, juntamente com vários outros, foi à frente ao fim de um dos cultos para receber Jesus como seu Senhor e Salvador. Não pude deixar de notar cicatrizes e crostas de sangue seco no rosto desse homem. Pensando que ele poderia estar sofrendo de algum tipo de problema de saúde, disse ao meu pastor de jovens para conversar com ele na sala dos visitantes, após o culto.

No salão, o jovem tirou a jaqueta e revelou um corpo coberto de tatuagens. Ele compartilhou que seu rosto estava cortado porque ele estivera envolvido em muitas brigas de gangues, e entrado e saído da prisão numerosas vezes. Então, ele olhou para o pastor de jovens e lhe perguntou melancolicamente: "Deus pode me perdoar por todos os erros que cometi?"

O pastor de jovens tranquilizou-o, dizendo: "No momento em que você foi à frente para receber Jesus em sua vida, seu Pai celestial o perdoou de todos os seus pecados e o tornou Seu filho. Neste exato momento, é isto que você é: Seu filho amado".

Mais tarde naquele dia, o pastor de jovens recebeu uma mensagem de texto desse jovem, expressando o que sentiu após sair do culto: "Não sei como explicar isso a você. Agora estou sentindo uma paz no meu coração que nunca antes senti".

Meu amigo, isso é o que acontece quando o fardo do pecado, da culpa e da condenação é removido de seus ombros e colocado sobre Jesus. Quando você abrir o seu coração para o amor incondicional do Pai, sentirá uma paz que excede todo entendimento.

A Justiça É um Presente Gratuito

Independentemente de quantas vezes você falhou, quantos erros você cometeu e quão terríveis você pensa que os seus pecados sejam, o poder de purificação e o sangue de seu Salvador, Jesus Cristo, é maior do que todos eles. Deus fez essa promessa a você em Sua Palavra: "Ainda que os vossos pecados sejam como a escarlata, eles se tornarão brancos como a neve; ainda que sejam vermelhos como o carmesim, se tornarão como a lã" (Isaías 1:18). Esse é o poder da cruz em sua vida. No momento em que você crê em Cristo, todos os seus pecados são purificados de uma vez por todas e você se torna branco como a neve. Você já viu como a neve brilha sob a luz do sol? É assim que seu Pai celeste vê você agora, vestido com o cintilante manto da justiça.

Mas, pastor Prince, o que eu fiz para merecer esse manto da justiça?

Bem, você já ouviu a parábola do filho pródigo. Deixe-me lhe perguntar isto: o que o filho fez para merecer o abraço do pai? O que ele fez para merecer a melhor roupa que o pai ordenou aos seus empregados que trouxessem para ele?

Absolutamente nada.

A "melhor roupa" é uma imagem do manto da justiça que o Pai celestial vestiu em você quando você recebeu a Jesus. Esse manto da justiça é um *presente gratuito*. Você não pode conquistá-lo, trabalhar por ele ou merecê-lo. É por isso que tudo o que ouvimos sobre o que o pai fez para acolher em sua casa o filho é um retrato da surpreendente e incondicional graça do nosso Pai celestial.

Nossa parte é apenas acreditar em Sua bondade e, de todo o coração, receber dele a abundância da graça e o presente da justiça para reinarmos vitoriosamente sobre todas as áreas de derrota em nossas vidas.

Receba e Reine

A verdade é que não há outra maneira de reinar na vida além de crer e receber. Considerando que a aceitação do Pai, a graça e o presente da justiça não podem ser conquistados, a única maneira de obtê-los é humilhar-se diante dele e dizer: "Querido Papai Deus, sei que não fiz nada para merecer Teu amor e Tuas bênçãos em minha vida. Obrigado por me dar a graça, que é tão imerecida. Humildemente recebo a abundância de Tua graça e Teu precioso presente da justiça".

Não há outra maneira de reinar na vida além de crer e receber.

Qual você acha que exige mais humildade — trabalhar por sua própria justiça e conquistá-la ou receber a justiça como um presente de Deus? Digo a você que os crentes que tentam *conquistar* a aprovação, a aceitação e as bênçãos de Deus por meio de seu serviço, orações e boas obras acabam, inadvertidamente, caindo em soberba.

Na parábola do filho pródigo, o filho mais novo queria voltar para casa e dizer ao seu pai: "Trata-me como um dos teus trabalhadores". Mesmo totalmente maltrapilho, ele ainda queria manter seu orgulho e ganhar seu próprio sustento como empregado em vez de se humilhar diante de seu pai. É claro que sabemos que, mesmo ele crendo incorretamente e ainda estando preso aos pensamentos sobre si mesmo, o pai derramou sobre ele a abundância da graça e o presente da justiça, e o recebeu em casa com uma grande celebração.

A Mentalidade do Irmão Mais Velho

Quanto ao irmão mais velho da parábola, ele ficou muitíssimo irritado quando soube que a volta de seu desavergonhado irmão pecador à casa era o motivo de haver música e dança na casa de seu pai. Seu orgulho lhe subiu à cabeça e ele se recusou a entrar em casa, porque sentiu que, diferentemente dele, seu irmão nada fizera para merecer tal honra.

O irmão mais velho disse ao seu pai: "Há tantos anos que *eu* te *sirvo* sem jamais transgredir uma ordem tua, e nunca me deste um cabrito sequer para alegrar-me com os meus amigos; vindo, porém, esse teu filho, que desperdiçou os teus bens com meretrizes, tu mandaste matar para ele o novilho cevado" (Lucas 15:29-30, grifo do autor).

Perceba que o irmão mais velho se prendeu ao que *ele* fizera para "merecer" o novilho cevado que foi morto para seu irmão. Sua resposta também revelou aquilo em que ele acreditava acerca de seu pai. Ele se relacionava com seu pai como se o pai fosse um capataz cruel. Em vez de simplesmente desfrutar de sua posição de filho, estava ocupado *servindo* seu pai, ocupado tentando ganhar a sua aprovação por meio de obras.

O irmão mais velho acreditava que precisava conquistar as bênçãos do pai e, em sua mente, seu desempenho fora muito melhor do que o de seu vergonhoso e rebelde irmão caçula. Então, ele sentiu que merecia mais recompensas de seu pai e, assim, ficou indignado porque pensou que seu irmão estava recebendo mais. Na realidade, a Bíblia registra que o pai havia dividido entre *eles* a sua riqueza. Segundo o costume judaico, o filho mais velho sempre recebe uma porção dupla, de modo que o irmão mais velho já havia recebido muito mais!

Claramente, ele perdeu todo o sentido do significado de ser filho. Não atentava para a bondade de seu pai, mas para o seu próprio desempenho. Não havia relacionamento com o pai. Ele tinha uma mentalidade de escravo e, persistentemente, tentava agradar o pai com o seu serviço e com o cuidado que ele tomava para não transgredir qualquer dos mandamentos de seu pai. Nunca entendeu o coração do pai. Dito de maneira simples, ele nunca compreendeu a graça.

Relacionamento Amoroso ou Transação Comercial?

Infelizmente, hoje há muitos crentes que são como o irmão mais velho. Em vez de receberem a aceitação e o amor perfeitos do Pai pela graça, querem ser capazes de dizer que conquistaram as Suas bênçãos.

Você acha que isso traz alegria e prazer ao coração do Pai?

Imagine que você quisesse dar ao seu filho um presente especial como uma expressão do seu grande amor e seu filho lhe dissesse: "Não, eu quero trabalhar por isso. Vou conquistá-lo por mim mesmo".

Como você se sentiria se seu filho preferisse conquistar o seu amor e as suas bênçãos por seus próprios esforços, em vez de recebê-los? Certamente, há momentos em que um filho pode "trabalhar" para obter algo como recompensa. Ele pode ser recompensado por um bom desempenho na escola ou por manter seu quarto arrumado. Mas não estou falando de recompensas. Algo está muito distorcido se o seu filho não conseguir receber um presente de você sem tentar conquistá-lo. Isso significa que o seu relacionamento com ele reflete uma transação comercial.

Infelizmente, é exatamente assim que alguns crentes se comportam hoje. Eles têm uma mentalidade de irmão mais velho ao se relacionarem com Deus. Não querem receber qualquer coisa dele pela graça. Tais como o irmão mais velho da parábola, querem trabalhar para conquistá-la, e sua relação com Deus se torna comercial e transacional. Em vez de desfrutar de um relacionamento amoroso entre um pai e seu filho, eles querem voltar à maneira como era sob a antiga aliança da Lei. Sob a antiga aliança, se você fizesse certo, Deus o abençoaria e, se fizesse errado, seria amaldiçoado.

Isso é realmente muito triste, porque, inevitavelmente, eles acabarão ficando ressentidos e contrariados com Deus ao verem seus irmãos "indignos" serem abençoados pela graça abundante do Pai. Tal como o irmão mais velho, acabam com raiva de Deus e lhe dizendo: "Há tantos anos que *eu* te *sirvo* sem jamais transgredir uma ordem tua, e nunca me deste...".

Os crentes que ainda vivem sob esse véu da Lei são como o irmão mais velho. Eles ouvem a música e as danças, e não entendem. Ouvem falar da maravilhosa graça de seu Pai e não conseguem compreendê-la. Leem histórias de vidas transformadas pela graça e não conseguem aceitá-las. Para eles, Deus tem a ver com observância de mandamentos, serviço e obediência. As recompensas devem ser concedidas quando o bem é feito, enquanto somente punição deve ser aplicada a todos os que transgridem.

Se você é assim, oro para que esse véu da Lei seja removido e que você experimente a graça do Pai de uma maneira profunda e pessoal.

Tudo que É de Deus já É seu

Você sabe o que o pai, que saiu da festa para buscar o filho mais velho, disse em resposta à reclamação desse filho? "Meu filho, tu sempre estás comigo; tudo o que é meu é teu" (Lucas 15:31).

Meu amigo, a questão não é o *seu* amor por Deus, mas o amor do Pai por você. Ele é sempre o iniciador. A questão sempre foi o *Seu* amor por você. Não viva a vida louco, irritado, culpado e frustrado. Entre na casa do Pai e encontre descanso para a sua alma. Não se trata dos seus próprios esforços. Seu pai quer que você saiba que TUDO que Ele tem já é seu, não por causa do seu desempenho perfeito, mas porque você é Seu filho por meio da obra consumada de Jesus.

> *Seu pai quer que você saiba que TUDO que Ele tem já é seu, não por causa do seu desempenho perfeito, mas porque você é Seu filho por meio da obra consumada de Jesus.*

Romanos 8:32 declara: "Aquele que não poupou o seu próprio Filho, antes, por todos nós o entregou, porventura, não nos dará graciosamente com ele todas as coisas?" Com Jesus, Papai Deus já lhe deu todas as coisas. Jesus é a sua aceitação. Ele é a sua justiça, santidade, provisão e sabedoria. Seja o que for que você precise em sua vida, seu Pai já lhe deu por meio de Jesus.

Então, vá para casa para receber o Seu abraço. Vá para casa para receber a graça. Vá e participe da música e das danças!

O Poder Transformador do Amor do Pai

É interessante notar que, na parábola do filho pródigo, os dois irmãos queriam ganhar seu próprio sustento. Penso que isso demonstra que a nossa propensão carnal de querer merecer as bênçãos de Deus é muito maior do que a nossa capacidade de recebê-las dele. Geralmente, somos mais inclinados a querer *merecer* Seu amor, aceitação, aprovação e bênçãos do que a *recebê-las* através do Seu favor imerecido.

É realmente necessária uma revelação da graça para ver o amor do Pai e para receber dele. E a Palavra nos diz que somente recebendo do nosso Pai Sua graça e Sua justiça podemos reinar nesta vida (ver Romanos 5:17). Talvez esse seja o motivo de não vermos mais crentes reinando na vida. A chave está em como eles percebem seu Pai celestial.

Ele é, para com você, um capataz duro e grosseiro ou um Pai amoroso e generoso? Você permitirá que Ele o vista com Sua justiça e, por Sua amorosa graça, coloque um anel no seu dedo e sandálias nos seus pés? Ou você lutará para conquistar a sua própria justiça, merecer a sua própria provisão e fazer jus aos seus bens por suas próprias obras? O poder para reinar na vida depende daquilo em que você crê acerca de Deus.

O poder para reinar na vida depende daquilo em que você crê acerca de Deus.

Pastor Prince, então você está dizendo que tudo é apenas pela graça e podemos viver do jeito que quisermos, negligenciando Deus totalmente? Você está dizendo que não temos de servi-lo?

Bem, pergunte a si mesmo: quando alguém encontra genuinamente o amor, o favor e as bênçãos do Pai de um modo totalmente indigno, de que maneira você pensa que esse alguém viverá?

Dedique um momento a se colocar no lugar do filho mais novo: você dilapidou a riqueza de seu pai. Você ficou sem dinheiro e comida, então, decide ir para casa, porque sabe que até os servos de seu pai têm abundância de alimentos para comer. Mas quando você chega em casa, em vez de repreensão e condenação de seu pai, e de ter de lhe implorar que o torne um de seus empregados, ele lhe dá uma suntuosa recepção, repleta de abraços e beijos.

Apenas alguns dias atrás, você estava morrendo de fome e até mesmo de olho na comida destinada aos porcos. Mas, agora, você está vestido com um manto fresco e limpo. Está usando o anel de seu pai, o que o autoriza a fazer pagamentos em seu nome. E como se isso não bastasse, seu pai convidou todos os vizinhos, matou um bezerro escolhido, e eles estão fazendo uma festa de boas-vindas com churrasco, música e danças em sua honra.

Imagine que tudo isso tenha acontecido com você. Você acaba de receber o perdão e o abraço acolhedor de seu pai. Ora, isso faz você querer se rebelar novamente contra o seu pai, saindo de casa e voltando para o chiqueiro imundo, chafurdando na lama e alimentando-se de coisas que nunca o satisfarão? É claro que não!

Há um grande equívoco de que os crentes que lutam contra o pecado e se entregam a ele, e ainda são apaixonados pelo mundo, fazem isso porque não amam suficientemente a Deus. Isso é o que ouvimos de muitos pregadores que dizem aos crentes para amarem mais a Deus, pensando que, se as pessoas amarem mais a Deus, amarão menos o pecado e o mundo.

Mas, certo dia, Deus abriu meus olhos para o real motivo pelo qual os crentes ainda estão enredados no pecado e no mundo. Nunca ouvi alguém pregar isso antes, então isso é algo novo vindo do céu. O apóstolo João nos diz: "Se alguém amar o mundo, o amor do Pai não está nele" (1 João 2:15). Perceba que é o amor *do* Pai, não o amor *ao* Pai. Então, as pessoas que amam o mundo e estão presas a atividades mundanas são, de fato, pessoas que não conhecem ou não creem, em seus corações, no amor do Pai por elas.

Infelizmente, ouvimos muitas mensagens acerca do nosso amor pelo Pai — "Vocês precisam amar mais *a* Deus! Vocês precisam amar mais *a* Deus!" Aquilo de que realmente precisamos é mais pregação sobre o amor *do* Pai. A questão nunca será o nosso amor por Ele, mas o *Seu* amor por nós.

Amado, quando as pessoas passarem a realmente conhecer e crer no amor do Pai por elas e tiverem esse amor ardendo em seus corações, elas não mais desejarão sair e viver como o diabo. Há algo poderosamente transformador acerca da graça. Se você já provou e saboreou a graça do seu Pai celestial, nunca mais desejará viver no deserto do pecado, longe do abraço do Pai.

❖ *Se você já provou e saboreou a graça do seu Pai celestial, nunca mais desejará viver no deserto do pecado, longe do abraço do Pai.*

Vivendo de Graça em Graça

Continuemos a falar do filho mais novo. Receber perdão e graça de seu pai significa que ele nunca mais falhará? É claro que não. Mas toda vez em que ele falhar, saberá que não precisa fugir e se esconder com culpa e medo, porque conhece o coração de seu pai. É esse o significado de viver de graça em graça — mesmo que você tropece, é um tropeço para cima. Você está consciente do fato de que há graça renovada todos os dias, em medida superabundante, para cobrir todas as suas falhas. Essa é a bondade de Deus que o leva ao arrependimento (Romanos 2:4).

Algumas pessoas pensam que o arrependimento requer chorar até os olhos saltarem para fora. Eu vi pessoas fazerem isso, mas elas voltam para casa e suas vidas não são transformadas. Por outro lado, vi arrependimento genuíno quando as pessoas encontram a graça de Deus ao ouvir uma mensagem ou ler um livro como este, sem dramatismo envolvido. Mas quando elas voltam para suas famílias, você percebe que algo nelas mudou com o passar dos dias. Seus pensamentos e suas crenças mudaram.

Com o tempo, isso leva a uma total modificação de seus estilos de vida, comportamentos, atitudes e atos enquanto continuam a crescer em graça. Os vícios começam a perder seu domínio sobre as vidas delas. Medos, dúvidas e inseguranças começam a se dissolver. Começam a vivenciar o favor e a ter sucesso em seus relacionamentos, carreiras e ministérios. Em vez de invejar a comida dos porcos, elas agora se banqueteiam na mesa de abundância do Pai. Em vez de viverem derrotadas pelo pecado, agora vivem na vitória do amor de seu Pai. Isso é o que a crença correta no amor do Pai nos traz.

Recebi um testemunho impressionante de Nathan, de Nova Iorque, um rapaz de vinte e cinco anos de idade que compartilhou a libertação que teve ao encontrar o amor do Pai por ele. Ele contou como, desde os catorze anos de idade, sua vida girara em torno de drogas, pornografia, sexo e violência de gangues. Crescendo em um ambiente como esse, ele nunca tivera uma chance de ver um modo de vida diferente. Ele nunca teve uma infância adequada e nunca sentiu amor e aceitação por parte dos membros de sua família, que o viam como nada mais do que uma "máquina de guerra". Com nenhuma figura paterna em sua vida, exceto um homem com quem sua mãe se casou e que o espancava regularmente desde quando ele tinha três anos, Nathan lutava contra sua identidade, vícios e raiva.

Mas a virada aconteceu quando ele aprendeu que seu Deus Pai o ama. Ele escreveu:

> *Ouvi uma pregação sua acerca de ser o amado de Deus. Eu nunca tinha ouvido falar de Jesus como alguém que morreu pelos meus pecados porque me amava muito. Eu pensava que, de modo algum, alguém morreria por mim se soubesse o que eu havia feito. Mas o amor que senti enquanto ouvia era algo que eu nunca havia experimentado.*
>
> *Eu precisava saber mais, então comprei o seu livro* Destinados a Reinar, *e as palavras do Senhor por intermédio do seu livro mudaram a minha vida... Abandonei todos os maus hábitos — tudo — do meu passado e me entreguei ao Senhor Jesus Cristo. Todos os dias me parecem novos e agora vejo a vida de uma maneira diferente. Sei que tenho um Pai celestial que me ama e me aceita. Sei que Ele ouve as minhas orações e não demorará a respondê-las.*

Estou muito contente por Nathan ter tido uma revelação de que, apesar de suas falhas, seu Papai Deus nunca deixou de amá-lo. E simplesmente por descansar no amor de seu Papai, ele foi liberto não apenas de seus vícios, mas também da raiva e da insegurança que o mantiveram preso durante quase metade da vida.

Da mesma maneira, oro para que você tenha uma revelação de que, neste exato momento, você é amado pelo Pai e está perto do Seu coração. De que Ele sempre ouve as suas orações e é mais do que capaz e está disposto a tirá-lo de todo poço de trevas e estabelecê-lo em Seu amor e luz.

Na parábola do filho pródigo, os dois filhos estavam distantes do pai; até mesmo o filho mais velho, que estava, tecnicamente, em casa com ele.

Você já experimentou o amor de seu Pai?

Agora mesmo, quero que você faça uma coisa: feche os olhos e apenas diga "Papai".

Há uma oração bem aí. De fato, essa é a oração mais profunda e mais íntima que você pode fazer.

Clame ao seu Papai Deus, porque Ele *o* ama e cuida de *você*. Você nunca fez algo que o fizesse se apaixonar por você. E, amado, não há nada que você possa fazer, nada que você poderia ter feito, que possa tirar o amor dele por você.

Clame ao seu Papai Deus, porque Ele o ama e cuida de você.

Já Amado, Já Qualificado

Quero que você saiba hoje que, como filho de Deus, você não precisa se qualificar para o Seu amor de modo algum. Você *já* é o Seu amado. Você pode sentir que está distante dele, mas o seu Pai o vê. Ele tem observado e esperado pela sua volta para casa, pronto para correr em sua direção para abraçá-lo. Ele quer derramar repetidamente em você Seu amor e Seus beijos.

Você não precisa conquistar o amor de seu Papai. TUDO que ele tem já é seu. Ele não está lhe pedindo para servi-lo a fim de conquistar as Suas bênçãos. TUDO que ele tem já foi gratuita e incondicionalmente dado a você.

Jesus disse: "Observai as aves do céu: não semeiam, não colhem, nem ajuntam em celeiros; contudo, vosso Pai celeste as sustenta. Porventura, não valeis vós muito mais do que as aves" (Mateus 6:26). Meu amigo, pare de se esforçar. Você é um filho de Deus. Você tem mais valor do que muitos pardais, e seu Pai conta até os fios de cabelo da sua cabeça (ver Lucas 12:7).

Ele entregou Seu único Filho para morrer uma morte agonizante na cruz pela probabilidade de que, algum dia, você poderia aceitar o Seu amor.

Então vá. Vá ao Pai. Vá com todos os seus defeitos, com toda a sua fragilidade, com todas as suas inadequações.

Vá como você é. Oro para que você perceba que é o objeto do amor de Deus, e tudo que seja negativo ou destrutivo seja eliminado de sua vida enquanto você vive uma libertação após outra, como nunca antes.

CAPÍTULO 21

ENCONTRE DESCANSO NO AMOR DO PAI

❖

Neste último capítulo da nossa jornada pela descoberta do poder de crer corretamente, quero deixá-lo com uma verdade simples, mas crucial.

Mesmo que você se esqueça de tudo o mais que leu neste livro (é claro que oro para que isso não aconteça!), memorize esta verdade que estou prestes a lhe dizer. Alimente-se dela. Deixe-a criar raízes em seu espírito e tornar-se uma âncora em sua vida. Prometo que você jamais será o mesmo.

Você está pronto? Aqui vai:

> *Como filho de Deus, independentemente do que aconteça em sua vida, o seu Pai celestial o ama muito e nada que você faça poderá mudar isso.*

Você acreditará nisso hoje?

Quer esteja passando por momentos bons ou enfrentando momentos difíceis, você precisa saber que seu *Aba* o ama. Não há nada que você possa fazer para que Ele o ame mais, e nada que você possa fazer para que Ele o ame menos.

> ❖ *Não há nada que você possa fazer para que Ele o ame mais, e nada que você possa fazer para que Ele o ame menos.*

Mesmo, ou, talvez, *especialmente*, quando sentir que falhou, saiba que você *sempre* será a menina dos olhos de Deus. *Sempre*.

Deus o ama com um amor eterno (ver Jeremias 31:3). Um amor que é o mesmo ontem, hoje e eternamente. Sinta o seu Papai Deus envolvendo-o em Seus braços neste momento. Você está seguro. Você é completamente amado e totalmente aceito. Ele o amou antes sequer de você conhecê-lo. O amor dele por você *nada* tem a ver com qualquer coisa que você tenha feito por Ele. E é por isso que você pode estar seguro no conhecimento de que *nada* que você fizer jamais afetará o Seu amor incondicional e inabalável por você.

Não há nada que você precise provar. Você só precisa descansar. Descanse e receba o amor de seu *Aba* por você. Deixe sua vida se tornar estabelecida e alicerçada em um amor tão perfeito que nenhum desafio ou adversidade será capaz de derrubá-lo. Se você acha que estragou tudo, agora é a hora de voltar para o seu Pai. Em Seus braços amorosos você encontrará esperança, segurança e refúgio contra qualquer tempestade.

Amo a maneira de o apóstolo Paulo dizer: "Quem nos separará do amor de Cristo? Será tribulação, ou angústia, ou perseguição, ou fome, ou nudez, ou perigo, ou espada?... Em todas estas coisas, porém, somos mais que vencedores, por meio daquele que nos amou. Porque eu estou bem certo de que nem a morte, nem a vida, nem os anjos, nem os principados, nem as coisas do presente, nem do porvir, nem os poderes, nem a altura, nem a profundidade, nem qualquer outra criatura poderá separar-nos do amor de Deus, que está em Cristo Jesus, nosso Senhor" (Romanos 8:35, 37-39).

Amado, *nada* e *ninguém* poderá jamais separá-lo do amor de seu Pai. Você não ama aquela total sensação de confiança no inabalável fundamento da promessa de Deus para você? Não há advertências ou avisos de isenção de responsabilidade quando se trata do amor de seu Pai celestial. A Bíblia afirma claramente que *nada* será capaz de separá-lo do amor de seu Pai celestial. Essa é uma declaração e uma promessa absoluta. "Nada" significa *nada*. Como crente, isso significa que nem mesmo os seus erros, falhas e pecados podem separá-lo do amor de seu Pai. Aleluia!

De fato, é o amor do Pai por você que lhe dá o poder de superar todo erro, falha e pecado em sua vida. A Bíblia diz dessa maneira: "Porque o pecado não terá domínio sobre vós; pois não estais debaixo da lei, e sim da graça" (Romanos 6:14). O significado disso é que quanto mais você experimenta o amor e a graça de seu Pai celestial, mais você se apaixona por Ele e perde o amor pelo pecado.

> ❖ *É o amor do Pai por você que lhe dá o poder de superar todo erro, falha e pecado em sua vida.*

Como em muitos dos testemunhos que lemos ao longo deste livro, você verá os vícios destrutivos perderem o controle sobre sua vida. Gosto de como a versão *New Living Bible* traduz Romanos 6:14: "O pecado já não é mais o seu senhor, porque você não vive mais sob as exigências da lei. Em vez disso, você vive sob a liberdade da graça de Deus". Não é lindo? Hoje você está vivendo sob a liberdade da maravilhosa graça de Deus — Seu imerecido e inconquistado favor em sua vida. A graça lhe dá liberdade. Liberdade da falta, do medo, dos vícios, do tormento da culpa e de toda maldição e pecado!

Conhecer o Seu Valor Faz Diferença

Você sabia que o inimigo não tem poder sobre as pessoas que sabem que seu Pai as ama? Se Adão e Eva tivessem crido no amor de Deus por eles, o diabo não teria tido sucesso em tentá-los. Infelizmente, eles escolheram acreditar na mentira que a serpente havia plantado retratando Deus como mesquinho e egoísta, como se Ele estivesse retendo deles alguma coisa boa.

É por isso que quero que você esteja ancorado no amor do Pai. Você será inabalável. Não terá qualquer desejo de tocar certas coisas, de ir a certos lugares ou de estar associado a determinadas pessoas. Você se manterá longe de influências negativas, porque confia na afeição de seu Pai por você e acredita que Ele só quer o melhor para você. Descanse, sabendo que Ele está cuidando de você para protegê-lo e guardá-lo do perigo.

❖ *Ancore-se no amor do Pai. Você será inabalável.*

Percebi que as crianças seguras do amor de seu pai são capazes de dizer "não" a todos os tipos de tentações. Isso ocorre porque aquele vácuo de suas vidas já está preenchido. Elas não têm de fazer coisas para conquistar a aprovação de seus amigos quando podem encontrar absoluta segurança, identidade e aprovação no amor de seus pais por elas e, acima de tudo, no amor de seu Pai celestial por elas.

Da mesma maneira, quando confiarmos no amor de nosso Pai por nós, teremos o poder de dizer "não" às tentações. Quando você tem uma revelação permanente de quão valioso, precioso e justo você é em Cristo, fica cada vez mais fácil dizer não ao pecado.

Deixe-me ilustrar isso. Se você estivesse usando uma camisa branca bem passada, iria querer brincar na lama? É claro que não! Por quê? Porque você estaria consciente de que o seu deslumbrante traje branco e a lama não combinam. Do mesmo modo, quando você estiver ciente de sua identidade de justo em Cristo, irá querer chafurdar na lama e sujeira do pecado? A verdade é que, quanto mais consciente da justiça você for e quanto mais consciente de quão valioso e precioso em Cristo você for, mais saberá que a sua identidade de justo em Cristo e o pecado não combinam, e mais experimentará o poder de dizer "não" à tentação.

Você é Amado e Deus se Compraz em Você

A Palavra de Deus registra que, após Jesus ser batizado no rio Jordão, ao sair das águas, "se lhe abriram os céus, e viu o Espírito de Deus descendo como pomba, vindo sobre ele. E eis uma voz dos céus, que dizia: Este é o meu Filho amado, em quem me comprazo" (Mateus 3:16-17).

Amo a maneira de a Bíblia descrever como os céus se abriram para Jesus. Acredito que, sempre que Jesus é pregado, os céus se abrem para Ele. Isso significa que, quando ouvimos mensagens sobre Jesus, estamos realmente de pé sob um céu aberto e todas as bênçãos, o favor e a bondade de Deus caem sobre nós.

Após o batismo de Jesus, o Espírito o conduziu ao deserto, e o diabo foi tentá-lo, dizendo: "Se és Filho de Deus, manda que estas pedras se transformem em pães" (Mateus 4:3).

Muitos anos atrás, quando eu estava estudando essa passagem, o Senhor abriu os meus olhos e me mostrou que, sutilmente, o diabo deixara de fora a palavra "amado". Momentos antes desse acontecimento, no rio Jordão, Deus Pai acabara de declarar Jesus como Seu Filho *amado*. Entretanto, quando o diabo foi tentar Jesus, ele removeu a palavra "amado" e simplesmente disse: "Se és Filho de Deus...".

O Senhor me revelou que, se você se lembrar de que é o amado do Pai, nunca poderá ser tentado com sucesso! Até o diabo sabia disso, foi por isso que ele retirou a palavra "amado" ao falar com Jesus. Ora, essa é uma verdade poderosa!

Então, toda vez em que você for tentado, apenas lembre-se disto: "Eu sou o filho amado de Deus e meu Pai me ama". Nenhuma tentação consegue triunfar sobre você quando você descansa com segurança no amor de seu Pai.

> ❖ *Nenhuma tentação consegue triunfar sobre você quando você descansa com segurança no amor de seu Pai.*

Quero apenas dizer uma rápida palavra a todos os pais que estão lendo isto: a aprovação do pai é o que dará a um filho o poder para ser excelente. Portanto, quando você diz aos seus filhos palavras de aprovação e afirmação, realmente os está capacitando para o sucesso. Eles enfrentarão todas as tentações e serão vitoriosos na vida.

Observe a resposta de Jesus. Ele não precisou provar ao diabo que era o Filho de Deus. Seguro de sua identidade como o Filho amado de Deus, Ele simplesmente respondeu: "Não só de pão viverá o homem, mas de toda palavra que procede da boca de Deus" (Mateus 4:4).

Quando eu estava estudando esse versículo, o Senhor me disse: "Estude as palavras que acabam de proceder da boca de Deus. Essas são as palavras que Eu quero que o Meu povo siga".

Você se lembra das palavras que o Pai acabara de dizer no rio Jordão? É isso mesmo, Ele disse:

"Este é o Meu Filho amado, em quem me comprazo."

Quero incentivá-lo a colocar seu próprio nome nessa frase e meditar nela todos os dias! É assim que o Pai o vê hoje. Ele o vê em Cristo e, em Cristo, você é Seu precioso filho amado, em quem Ele se compraz. Coloque a mão em seu coração e ouça o seu Pai celestial dizendo essas palavras a você:

"Você é Meu filho amado, em quem me comprazo."

Você acreditaria nisso com todo o seu coração hoje?

Se você está lutando para superar um distúrbio ou um vício, feche os olhos e ouça seu pai dizendo-lhe: "Você é Meu filho amado, em quem me comprazo". Toda vez que estiver com medo, toda vez em que você for consumido por preocupação, raiva ou depressão, ouça seu pai dizendo-lhe: "Você é Meu filho amado, em quem me comprazo".

Sim, bem no meio de qualquer falha que você possa estar vivenciando, você é Seu filho amado e Ele se agrada de você, porque você está em Cristo.

Continue ouvindo e repetindo isso até encontrar descanso, paz e alegria superabundantes em seu coração. Se você sentir vontade de chorar em Sua presença, chore. Ele sabe pelo que você está passando e compreende — de uma maneira que ninguém mais consegue — a dor, a mágoa, o sofrimento e a perda que você está sentindo.

Você é Aceito no Amado

Mas, pastor Prince, eu nada fiz para me tornar agradável a Deus!

Jesus também não. Deus chamou Jesus de Seu amado e disse que Ele era agradável *antes* mesmo de haver realizado um único milagre ou ato de serviço para Ele. Veja, Jesus é agradável ao Pai não pelo que Ele *fez*, mas por quem Ele *é*. Você entendeu isso? Se não, por favor, leia a última sentença novamente.

Jesus não teve de *fazer* ou realizar qualquer coisa antes de ser considerado como amado e agradável ao Pai. Hoje, a boa notícia para você e para mim é que nosso Pai celestial "nos fez agradáveis a si no Amado", e nele "temos a redenção pelo seu sangue, a remissão dos pecados, segundo as riquezas da sua graça" (Efésios 1:6-7).

Isso é verdadeiro para qualquer pessoa que crê em Jesus. No momento em que você o recebeu em sua vida, Deus Pai o tornou aceito no Amado.

Sabemos que, aqui, a palavra "Amado" se refere a Jesus. Então, por que Deus não disse apenas "aceito em Jesus Cristo"?

Isso acontece porque Deus quer que você esteja consciente de que, agora, você faz parte da família e você é *amado* por Ele da mesma maneira que Jesus é. Além disso, a palavra "aceito" no original grego é uma palavra muito mais rica em significado do que a tradução em português pode transmitir. Ela é a palavra *charitoo*, que significa "muito favorecido".[1] Essa palavra é usada somente outra vez na Bíblia, quando o anjo Gabriel apareceu a Maria e lhe disse: "Alegra-te, muito favorecida (*charitoo*)! O Senhor é contigo" (Lucas 1:28).

Então, você e eu não somos apenas aceitos no Amado, o que já é fantástico, mas somos, mais precisamente, *muito favorecidos* no Amado, Jesus Cristo. De fato, o acadêmico grego Thayer diz que *charitoo* também significa que somos rodeados por favor.[2] É por isso que, em minha igreja, gostamos de proclamar e declarar que somos *muito favorecidos, grandemente abençoados* e *profundamente amados*. Essa é uma declaração poderosa e um importante lembrete de que você não está sozinho para se defender na vida. Você tem um Pai celestial que o ama, favorece, protege e cuida de você e de todos os seus entes queridos.

> ❖ *Você tem um Pai celestial que o ama, favorece, protege e cuida de você e de todos os seus entes queridos.*

O Amor Dele Faz toda a Diferença

Amo esse relato sincero de louvor que recebi de Gina, que mora em Maryland. Veja como ela foi transformada pelo amor do Pai:

> *Caro Pastor Prince,*
>
> *Sou cristã há aproximadamente trinta e quatro anos. Desde que descobri os seus ensinamentos, sinto-me como se tivesse sido liberta de trinta e quatro anos em uma prisão cristã de*

legalismo, regras e listas de coisas que eu tinha de fazer para Deus me ajudar e abençoar.

Antes de ouvir o Evangelho da graça não adulterado, estava quase desistindo de minha vida como cristã. Sim, eu ainda cria que iria para o céu, mas nem tanto assim. Nem sequer orava mais, porque sentia ter tantos problemas que provavelmente não devia estar orando corretamente; então, para que me dar ao trabalho? Detestava ler a Bíblia porque, para mim, era apenas um lembrete de todas as coisas que eu estava fazendo erradamente e de todas as coisas que eu tinha de fazer se quisesse a ajuda de Deus.

Mas, agora, tenho sempre sede da Palavra de Deus, porque a vejo como uma carta de amor de Deus, não um livro de regras que não sou capaz de cumprir. Também não me canso de ouvir as mensagens que recebo de você e sinto-me como se tivesse recebido alimento saudável e nutritivo após passar trinta e quatro anos comendo coisas que fazem mal à saúde. Ouço suas pregações várias vezes. Tenho passado mais tempo com a Palavra, porque, FINALMENTE estou ouvindo real e verdadeiramente BOAS NOVAS. Quero saber mais sobre quem Deus realmente é.

Pela primeira vez em minha vida, meus filhos, que têm vinte e poucos anos, também estão EMPOLGADOS com Deus. Estamos todos lendo Destinados a Reinar e constantemente ouvindo ensinamentos de seu ministério. Recentemente, estava pensando no Deus a quem agora conheço como meu Aba Pai e me senti totalmente envolvida por Seu amor por mim. Comecei a dizer: "Eu Te amo". De repente, percebi que simplesmente não há palavras para transmitir adequadamente o amor que agora sinto por Ele. Aquelas três pequenas palavras simplesmente não englobam tudo. Às vezes, sinto que meu coração vai explodir de tanto amor, porque finalmente creio que Ele sente o mesmo por mim!

Além disso, as coisas que tenho tentado deixar há DÉCADAS estão, agora, começando a desaparecer enquanto descanso em Deus sabendo que Ele continuará me amando, independentemente de qualquer coisa. Quem diria que NÃO tentar "ser bom" traria uma transformação do coração e, então, iria me mudar também exteriormente. Não consigo acreditar que tudo isso estava disponível para mim o tempo todo.

Estou tão feliz agora, que nem sou capaz de descrever. Sim, ainda tenho a minha quota de desafios, mas as coisas parecem muito diferentes quando você sabe que Deus não só PODE lidar com essas coisas, mas que Ele LIDARÁ com elas quando você apenas descansar e deixá-lo ser o seu Papai que Ele quer ser.

Não tenho como lhe agradecer por seu ministério e sua obediência a Deus, trazendo a nós, filhos de Deus, essa Palavra transformadora de vida. Fui transformada para sempre e conto a todos sobre o Evangelho da graça que você prega. Deus é maravilhoso, e estou ansiosa pelos próximos setenta anos da minha vida andando em Sua graça e compartilhando-a com o Seu povo.

Você não ama ler como vidas são mudadas e transformadas quando encontram o amor do Pai? Amo o que Gina compartilhou de como ela agora conhece a Deus como seu Aba Pai. Não é surpreendente você poder ter sido um cristão durante mais de três décadas e, contudo, não ter tido a oportunidade de encontrar o amor do Pai? Fico muito grato e honrado por Deus ter me dado o prazer e o privilégio de revelar o Pai a essa preciosa senhora e à sua família. Oro para que você também experimente o que ela experimentou. Em sua carta, ela está literalmente transbordando de amor e alegria, e aquece grandemente o meu coração ver também a família dela tocada por nosso amoroso Pai celestial.

Creia no amor do Pai por você. Veja a Sua graça. Vá com ousadia à Sua sala do trono repleta de graça e receba ajuda em seu momento de necessidade. Em seu relato de louvor, Gina compartilhou que havia coisas que ela vinha tentando deixar havia DÉCADAS, mas não conseguia. Entretanto, no momento em que começou a encontrar segurança no amor do nosso Aba Pai por ela e teve a revelação de que Deus continuaria amando-a independentemente de qualquer coisa, a transformação começou sem esforço em seu interior e aquelas coisas começaram a desaparecer.

Creia no amor do Pai por você e receba ajuda em seu momento de necessidade.

Quando você vê e crê no amor do Pai que brilha em você, as trevas desaparecem. A depressão desaparece. Os transtornos alimentares desaparecem. Pensamentos suicidas desaparecem. Medos desaparecem. Vícios destrutivos desaparecem. Quanto mais você se colocar sob a Sua graça, menos o pecado terá domínio sobre você. A tentação não terá qualquer poder sobre você quando você estiver cheio com o amor, a aprovação, o favor e a aceitação do Pai. Toda essa liberdade poderá ser sua quando você realmente crer que:

Você é o Seu filho amado, em quem Ele se compraz.

Esta é a minha oração por você, meu amigo. Oro para que você comece a compreender e crer na largura, no comprimento, na profundidade e na altura do amor incondicional de seu Pai por você. Descanse no amor de seu Pai por você e não em seu amor por Ele. E que você possa experimentar a vitória sobre todo medo, todo sentimento de culpa e todo vício em sua vida.

PALAVRAS FINAIS

Caro leitor, agradeço-lhe por ter feito esta jornada comigo em *O Poder de Crer Corretamente*. Você foi um companheiro de viagem maravilhoso e atencioso, e oro para que você tenha sido abençoado pelas verdades compartilhadas neste livro.

Embora hoje haja muita ênfase em viver corretamente e agir corretamente, confio que você está começando a ver que a resposta realmente está em *crer* corretamente. Se você conseguir mudar aquilo em que crê, conseguirá mudar a sua vida.

Crer corretamente sempre nos leva a viver corretamente.

Quando você crer corretamente, acabará vivendo corretamente e agindo corretamente.

Confio que, por meio da leitura deste livro, você descobriu que crer corretamente trata, realmente, da pessoa de Jesus. Quando você crer nele — em Seu amor por você, em Sua graça para você e no poder de Sua obra consumada em sua vida — Ele o transformará de dentro para fora. E nós sabemos que a verdadeira transformação e libertação só pode ocorrer de dentro para fora.

Quero incentivá-lo a adquirir os livros *Destinados a Reinar* e *Favor Imerecido*, e a continuar a firmar seu coração na crença correta. *O Poder de Crer Corretamente* é construído sobre o fundamento desses dois livros, e neles você encontrará muitas verdades que ancorarão a sua fé e o impulsionarão a avançar na crença correta.

Também gostaria de saber se você foi abençoado e impactado por este livro. Por favor, escreva para praise@josephprince.com.

Saiba que meu amor e minhas orações estão com você e sua família.

Em Sua amorosa graça,
Joseph Prince

NOTAS

CAPÍTULO 2 *O Deus que Busca os Rejeitados*

1. OT: 5911, *The Online Bible Thayer's Greek Lexicon and Brown, Driver & Briggs Hebrew Lexicon.* Copyright © 1993, Woodside Bible Fellowship, Ontario, Canadá. Licenciado por Institute for Creation Research.

CAPÍTULO 3 *"Jesus Me Ama! Disso Eu Sei"*

1. Cornwall, Judson, and Michael Reid. *Whose Love Is It Anyway?* Closter, New Jersey: Sharon Publications, 1991. pp. 58-59.

CAPÍTULO 4 *Assista aos Filmes Mentais Corretos*

1. NT: 342, *Thayer's Greek Lexicon*, Electronic Database. Copyright © 2000, 2003, 2006 by Biblesoft, Inc. Todos os direitos reservados.
2. Yong, Ed. "Snakes Know When to Stop Squeezing Because They Sense the Heartbeat of Their Prey." *Discover Magazine.* 17 de janeiro, 2012. Recuperado em 18 de janeiro de 2013, de http://blogs.discovermagazine.com/notrocketscience/2012/01/17/snakes-know-when-to-stop-squeezing-because-they-sense-the-heartbeats-of-their-prey/#.UPin5Oh8Nyg
3. Hardy, David L. "A Re-evaluation of Suffocation as the Cause of Death during Constriction by Snakes." *Herpetological Review*, 1994. p. 229:45–47.

CAPÍTULO 5 *Veja-se como Deus o Vê*

1. NT: 1343, *Vine's Expository Dictionary of Biblical Words.* Copyright © 1985, Thomas Nelson Publishers.

CAPÍTULO 11 *Vitória Sobre os Jogos Mentais do Inimigo*

1. Recuperado em 3 de maio de 2013, de www.biblestudytools.com/classics/bunyan-grace-abounding-to-the-chief-of-sinners/grace-abounding-to-the-chief-sinners.html
2. Recuperado em 3 de maio de 2013, de www.biblestudytools.com/classics/bunyan-grace-abounding-to-the-chief-of-sinners/grace-abounding-to-the-chief-sinners.html?p=2
3. NT: 3341, *Thayer's Greek Lexicon, Electronic Database*. Copyright © 2000, 2003, 2006 by Biblesoft, Inc. Todos os direitos reservados.

CAPÍTULO 12 *Cuidado com o Leão que Ruge*

1. NT: 4991, *Thayer's Greek Lexicon, Electronic Database*. Copyright © 2000, 2003, 2006 by Biblesoft, Inc. Todos os direitos reservados.
2. Prince, Joseph. *Favor Imerecido*. Belo Horizonte, Belo Publicações, 2012.
3. *The Truth about Ananias and Sapphira*, 28 de novembro de 2010, mensagem em CD de Joseph Prince. Para mais informações, visite JosephPrince.com

CAPÍTULO 14 *Jesus, Seja o Centro de Tudo*

1. NT: 453, *Thayer's Greek Lexicon, PC Study Bible formatted Electronic Database*. Copyright © 2006 by Biblesoft, Inc. Todos os direitos reservados.
2. NT: 3474, *Biblesoft's New Exhaustive Strong's Numbers and Concordance with Expanded Greek- Hebrew Dictionary*. Copyright © 1994, 2003, 2006 by Biblesoft, Inc. and International Bible Translators, Inc.
3. Recuperado em 6 de maio de 2013, de www.blueletterbible.org/lang/lexicon/lexicon.cfm ?Strongs=G1695&t=KJV
4. OT: 3070, *Biblesoft's New Exhaustive Strong's Numbers and Concordance with Expanded Greek-Hebrew Dictionary*. Copyright © 1994, 2003, 2006 by Biblesoft, Inc. and International Bible Translators, Inc.

CAPÍTULO 16 *A Batalha Pertence ao Senhor*

1. NT: 1680, *Vine's Expository Dictionary of Biblical Words*. Copyright © 1985, Thomas Nelson Publishers.

2. OT: 2617, *Vine's Expository Dictionary of Biblical Words*. Copyright © 1985, Thomas Nelson Publishers.
3. OT: 1294, *The Online Bible Thayer's Greek Lexicon and Brown, Driver & Briggs Hebrew Lexicon*. Copyright © 1993, Woodside Bible Fellowship, Ontario, Canadá. Licenciado por Institute for Creation Research.

CAPÍTULO 17 *Deus Ama Quando Você lhe Pede Coisas Grandes*

1. OT: 3258, *The Online Bible Thayer's Greek Lexicon and Brown, Driver & Briggs Hebrew Lexicon*. Copyright © 1993, Woodside Bible Fellowship, Ontario, Canadá. Licenciado por Institute for Creation Research.

CAPÍTULO 18 *Encontrando Esperança Quando Parece Não Haver Nenhuma*

1. Recuperado em 3 de maio de 2013, de www.nlm.nih.gov/medlineplus/ency/article/003647.htm
2. OT: 2617, *Vine's Expository Dictionary of Biblical Words*. Copyright © 1985, Thomas Nelson Publishers.

CAPÍTULO 19 *Receba o Amor do Pai por Você*

1. Retrieved April 5, 2013, from www.blueletterbible.org/lang/trench/section.cfm?Section ID=69&lexicon=true&strongs=G3338
2. NT: 5206, *Vine's Expository Dictionary of Biblical Words*. Copyright © 1985, Thomas Nelson Publishers.

CAPÍTULO 21 *Encontre Descanso no Amor do Pai*

1. NT: 5487, *Biblesoft's New Exhaustive Strong's Numbers and Concordance with Expanded Greek-Hebrew Dictionary*. Copyright © 1994, 2003, 2006 by Biblesoft, Inc. and International Bible Translators, Inc.
2. NT: 5487, *Thayer's Greek Lexicon, Electronic Database*. Copyright © 2000, 2003, 2006 by Biblesoft, Inc. Todos os direitos reservados.

ORAÇÃO DA SALVAÇÃO

Se você quiser receber tudo que Jesus fez por você e torná-lo seu Senhor e Salvador, faça esta oração:

> *Senhor Jesus, eu Te agradeço por me amar e morrer por mim na cruz. O Teu precioso sangue me purifica de todo pecado. Tu és meu Senhor e meu Salvador, agora e para sempre. Creio que Tu ressurgiste dos mortos e que hoje vives. Por causa da Tua obra consumada, eu agora sou um filho amado de Deus e o céu é o meu lar. Obrigado por me conceder vida eterna e por encher meu coração com a Tua paz e alegria. Amém.*

AGRADECIMENTO ESPECIAL

Quero agradecer e reconhecer especialmente a todos os que nos enviaram seus testemunhos e relatos de louvor. Peço gentilmente que notem que todos os testemunhos são recebidos em confiança e editados somente para objetividade e fluência. Os nomes foram alterados para proteger a privacidade dos remetentes.

CONTINUE LIGADO A JOSEPH

Conecte-se a Joseph por meio destes canais de mídia social e receba ensinamentos inspiradores diários:

Facebook.com/Josephprince
Twitter.com/Josephprince
Youtube.com/Josephprinceonline

Pedido de Oração

Se você tiver um pedido de oração, compartilhe-o com nossa comunidade *on-line* em Gracehope.com/Josephprince. Nossas equipes de oração estão de prontidão para orar com você.

Devocional Diário Gratuito por *E-mail*

Inscreva-se para receber o devocional diário gratuito de Joseph por *e-mail* em JosephPrince.com/meditate e receba pequenas inspirações para ajudá-lo a crescer em graça.

DESTINADOS A REINAR

Este livro fundamental acerca da graça de Deus transformará sua vida para sempre! Una-se a Joseph Prince enquanto ele desvenda verdades fundamentais cruciais para a compreensão da graça de Deus e como somente ela o liberta para obter vitória sobre toda adversidade, deficiência e hábito destrutivo que o esteja limitando hoje. Seja edificado e renovado ao descobrir como reinar em vida diz respeito a Jesus e ao que Ele já fez por você. Obtenha seu exemplar hoje e comece a vivenciar o sucesso, a plenitude e a vitória de que você foi destinado a desfrutar!

FAVOR IMERECIDO

Esta sequência de *Destinados a Reinar* é uma leitura obrigatória se você quiser expressar os sonhos que Deus fez nascer em seu coração! Baseando-se nas verdades fundamentais da graça de Deus estabelecidas em *Destinados a Reinar, Favor Imerecido* o leva a uma compreensão mais profunda do presente da justiça que é seu por meio da cruz, e de como ele lhe dá uma vantagem sobrenatural para ser bem-sucedido na vida. Repleto de verdades fortalecedoras da nova aliança, *Favor Imerecido* o libertará para estar acima dos seus desafios e ter hoje uma vida de superação como amado de Deus.

100 DIAS DE FAVOR

(Contendo 100 leituras diárias)

Mergulhe de cabeça no vasto oceano do favor de Deus, e depois aprenda como ele libera sucesso em sua vida! Tomando ensinamentos-chave de *Favor Imerecido* e transformando-os em pequenos devocionais diários, Joseph Prince lhe mostra como desenvolver uma consciência do favor que libera a sabedoria e as bênçãos de Deus em tudo que você faz, todos os dias. Com inspiradores versículos bíblicos, orações e pensamentos libertadores acerca do favor imerecido de Deus em cada devocional, *100 Dias de Favor* é um recurso indispensável que lhe transmitirá poder para superar todo desafio em sua vida e caminhar de forma bem-sucedida. Peça seu exemplar hoje!

GOSTARÍAMOS DE TER NOTÍCIAS SUAS

Se você fez a oração da salvação ou se você tiver um testemunho para compartilhar após ler este livro, envie-nos um e-mail para praise@josephprince.com.

Livros de Joseph Prince

Destinados a Reinar
Favor Imerecido
100 Dias de Favor

Para mais informações sobre esses livros e outros recursos inspiradores de Joseph Prince, cadastre-se em
JOSEPHPRINCE.COM